.do
a crecer

Guía para alimentar
el desarrollo oportuno de los niños

0 a 3
años

Ayudando a crecer

Guía para alimentar el desarrollo oportuno de los niños

0 a 3 años

por Ana Serrano

SERRANO, ANA
Ayudando a Crecer
Guía para alimentar el desarrollo oportuno de los niños. 0-3 años.
1era. Edición. 1era. Reimpresión. Ed. Producciones Educación Aplicada, México =2006=
288 p. índ. p. 7; il; 17 x 23 cm (Serie Educadores Contemporáneos)
1. Niño, Estudio del | 2. Estimulación Infantil
Dewey-150

1ERA. EDICIÓN, noviembre de 2004
2A. REIMPRESIÓN, Julio 2006

Diseño de portada: VIDAL SCHMILL / GABRIEL MARTÍNEZ MEAVE
Diseño gráfico: GABRIEL MARTÍNEZ MEAVE / KIMERA
Corrección de estilo: MARÍA ROSA CERTUCHA DE LA MACORRA

Missouri No. 7 Col. Nápoles, México 03810 DF. Tels. 5543-0108 y 5543-0112
www.escuelaparapadres.com

ISBN: 970-9779-00-1

IMPRESO EN MÉXICO

A mi familia

Agradecimientos

Agradezco a Vidal por su insistencia y por creer en la obra.

A mi equipo de trabajo por su apoyo y contribuciones que están entretejidas en los textos.

A mis maestros que me han "acompañado a crecer" Susana, Maria Luisa, Paulina, Jenny, Mónica, Norma, Débora, Isabel, María, Leonardo, Astrid, Elena, Germán, Carlos y Luis.

A mis maestros virtuales. Leach, Brazelton, Bettelheim, Gardner, Goleman, Bloom, Faber y Mazlish.

Contenido

Áreas que contempla el capítulo:

FÍSICA

AFECTIVA

INTELECTUAL

Prólogo

Este libro está dirigido a tí, que tienes la tarea de ayudar a crecer a un niño o a una niña. Desde su nacimiento (o antes) hasta la edad preescolar y el inicio de la escolar.

Aprovecho para comentarte, que por regla gramatical, en los textos usaremos "niño" refiriéndonos a ambos géneros. Esto no me hace sentir muy a gusto, pero te pido que cuando leas "niño" visualices a tu niña o niño con su rostro y su voz, su ritmo y su temperamento.

Ayudando a Crecer pretende estar a tu lado cuando quieras inspirarte y reflexionar para encontrar tus propias respuestas.

Más que un libro para ser leído de corrido, es una colección de temas de crianza y desarrollo. De manera que cada capítulo puede ser leído de forma independiente y en función de tus inquietudes y necesidades. Por esta razón, al final de cada sección encontrarás la bibliografía y fuentes correspondientes. También te comento que encontrarás tesis y ejemplos repetidos en varios capítulos, debido a que, en el contexto del tema tratado en el capítulo, ayudan a redondear las ideas centrales. Si optas por una lectura de inicio a fin, te pido paciencia con este detalle.

Me gustaría platicarte acerca de la estructura de los capítulos:

En la introducción: hago una reflexión general acerca de la responsabilidad que tenemos padres y maestros de bebés y niños pequeños.

Los capítulos se integran por un artículo central que describe las etapas evolutivas del niño.

- **El desarrollo del bebé**
- **El niño en edad de transición**

Y vinculándose con cada etapa, hay otros temas relacionados de crianza que podrás ir consultando en función de tus inquietudes y necesidades del momento.

Algunos temas abarcan a grupos más amplios de edad y pueden servirle a papás y maestros de niños escolares y hasta pre-adolescentes.

Cuando estamos enterados acerca de la etapa por la que pasa nuestro niño, y de los pormenores de su temperamento, tenemos más elementos para disfrutarlo y para orientarlo adecuadamente. Acallamos culpas y ponemos las cosas en perspectiva.

Es más fácil de disfrutar un pequeño, en el momento en el que nos enteramos que "los berrinches son normales". Dejamos de pensar que somos papás desahuciados y que tenemos un delincuente en potencia. Simplemente nos ponemos "manos a la obra".

Conocer el perfil y la etapa por la que pasa el niño, nos da energía para ser predecibles en los límites y en el afecto.

¿De donde salieron los temas?

Si abres el libro, te van a visitar de manera virtual, los papás que han hecho preguntas y aportaciones durante 20 años en los que he impartido seminarios y talleres en distintos medios socio-económicos, desde las escuelas urbanas, con papás y mamás con grados académicos, hasta padres de familia de zonas indígenas y de comunidades urbano marginadas.

Te visitarán también al abrirlo, los autores a los que les he preguntado mis propias dudas e inquietudes.

Encontrarás, y me da pudor mencionarlo, mis lágrimas de mamá que trató de hacer lo mejor posible y no siempre salió como lo soñaba. Las enseñanzas de más valor, fueron las de mi familia. El libro es una síntesis bibliográfica y también biográfica, que espera tu propia construcción.

No podemos pretender que haya respuestas definitivas. La literatura sobre crianza no está exenta de un ir y venir en las corrientes pedagógicas y científicas. La única certeza que tenemos es que el vínculo afectivo favorece un desarrollo armónico y la carencia de afecto lo entorpece.

También, **pensemos que somos papá y mamá con la madera de lo que somos, no con lo que sabemos.** Esta frase de Margarita Cabello, me hace sentido en el prólogo. Estos niños nos acompañan a crecer a nosotros los adultos.

Espero con ilusión que el libro te sirva y te apoye en esta aventura..

Es probable que haya un sesgo de profesión, pero creo que el desarrollo infantil es apasionante y cautivador. Una vez que te adentras, este tema te atrapa y no te deja soltarlo. Tener a un pequeño cerca es en parte responsable de esa fascinación. Poder constatar día con día lo que pasa en la mente de los pequeños es realmente maravilloso.

Que lo disfrutes y que disfrutes la tarea de ayudar a crecer...

La Estimulación Temprana en los umbrales del nuevo milenio

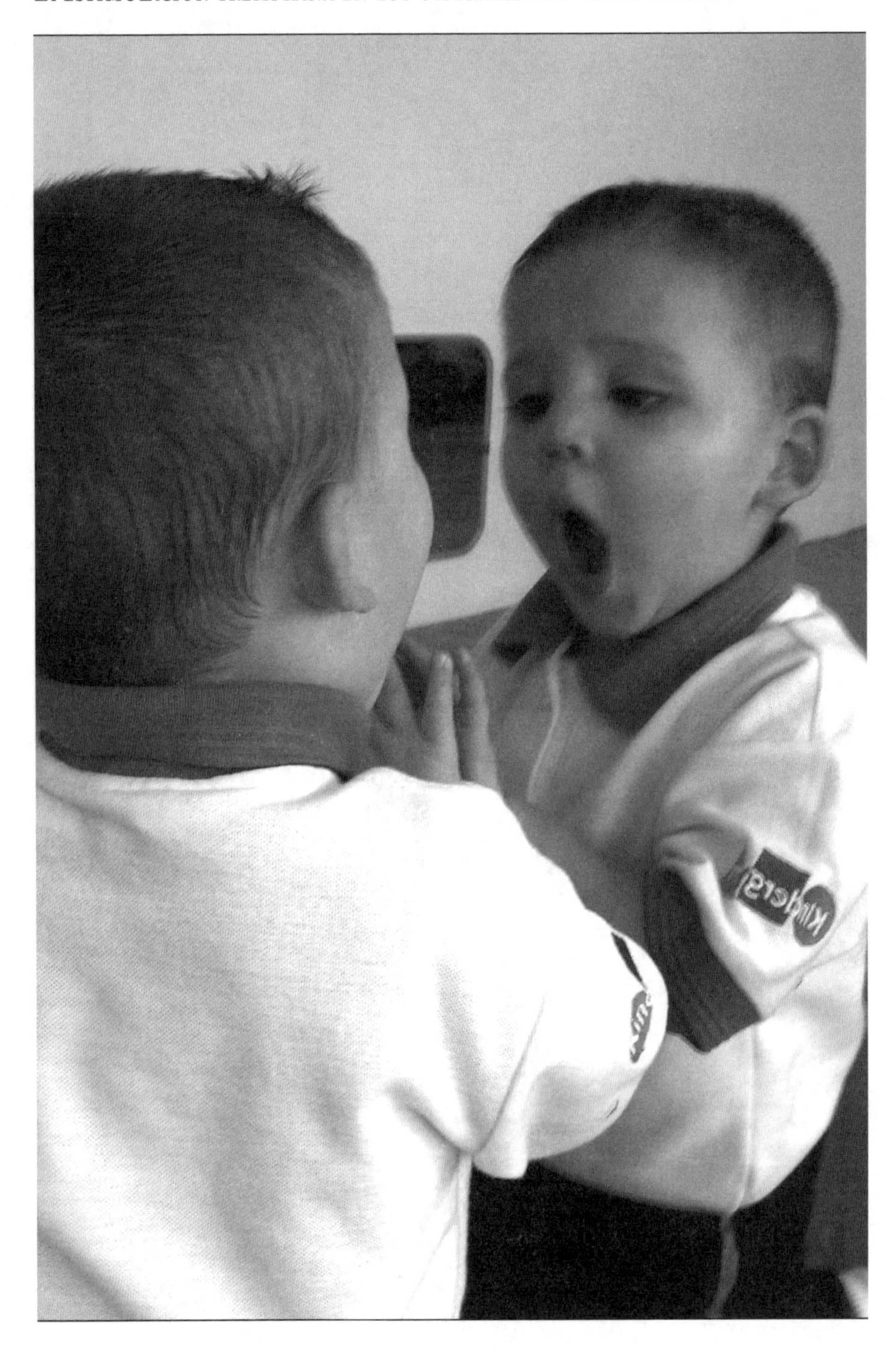

Atención oportuna vs. sobrestimulación del bebé y el niño pequeño: algunas reflexiones para compartir.

El inicio del milenio nos invita a reflexionar acerca de nuestra responsabilidad como padres y educadores de bebés y niños pequeños. El presente capítulo revisa la evolución de la corriente de la Estimulación Temprana, así como las críticas actuales, y propone como concepto alternativo la idea de Estimulación Oportuna, como "alimento al desarrollo", ponderando de manera especial la función del afecto y el vínculo en el desarrollo del niño.

INTRODUCCIÓN: LA CORRIENTE DE LA ESTIMULACIÓN TEMPRANA Y EL PADRE ACTUAL

Estamos viviendo un momento histórico privilegiado, que se convierte en una oportunidad de reflexión: de evaluación del trabajo, de filosofía de vida y de acciones. Es, también, una oportunidad para proponer ajustes y hacer enmiendas en el camino.

Quisiera compartir tanto con papás de bebés y niños pequeños, como con colegas y compañeros, aprendizajes y también dudas que surgen en este ámbito de la crianza y el aprendizaje.

En todos los campos de la ciencia podemos observar que se hace un alto en el camino para reflexionar. Analizamos los hechos históricos más importantes del siglo, que dan cuenta de fenómenos sociales actuales, cambios de rumbo en la investigación científica; la ingeniería genética, el logro de los clones y la promesa paradójica del futuro. La ciencia nos permite dejar volar la imaginación y jugar a adivinar el rumbo que tomará en estos inicios del siglo y en el milenio.

Las preguntas y reflexiones, probablemente nos las hagamos más como seres humanos que como profesionistas ¿Hacia dónde va la humanidad?

Concretamente, en el campo de la Estimulación Temprana de los niños, hemos vivido una etapa de gran entusiasmo.

La ciencia y la investigación acerca del desarrollo del cerebro, se han filtrado y han llegado al mundo de los papás. Este entusiasmo lo podemos ubicar como una oleada creciente desde los años 70 hasta nuestros días, lapso en el que varias corrientes de pensamiento y acción se han mezclado y fecundado.

En ello ha intervenido, por un lado, la tesis de la "Deprivación Cultural" en Latinoamérica. (Ver apéndice)

Se cobró conciencia de que los bebés nacidos en familias de bajos recursos, que se encontraban abandonados porque la mamá tenía que salir a trabajar, sufrían un deterioro en su sistema nervioso y en su capacidad de aprendizaje. Había que buscar la manera de que el bebé recibiera estímulos sensoriales y afecto desde los primeros días, a fin de conservar su potencial de aprendizaje.

Han contribuido también las investigaciones realizadas con huérfanos albergados por instituciones y los estudios sobre el efecto negativo del abandono afectivo y sensorial.

Asimismo la educación especial ha coadyuvado a poner atención en el mundo del bebé.

Cuando un bebé nace con problemas, pero recibe una atención temprana, es probable que su cerebro compense de cierto modo las funciones potencialmente problemáticas y que el futuro de ese niño sea más promisorio.

Por otro lado, han incidido la corriente científica, la influencia de **Piaget** y sus seguidores, y más recientemente, la investigación de la neurofisiología del cerebro, difundida en los artículos de las revistas *Newsweek* y *Time*, así como "La inteligencia emocional" y "Las inteligencias múltiples", de **Gardner**.

Todas estas ideas se enlazan y contribuyen a mirar con especial interés y fascinación al bebé.

El bebé puede aprender desde recién nacido; es más: reacciona sensorialmente y responde desde que está en el útero.

Vivimos, los papás de estas décadas, un momento fascinante y privilegiado. La ciencia nos abre una ventana por la cual nos podemos asomar y consultar dudas y temores.

La corriente de Estimulación Temprana reconoce que el bebé y el niño pequeño atraviesan por un período único y sensible de desarrollo cerebral, en el que los estímulos sensoriales y de movimiento literalmente cincelan el cerebro, dejando en él rastros de asociaciones que potencian el desarrollo y el eventual aprendizaje del niño.

Podemos apreciar estas variables en forma vívida durante la convivencia cotidiana con los pequeños. Con cada estímulo, sea éste visual, olfativo, táctil o auditivo, el cerebro va creando conexiones nerviosas, caminos eléctricos que van organizando la información y estableciendo asociaciones, por ejemplo: *"Huelo algo familiar, conozco esa voz, voy a comer, esa cara: la miro y la asocio con afecto y alimento."*

Estas reacciones de anticipación del bebé, literalmente se relacionan con conexiones a nivel cerebral y constituyen el fundamento para otros aprendizajes.

Un niño al que se expone de manera coherente y afectuosa a estímulos, posee los cimientos necesarios para adquirir nuevos conocimientos. Su cerebro prácticamente se está preparando para asociar y conocer más y más.

Esta última década ha sido privilegiada en el campo de desarrollo del bebé, debido al énfasis puesto en su estudio.

Así, se ha descubierto que no solamente ocurre un aprendizaje lógico que se refleja en las conexiones cerebrales; cuando el bebé recibe **respuestas afectuosas** a su necesidad de alimento, de compañía, de contención, también se generan circuitos cerebrales "virtuosos": el bebé que sabe que no está solo, que recibe afecto, va desarrollando un cerebro distinto al del bebé que vive en la negligencia y el abandono.

Estos hallazgos forman parte de la nueva corriente de Goleman "Inteligencia Emocional", que ha enriquecido de manera sustancial a la corriente de Estimulación Temprana.

Con el afecto se generan a nivel cerebral circuitos que ayudan al niño a autocontenerse, a explorar el mundo, a abrirse, a tener mayor capacidad de espera y de tolerancia a la frustración.

Esto es algo que quizá la ciencia de la educación ya conocía: el afecto es el más importante de los estímulos, y la etapa más sensible al afecto (tanto en sentido positivo como en el negativo) es la del bebé y la del niño pequeño, pero lo novedoso de la tesis de Goleman es el descubrimiento de lo que ocurre a nivel cerebral.

La estimulación temprana se refiere a la estimulación sensorial: cada estímulo es procesado por el sistema nervioso central y tiene su sitio en una zona específica del cerebro. La vista, el oído, el olfato, el gusto, el tacto, el equilibrio, se alojan físicamente en zonas diferenciadas del cerebro y generan respuestas en el niño.

Ahora bien, podemos hablar en forma análoga de otro sentido: el afecto. Sabemos que expresarlo así no resulta muy ortodoxo, pero de forma similar a como los estímulos visuales entran por los ojos y se alojan en una zona del cerebro, el afecto tiene una entrada envolvente en el organismo y se aloja en una zona específica del cerebro, cincelándolo.

Así pues, con esta licencia que nos permitimos, podemos pensar en siete sentidos, que corresponden a los siguientes estímulos: visuales, táctiles, olfativos, gustativos, auditivos, de equilibrio y **afectivos**.

De pequeños, podemos aprender y retener mucho más de lo que podemos hacerlo de grandes. La gran expectativa que esto implica es que cuando haya un leve problema o lesión en una parte del cerebro, otra parte pueda retomar las funciones, siempre y cuando sea adecuadamente estimulada (plasticidad del cerebro).

El alimento del cerebro o alimento del desarrollo lo conforman los estímulos adecuados de los siete sentidos en los que hemos convenido.

Conforme a ello, podemos aportar una definición más coloquial y apropiada de Estimulación Temprana como **"alimento del desarrollo", que no entra por la boca sino por la piel, por los ojos, por los sentidos y se deposita en el cerebro y el corazón.**

Allegarnos esos estímulos pudiera parecer algo artificial. Aparentemente tendríamos que darnos a la tarea de elaborar un programa diario en el que diseñáramos los estímulos adecuados para obtener las respuestas deseadas. No es así. Un hogar armonioso nutre cotidianamente de estímulos suficientes al niño para propiciar en él un buen desarrollo; especialmente un hogar sensible a la "dieta" de estímulos requeridos en cada etapa del desarrollo.

Así, al cargar al bebé, acostarlo en distintas posiciones, ponerle música, platicarle, atenderlo afectuosamente, va a ayudar a que en ambientes naturales, el cerebro del niño reciba el alimento necesario.

Un hallazgo que ha causado gran entusiasmo, es el descubrimiento de que el bebé recién nacido ve y enfoca a 20 cm de distancia de la línea media, que prefiere ver colores intensos a colores tenues, que lo que más atrae su vista es la cara de alguna persona que lo mira de frente, estableciendo contacto visual.

Ahora bien, el mismo bebé que en estado de alerta y habiendo descansado mira con fascinación los colores intensos, en otro momento, cuando está cansado, evitará esos mismos estímulos. Esta es una gran lección y una señal de alerta: si seguimos estimulando a un bebé cansado, insistiendo en que vea colores y formas, es como darle alimento a un estómago saturado. El efecto va a ser negativo y contraproducente.

Si sobreestimulamos al bebé, generaremos reacciones de desinterés, bloqueo y apatía.

A la larga, una conducta sistemática de sobreestimulación y falta de respeto a las respuestas del niño, generará desorganización y ansiedad. En ese caso hubiera sido preferible no estimularlo y dejar que la vida cotidiana nutriera sus sentidos de manera más natural.

William Sammons[1] nos revela que el bebé cansado evita los colores intensos, ya que posee un mecanismo de regulación de entrada sensorial; nos avisa cuando ya tuvo suficiente. Claro que hay que tener sensibilidad para interpretar y entender esas reacciones[2].

Los bebés difieren en cuanto a ritmos y reacciones. Algunos resisten muchos más estímulos que otros. Hay bebés robustos (desde el punto de vista sensorial), que pueden al mismo tiempo escuchar música, pasar de unos brazos a otros, ver colores, etc. y seguir felices. Hay otros bebés con umbrales sensoriales mucho más frágiles, que se aturden sensorialmente con más de un estímulo simultáneo; se irritan con facilidad si los pasamos de brazo en brazo o si hay mucho ruido o están expuestos a muchos colores.

Podemos pensar en esto como en una "capacidad de digestión" de estímulos individual.

Los bebés con umbrales frágiles necesitan que los estímulos sean administrados con mesura, para no indigestarlos. Los bebés con umbrales robustos pueden recibir más estímulos.

Conforme a estas aseveraciones, las ideas de estimulación temprana llevadas a la práctica de manera indiscriminada, pueden generar el efecto contrario al deseado; por ello, nunca podemos claudicar y dejar de observar las reacciones del bebé y el estado en el que se encuentra.

El concepto de "diálogo" muscular y sensorial puede ayudar a la correcta administración y vigilancia del estímulo. El adulto "dialoga" muscularmente con el bebé al jugar con él, y tiene que esperar una respuesta muscular y afectiva para seguir jugando. Lo mismo aplica para los estímulos sensoriales. Estímulo –espero una respuesta, el

---

1. Sammons, Williams; *"The self-calmed baby"*
2. Brazelton, Berry; *"On becoming a family"*

bebé se ajusta: su cuerpo, ojos y actitud me dicen que está a gusto–entonces vuelvo a estimular.

Los papás disponemos de cuatro grandes objetivos de juego con el bebé, correspondientes a otros tantos estímulos:

- Estímulo del movimiento: para darle libertad. Poniéndolo boca abajo, lo invitamos a que gatee.
- Estímulo del desarrollo de los músculos finos (ojos y manos).
- Con ejercicios de seguimiento visual, etc.
- Estímulos de los siete sentidos. Juego de las escondidillas, etc.
- Estímulos del lenguaje.

Podemos comparar el desarrollo del bebé y del niño pequeño con la construcción de un edificio. La analogía es sencilla pero aporta muchos elementos susceptibles de comparación. Los cimientos del desarrollo intelectual y afectivo ocurren en las primeras etapas. Cada piso tiene que construirse de manera sólida. Si pensamos que hay ladrillos de movimiento, de pensamiento, de lenguaje, de afecto, no quisiéramos que se edificara una columna vertical de un solo tipo de ladrillos, sin el soporte de los otros. Transportando esta idea al desarrollo del bebé, no queremos a un niño que sólo se mueva pero sea incapaz de concentrarse, ni que sepa leer pero no se mueva.

Cada piso equivale a una etapa y tiene su "dieta" de estimulación específica.

Es lógico que no quisiéramos que el niño se saltara ninguna etapa porque quedaría un vacío, un hueco, que luego habría que resanar, lo que implicaría más trabajo.

La idea del edificio nos permite visualizar que es importante que los niños vayan presentando los logros obtenidos sin saltarse nada importante: que gateen, aprendan a hablar, etc. y aún más importante es que lo hagan de manera armónica e integral.

Los logros conseguidos antes de tiempo no son deseables porque el cuerpo y la mente no están preparados para relacionar el logro con la experiencia. Por ejemplo, un bebé que gatea mucho antes de lo esperado probablemente tenga un desarrollo motriz privilegiado pero es probable que carezca de las reacciones de protección que le evitan golpearse en la cabeza.

Es una tarea difícil, pero de gran valor, la de convencer a los papás de que no importa tanto el momento, que no hay prisa, que lo que importa es que el logro se consiga, integrado a otros desafíos de la edad, que el niño los haga suyos y adquiera confianza en sí mismo. Es preferible que el bebé gatee a los 11 ó 12 meses pero con movimientos orquestados y con una sensación de logro, a presionarlo para que gatee a los 8 meses, a costa de tensión tanto en los papás como en el niño.

La estimulación temprana, es en cierto sentido, una "medicina preventiva". Ahora se sabe que muchos problemas motrices, de coordinación, de foco y seguimiento visual, de lectura, escritura y matemáticas, de concentración, que suelen presentar los niños preescolares y escolares, se pudieron haber evitado mediante sencillos ejercicios (o alimento del desarrollo) cuando eran bebés.

Este hallazgo resulta muy alentador, ya que ahora sabemos que mientras antes actuemos, mejor. Recordemos que el cerebro es plástico y el desarrollo puede reorientarse.

Es una responsabilidad creciente de los pediatras, que en muchas ocasiones se constituyen en "los consejeros" de desarrollo de la familia, checar los parámetros de desarrollo del bebé y las posibles señales de alerta que indiquen la necesidad de una estimulación más sistemática.

Esto no significa que la estimulación funciona al modo de una vacuna infalible.

Quizá algunos niños expuestos a estimulación, de todas maneras necesiten algún tipo de terapia motora o de lenguaje. En ocasiones, ciertos papás se sienten traicionados. ¿Cómo es posible que si sometí al bebé a la debida estimulación ahora tenga que acudir a terapia?

En realidad, nos encontramos en un campo de estudio aún no concluyente y no tenemos todos los hilos causales en la mano.

Sin embargo sí podemos afirmar que si no se hubiera hecho nada, la terapia por aplicar tendría que ser mucho más enérgica.

Si incluso en niños con un pronóstico normal la estimulación temprana es de gran beneficio (siempre y cuando se les dé de manera personificada y dosificada), en niños con pronóstico comprometido, es casi un mandamiento. Es decir, cuando se trata de niños prematuros, provenientes de embarazos problemáticos, de un parto difícil, o con una franca deficiencia neurológica, lo recomendable es empezar lo más pronto posible. Cada día vale oro.

Es lamentable que existan casos extremos de ausencia de estimulación. En México, hay múltiples casos de familias recién llegadas a la ciudad, que provienen de ambientes muy ricos en colores, aromas y sonidos, y que al mudarse a un ambiente gris y hostil, en donde la madre tiene que salir a trabajar, dejan solo y sin estímulos al bebé, con su consecuente deterioro neurológico, al igual que los casos de niños en orfanatorios atendidos por pocos cuidadores o con cuidadores inexpertos, que no tienen idea de la "dieta" de estímulos adecuada para cada etapa del desarrollo.

Esto mismo sucede en hogares de clases acomodadas, en donde se delega el cuidado de los niños a sustitutos no calificados y con estilos de crianza que no corresponden culturalmente al mundo que vivirá el bebé.

CRÍTICA Y CONTRACCORRIENTE

Desgraciadamente, se han cometido excesos en la estimulación tanto del bebé como del niño preescolar. En Estados Unidos de Norteamérica podemos ya ubicar una "contracorriente" a la Estimulación Temprana. Muy probablemente esta crítica venga en camino y nos planteará cuestionamientos importantes.

Las fascinantes ideas acerca del desarrollo cerebral y su enorme capacidad de aprendizaje han generado casos de sobreestimulación, de sobreatención, de presión excesiva para la consecución de logros, de angustia por parte de los padres, de exigencias para que el niño crezca de manera prematura, se vuelva un adulto precoz, se exponga a computadoras y a lecto-escritura, sin tener la madurez necesaria.

Existen reportes clínicos de hiperactividad, de ausencia de concentración, de pérdida del gusto por aprender, de angustia y hasta de neurosis y fobias, como resultado de un manejo inadecuado de la estimulación.

Estos casos son como una gran traición a las expectativas tan enormes y benéficas que brinda la estimulación temprana.

Tanto entusiasmo ha generado la idea de que el bebé aprende y de que su cerebro crece, que tenemos como resultado a papás que estimulan al niño de manera indiscriminada, sin escuchar o percibir las respuestas del niño. Paradójicamente están convencidos de que hacen las cosas lo mejor que pueden.

Como dijimos anteriormente: estimular al niño cuando está cansado, es como darle de comer a un estómago indigesto. Es altamente perjudicial no escuchar las respuestas del niño, someter a los bebés a excesos de movimiento y a un bombardeo sensorial, ignorando su poder de asimilación.

El papá contemporáneo generalmente piensa que la crianza consiste en un proceso intelectual, que lo que hay que hacer es leer libros y aplicar las ideas. Es consciente de que el éxito económico y profesional dependen de una buena carrera, está ansioso por darle a su bebé el beneficio de una ventaja de arranque y de ayudarlo a abrir brecha para que aprenda bien, esté mentalmente capacitado, haga una buena carrera escolar y, eventualmente, consiga un buen trabajo.

Por otro lado, con el tiempo, las familias han tendido a ser más pequeñas y, por lo mismo, los niños a veces están sobrevigilados. La mujer sale a trabajar y pretende compensar su ausencia con exceso de juguetes, atención indiscriminada y falta de límites y disciplina.

En este contexto, nos encontramos a bebés inundados de juguetes, con un programa de estimulación como si fuera una universidad de bebés en casa, a niños en transición que tienen computadora, a preescolares en gimnasia olímpica, en clases sistemáticas; sin límites y sin rumbo.

El papá contemporáneo se aboca a la lectura de las apasionantes ideas de estimulación temprana, que en sí son correctas pero resultan perjudiciales si caen en un terreno inadecuado. Así, el efecto es muy negativo y, paradójicamente, distinto al deseado.

Se generan entonces desde críticas humorísticas por querer hacer "superbebés", hasta narraciones dramáticas de psicoterapeutas con casos de niños sometidos a una presión que los rebasó.

Uno de los libros más divertidos al respecto sea quizás el de **Jean Grasso Fitzpatrick**[3]. Esta autora comenta que cuando tuvo un bebé se sintió bombardeada por toda la presión para someterlo a un programa de trabajo, inscribirlo en centros de estimulación temprana, comprar libros, casetes, videos, etc. Realizó un recorrido por distintos centros, revisó productos, hasta que se rebeló y decidió escribir el libro.

La autora lamenta la gran pérdida de naturalidad y, por lo tanto, de placer y espontaneidad en la crianza del bebé. Nos inducen –dice– a que necesite consumir, a comprar música técnica y científicamente seleccionada, colchonetas con hoyos, etc., al modo de un "Mac Donald's piagetiano". "Si no gasto una gran cantidad de dinero y si no leo compulsivamente los contenidos de esta corriente, mi niño va a ser en la escuela un "Quasimodo" del kinder.

Asimismo afirma que considerar que el cerebro pasa por un período único de desarrollo, hace pensar en el niño de 6 años como en un "senil de 6 años", desahuciado, o con quien ya no tenemos nada más que hacer.

---

3. Grasso Fitzpatrick, Jean; *"The Superbaby Syndrome"*

Durante sus visitas a los gimnasios y en la revisión de los programas que ofrecen, encontró que siempre se habla de *"respetar al niño"*, de *"ir a su ritmo"*, de *"no presionarlo"*: sin embargo, la estructura, los ejercicios, los mensajes, conducen a los papás a hacer lo contrario: a angustiarse sobremanera si no gatea todavía, a comparar incansablemente y, finalmente, a presionar al bebé, a no disfrutarlo, a no darle tiempos libres y naturales para mirarse las manos y descubrir plácidamente su cuerpo. De esta manera atropella la empatía, y la crianza se vuelve lamentablemente un proceso artificial.

La autora presenció bebés que mostraban un pánico evidente al deslizarse de cabeza por la resbaladilla, al tiempo que lloraban con desconsuelo, mientras que tanto la instructora como la mamá estaban muy orgullosas de su trabajo porque *se estaba estimulando su sentido del equilibrio.*

La autora lamenta que los programas sistemáticos olviden lo más elemental de la crianza: lo que el niño más necesita es sentir que se le quiere, que tiene valor por sí mismo, que es especial y único.

Un niño sujeto a una excesiva presión piensa: *"Me quieren porque tengo logros"*. Esto destruye su autoestima y lo deja incapacitado para reaccionar ante el fracaso.

Así, llena de humor, Jean Grasso Fitzpatrick pone el dedo en la llaga: en el enorme riesgo de la sobre estimulación, de la presión y el olvido de lo más elemental en la crianza de un bebé.

La crítica de **David Elkind**[4] es mucho más dramática, pero va en la misma línea.

Especialista en desarrollo, seguidor de Piaget, entusiasmado inicialmente con las ideas de estimulación temprana, Elkind empezó a cobrar conciencia del daño que se les estaba haciendo a los niños al querer que fueran pequeños adultos; llegó así a convertirse en un acérrimo crítico de los programas sistemáticos de apren-

---

4. Elkind, David; *"Miseducation. Preschoolers at risk"*

dizaje en los bebés y los niños pequeños.

Tiene dos libros dentro de esta línea de pensamiento: "El niño presionado" y "La mala crianza". Su tesis gira principalmente en torno a la presión del bebé y del niño pequeño pero especialmente del niño en edad preescolar.

Elkind nos describe el síndrome del papá contemporáneo, que desea tener superbebés y superniños, sometiendo a sus hijos a programas sistemáticos, similares a los universitarios, a lecto-escritura, matemáticas, gimnasia, etc., generando efectos devastadores.

Cuando se logra desarrollar efectivamente la inteligencia de los hijos a un nivel notablemente superior al del resto de los niños de su edad, ocurre una desadaptación social muy lamentable. En los casos en los que los papás presionan mucho a los niños se observan consecuencias adversas como desinterés por el aprendizaje, problemas de lecto-escritura y hasta depresión infantil, neurosis, ausencia de concentración, etc.

Los padres contemporáneos, dice Elkind, creen que la crianza es un proceso académico. Como tienen un buen control y planeación sobre su propia vida, tanto personal como profesional, este control lo quieren ejercer en la crianza, esperando en el niño los mismos resultados. Como si criar fuera un proceso intelectual.

Con frecuencia, el enseñar a leer a un bebé, a nadar, a hacer gimnasia y a efectuar operaciones matemáticas, proviene más de la necesidad del papá que de la del niño.

Lo paradójico es que los niños cooperan con las lecciones, e incluso hasta muestran logros a corto plazo; sin embargo, lo hacen por complacer a sus padres, no tanto por el placer de aprender. A la larga, el niño perderá la motivación por el aprendizaje, y los logros se desvanecerán.

Es irónico que muchas veces aprender precozmente a leer derive en problemas de lectura durante la primaria, por haberse atropellado los procesos previos de madurez y motivación.

Elkind reporta el caso de unos gemelos: uno de ellos fue impelido de manera muy temprana y precoz a presentar logros motrices; el otro los adquirió más tarde, cuando estaba maduro. A la larga, los dos tenían el mismo desempeño; sin embargo, el que había obtenido el logro de manera precoz resultó mucho más dependiente del adulto para jugar y para aprender. El que adquirió más tardíamente el aprendizaje, cuando ya tenía todos los prerrequisitos motores para hacerlo, era más independiente de los adultos y generaba sus propias hipótesis e investigaciones.

Una referencia muy interesante para completar este tema es el estudio de **Benjamin Bloom**[5] acerca de las personas talentosas. El se preguntaba si el talento era genético o una consecuencia ambiental y estudió la biografía de gente talentosa que ha destacado en distintos géneros, buscando comunes denominadores ambientales.

Bloom encontró que la mayoría de las personas talentosas tenían en común varios elementos:

A) Una experiencia significativa con el arte, la ciencia, o la disciplina, entre los 0 y los 6 años. No una clase académica ni sistemática, sino la exposición placentera, que cautivara al niño y que despertara en él un interés especial. Esto podía consistir en la cercanía de un pariente artista, en la exposición a conversaciones interesantes en el seno familiar, en la asistencia a algunos espectáculos, etc.

B) Eventualmente (después de los 6 años), la posibilidad de recibir un entrenamiento sistemático.

C) Tiempo de dedicación. Esta variable es interesante, porque desmitifica en parte a la persona sobresaliente. Una persona que ejerce su oficio, arte o profesión de manera talentosa, mecaniza, ahorra energía, tanto física como cerebral, y puede llegar a resultados notables, además de que le dedica "tiempo al tema".

---

5. Bloom, Benjamin S.; *"Human characteristics and school learning"*.

La revisión de los casos arrojó un hallazgo interesante, al descubrirse una variable adicional:

D) Las personas talentosas tenían o habían tenido **padres no presionantes**[6].

La presión mata el interés y traslada la motivación del niño al papá. En todos los casos exitosos, los papás motivaban, apoyaban, creían en el niño, mas no lo presionaban. Esta conclusión dista mucho del fenómeno contemporáneo de presionar a los niños para impulsarlos a un super desempeño precoz.

Los pedagogos contemporáneos saben que el niño construye sus conocimientos a partir de su experiencia y de sus juegos. El niño va descubriendo las leyes de la física, los tamaños, los pesos relativos, las características de las cosas. Se asombra, genera hipótesis, las prueba, las reprueba, siente el placer de la maestría y el dominio sobre su cuerpo. Lo guía su interés por conocer, por descubrir, y no hay quien lo detenga. Su empeño es similar al de un científico con ímpetu por aprender.

El niño necesita tiempo para reflexionar acerca de su aprendizaje, y probarlo en distintos contextos. El aprendizaje, dice Elkind, es permeable: lo que se aprende en un contexto puede ser pasado a otro. Un aprendizaje aislado no resulta tan "nutritivo".

La enseñanza tipo académica impartida a bebés y a preescolares, se efectúa de forma aislada y fuera de contexto; se les da información que no han solicitado, sin concederles tiempo para asimilarla y para probarla. De hecho, sabemos mucho más de lo que entendemos.

Elkind hace una clasificación de los papás contemporáneos:

El papá "Gourmet". Es el papá a quien le gusta lo mejor. Normalmente se da en hogares con recursos, en donde ambos padres perciben un ingreso. Le compran al niño lo mejor: la mejor ropa, los mejores juguetes, la mejor comida, el mejor programa educativo. Al

---

6. Bloom, Benjamin S.; "Developing Talent in Young People".

mismo tiempo, el papá gourmet es muy presionante con el aprendizaje: le exige al niño logros y la adquisición de información. Tiende a lucir al niño con los amigos. Por otro lado, es indulgente con la disciplina: el niño es un pequeño rey a quien se presiona en la adquisición de conocimientos a cambio de otorgarle obsequios y satisfactores sin límites.

El papá "candidato a doctorado". Este tipo de padre pone quizá menos énfasis en lo estético pero acentúa su pasión por el aspecto académico. Su misión es ser un papá "de 10" y tener un bebé "de 10".

El papá "medalla de oro". Que quiere que su hijo sobresalga en los deportes o en el arte.

Con diversos matices, los padres pueden ser una mezcla de estas combinaciones. En todos los casos el efecto es muy negativo y en ocasiones obtienen un resultado contrario al esperado: repercute en problemas de aprendizaje en el niño y, en casos más graves, les provocan neurosis y fobias.

Lo paradójico es que los papás sienten que honestamente están haciendo lo mejor que pueden para darle al niño un futuro brillante. **Sin embargo, el niño no se siente querido.** Crece con la sensación de que es querido y aceptado sólo en función de sus logros, y no con toda su humanidad: con defectos y cualidades, habilidades y torpezas.

Por otro lado, el mérito del conocimiento y los logros se desplazan, según Elkind, del niño al papá. Peor aún: si las cosas no salen como se esperaba, el papá se siente traicionado y decepcionado, y le cobra al niño la factura.

Desde luego todo esto es inconsciente, pero por lo mismo, en ello radica el riesgo.

No podemos dejar de preguntarnos:

¿Qué queremos para nuestros niños?

¿Qué vida les va a tocar vivir?

¿Realmente quiero a un niño genio?

¿Qué va a ser de él cuando deje de ser un niño gracioso que sabe cosas?

Con el tiempo se lo cobro. "*Yo que hice tanto por ti... ahora me luzco como papá con tus logros.*"

El niño no necesita clases de dibujo realista sino que su proceso de evolución del dibujo y de la expresión artística sea autodidacta y se vaya corrigiendo con la práctica. **Lo único que requiere son los medios y la libertad.** De la misma manera, aprenderá de otras disciplinas como las matemáticas, la física, la historia, etc.

Lo hará no dentro de un ambiente programático, sino a través de un ambiente estructurado que le ofrezca las condiciones para que descubra, aprenda, ensaye, generalice y haga suyos los logros y los conocimientos.

La computadora

El niño necesita aprender con los siete sentidos y la tercera dimensión. El sobreexponer a un bebé a una computadora, empobrece el estímulo, lo concentra en dos dimensiones.

Lego, antes que logo, dice Elkind.

Otro problema relacionado con este tema es el que nos comparte **Laura Noriega**[7] y es que la vista del bebé y el niño pequeño está diseñada para lanzarse al horizonte; no es adecuada la sobreexposición a pantallas ni a la lectura porque el efecto es que puede cancelar un ojo a nivel cerebral.

El niño tiene que jugar moviéndose, comparando, probando hipótesis, llenando, vaciando, etc.

Los programas de computadora son interesantes en la medida en que el niño se familiariza con un elemento cultural e informativo de la vida contemporánea; sin embargo, se han exagerado las virtudes que puede llegar a tener la computadora durante la primera infancia.

Si hemos de exponer a un niño a ella, deberíamos adoptar varias medidas:

---

7. Laura Noriega es una terapeuta ocular, ponente especialista en el tema *"La visión"* (taller de capacitación impartido para el equipo DEI el 13 de febrero de 1998).

- Que no permanezca mucho tiempo; que su exposición a la computadora sea muy breve.
- Que después de estar un rato ante la computadora juegue al aire libre y extienda su vista al horizonte.
- Aprovechar la experiencia obtenida de la computadora, y permitir que la permeabilidad de la mente del niño aplique lo que conoce en otras actividades, para que no pierda el sentido de tercera dimensión.

Lo más conveniente es esperar a que el niño se encuentre en la edad y el momento adecuados.

NUESTRA RESPONSABILIDAD COMO EDUCADORES

En este apartado se reúnen las diversas ideas sobre los antiguos y los nuevos conceptos de la Estimulación Temprana y se invita a hacer una reflexión: ¿Cuál es la responsabilidad de los Centros de Estimulación Temprana o de Atención Inicial y de las Escuelas de Padres?

Es muy probable que sus programas sean impecables en cuanto al énfasis:

No presionar al niño, disfrutar de los conocimientos, favorecer los lazos afectivos entre el papá y el hijo, así como también que se dé cabida a distintos ritmos de crecimiento y aprendizaje. Y a pesar de ello pueden contribuir de manera negativa al entorno del niño, porque por lo general los programas capturan la fantasía del papá que quiere un niño genio y, por lo tanto, interpreta de manera diferente lo que se le ofrece.

Es increíble la cantidad de papás que se acercan a los Centros de Estimulación Temprana cautivados por el super desarrollo que suponen logrará su hijo. Muchos lo hacen debido a un desconocimiento de que la crianza no es un proceso intelectual sino un proceso complejamente humano, en donde está involucrado no sólo el intelecto sino también nuestra historia, incluyendo cómo nos criaron. Un proceso en el que cabeza, corazón y estómago están involucrados.

Vale la pena de nuevo que nos preguntemos y ayudemos a los papás a preguntarse: **¿Qué vida le va a tocar vivir a nuestro niño?**

El autor **Juan Lafarga**[8], filósofo mexicano, menciona que todo ser viviente tiende a desarrollarse, que así como no hay árbol que crezca chueco si vive en un ambiente luminoso y bien nutrido, lo mismo pasa con el ser humano: tiende a desarrollarse sanamente en condiciones adecuadas.

El desarrollo se da cuando hay una satisfacción equilibrada de las necesidades biológicas, intelectuales, afectivas, espirituales. (Podemos decir que cuando el edificio se va construyendo de manera armónica y equilibrada).

Las necesidades del bebé y del niño pequeño son por un lado biológicas, por otro, afectivas: necesidad de ser amado y aceptado tal cual es, de desarrollar su sentido de pertenencia a un grupo, de seguridad afectiva, de sentirse autónomo y constructivo, de que sus sentimientos sean reconocidos, de libertad para investigar y conocer, de movimiento, de ir construyendo su propio conocimiento, de que se le dé su tiempo...

El niño contemporáneo, por lo general, no tiene satisfechas sus necesidades de manera equilibrada; por un lado se le **satisface en exceso**: se le llena de juguetes aun antes de desearlos, de atención, de sobreprotección.

Por otro lado **padece carencias**: de reglas, de límites. El niño contemporáneo no tiene límites, al parecer puede hacer lo que quiera y los papás se sienten fascinados con la magia intelectual de su aprendizaje. **Pasan de ser papás nutrientes y contenedores, a papás que obedecen.**

---

8. Juan Lafarga, catedrático de la Universidad Iberoamericana. Ponencia organizada por el despacho “Síntesis”, en febrero de 1999.

El niño contemporáneo carece también de respeto hacia las necesidades intelectuales.

La corriente de inteligencia emocional proporciona un nuevo paradigma de pensamiento en el ámbito de la crianza. Cambia el énfasis: del desarrollo puramente intelectual, al desarrollo de la inteligencia afectiva. **Hay gente intelectualmente sobresaliente pero afectivamente analfabeta.**

Si nos preguntamos ¿Qué vida queremos que vivan nuestros hijos? De seguro responderemos que queremos que sean felices. Y ciertamente éste no es el caso de los niños genio.

La inteligencia afectiva se cultiva incluso desde la cuna.

Con el fin de detonar la inquietud y enriquecer la lista que a continuación presentamos, con contribuciones de los distintos grupos dedicados a la atención especial, creemos que nuestros programas tendrían que:

- Involucrar a una escuela de padres que les permita desencadenar un proceso intelectual y afectivo de revaloración de la crianza integral y afectiva, el juego libre, manteniendo en perspectiva su propia historia de crianza.
- Poner énfasis, junto con el desarrollo por áreas, en habilidades sociales, expresión de sentimientos, capacidad de espera, tolerancia a la frustración, empatía y habilidad para decodificar sentimientos de las otras personas.
- Trabajar sistemáticamente la idea de que el desarrollo debe de ocurrir de una manera integral y que lo deseable es que se presente el logro cuando el niño esté listo, y no de manera precoz.
- Trabajar sistemáticamente con los padres en la observación del ritmo de su propio bebé, respetando sus distintas rutas mentales y motrices.
- Contribuir a la difusión de que el bebé y el niño pequeño construyen su propio conocimiento, plantean hipótesis, adquieren conceptos y nociones a partir de su experiencia y no a base de bloques informativos hechos y transmitidos por el

adulto, lo cual tiene implicaciones en las actividades y en los ambientes, así como en el tiempo que se le da al niño para descubrir y ensayar sus aprendizajes y logros.

¿ESTIMULACIÓN TEMPRANA?

La connotación del término "Estimulación Temprana", reconsiderando todo lo que hemos dicho, nos sugiere un par de conceptos inadecuados.

Estimulación implica que la actividad la realiza otra persona y que el bebé o niño se mantiene pasivo, recibiendo los estímulos. Temprana indica que todo esto acontece de manera precoz, en busca de un superdesarrollo y de un niño genio.

Los ejercicios mejor diseñados van en contra de estas ideas: en muchas ocasiones el adulto simplemente pone las condiciones, y el que realiza la actividad es el niño. El niño no es pasivo; tiene un motor interno que lo lleva a investigar, a buscar, a comparar.

Por otro lado, como hemos afirmado, no se busca un desarrollo precoz sino armónico, cabal, equilibrado y personalizado.

El alimento al desarrollo, ofrecido de manera oportuna, parece expresar mejor el conjunto de conceptos, ejercicios y actitudes que requiere el desarrollo del bebé y del niño pequeño.

Cada etapa y cada individuo tienen distintas necesidades de "alimentación", distintas necesidades por satisfacer, según su estilo de aprendizaje, su ritmo y su etapa de desarrollo; necesitan una dieta distinta.

Cada cultura posee su propia sazón y prepara al individuo para una vida dentro de su ambiente cultural.

No podemos dar ni demasiado ni poco alimento.

El bebé necesita del alimento del afecto, de la luz, de los sonidos significativos, de los colores, del movimiento, de la libertad de exploración, así como de horarios, rutinas y ambientes ordenados. Al igual que se le alimenta con leche para fortalecerlo, deben fijarse horarios que le ayuden a adquirir una buena estructura para su crecimiento.

El niño en edad de transición necesita del alimento del afecto para desarrollar la seguridad del lazo afectivo, la libertad de exploración y la elaboración de hipótesis, conocer las texturas, adquirir movimiento y contar con límites claros.

El niño en edad preescolar necesita también el alimento del afecto, entendido como el juego, la fantasía, la representación, el reconocimiento de sus sentimientos, la libertad de movimiento y, a su vez, de límites claros.

Tanto el cerebro del bebé, como el del niño en transición, y el del preescolar están en evolución.

Es apasionante atestiguar cómo aprenden, cómo construyen sus ideas y conceptos, lo cual rebasa nuestra imaginación y nos excluye de su comprensión cabal. No empobrezcamos su experiencia con una intervención inoportuna e irrespetuosa.

Démosle un alimento del desarrollo que permita una satisfacción equilibrada de sus necesidades tanto intelectuales como afectivas.

Adaptarnos al ritmo del niño, aceptarlo tal cual es, desafiar su potencial, brindarle afecto, establecer límites para que se vaya desarrollando y se convierta en un hombre funcional.

NUESTRA INFANCIA Y SUS NECESIDADES

Desafortunadamente, en algunos países estamos muy lejos de poder brindar a todos los niños el alimento del desarrollo para que tengan un futuro escolar, de trabajo y de vida brillantes.

Cada vez que instamos a hacer una reflexión sobre los problemas de nuestra población, las discusiones conducen al tema de la educación.

Especialmente los grupos más vulnerables: los indígenas, quienes viven en ambientes rurales, los habitantes urbano-marginados, las madres solteras, están muy lejos de poder ofrecer a sus niños las condiciones más elementales de desarrollo.

A nivel nacional, las cifras de deserción escolar y de reprobación de cursos han disminuido en términos generales durante los últimos años; sin embargo, en estos grupos vulnerables siguen siendo altas.

El niño que proviene de estos grupos vulnerables entra a 1º de primaria sin los prerrequisitos para aprender a leer y a escribir.

Generalmente son niños que recibieron poca o nula estimulación en sus hogares, a lo que se suma el agravante de su desnutrición física.

Cravioto, investigador mexicano, llevó a cabo un estudio apasionante y prometedor. Analizó la relación que hay entre nutrición y aprendizaje. No es difícil anticipar el resultado: una mala nutrición tiene un efecto negativo en el desarrollo del sistema neurológico y empobrece de manera irreversible las posibilidades de aprendizaje. Cravioto realizó un experimento con chimpancés, desnutriéndolos intencionalmente pero estimulándolos como a bebés humanos; los expuso a colores, formas, etc., retando su desarrollo. Su sistema nervioso no resintió el deterioro esperado por la desnutrición, es decir, la estimulación compensó las carencias alimenticias.

Animado por los resultados, el Dr. Cravioto trasladó su estudio a los casos de bebés desnutridos que ingresaron al hospital de Nutrición con un desarrollo del 50% por abajo del promedio. Separó a los niños en dos grupos: unos recibieron exclusivamente atención médico dietética, y otros recibieron además un programa de interacción y estimulación personalizada. La recuperación fue dramáticamente superior en este último; o sea, en el grupo, que además de alimentación recibió estimulación.

Esta conclusión representa una gran promesa para países como el nuestro.

Resulta paradójico referirse a los riesgos de la sobreestimulación, de la sobre exposición a computadoras de manera temprana, de la satisfacción desmedida de necesidades, al grado de provocar que los niños no deseen más juguetes, y al mismo tiempo hablar de la brecha poblacional, en donde un segmento no recibe los mínimos estímulos nutritivos y sensoriales necesarios para conservar su potencial neurológico de desarrollo.

La estimulación es necesaria, pero de manera dosificada. En unos grupos poblacionales se da en exceso, mientras que en otros hace falta.

Todo programa que apoye de manera integral a la mamá embarazada y preste atención tanto a la necesidad nutricional como de estimulación del bebé y el preescolar, tendrá seguramente un impacto positivo en la capacidad de aprendizaje de la población. Lo más alentador y sorprendente del caso es que este tipo de programas son relativamente baratos y su derrama social inmensa.

TEMAS POSIBLES A DESARROLLARSE EN LAS PRÓXIMAS DÉCADAS

Obviamente nos movemos en el terreno de la especulación, de pretender conocer el futuro a través de una bola de cristal, pero nuestro sentir es que los temas que probablemente nos acompañen en las próximas décadas girarán alrededor de:

La investigación de las reacciones del bebé en el útero y los efectos a corto y largo plazo.

- Los estímulos afectivos y sensoriales al bebé durante las distintas etapas del embarazo.
- Los riesgos y excesos. Las contraindicaciones a la estimulación en el útero.
- El beneficio de la relajación en la mujer embarazada. La meditación y el trabajo psicológico para hacerle un espacio al nuevo bebé, en casos de sentimientos ambivalentes hacia el embarazo.

La comparación de los distintos estilos de crianza.
Referencias de otros países. Neurofisiología cerebral.

- El cerebro y la educación activa.
- El cerebro y la educación del cerebro afectivo.
(en la línea de Goleman).
- Capacidad de espera, tolerancia a la frustración, empatía.
- El cerebro y la educación en los valores. La meditación en los niños.
- El cerebro y la educación con disciplina: lógica, coherente, afectuosa y firme.

Las rutas cognoscitivas y los tipos de inteligencia y sensibilidad en los bebés y en los niños en edad preescolar.

- Rutas cognoscitivas y de exploración que siguen los bebés.
- Los perfiles de lapsos de atención.
- Los antecedentes de los logros visuales, auditivos o sensoriales, de percibir y organizar la información mediante el enfoque de la programación neurolingüística.
- Las inteligencias múltiples en el bebé y en el ámbito familiar.
- Los rasgos temperamentales y los umbrales sensoriales.
- La educación de la sensibilidad y la intuición
- Los excesos de la estimulación temprana y las expectativas de un superdesarrollo.
- La promesa de la estimulación temprana (o atención oportuna del bebé y el niño pequeño) en un mundo que empobrece.

En los umbrales de este nuevo milenio tenemos la responsabilidad, tanto padres como maestros, de recordar esa única y absoluta certeza sobre la crianza: el afecto favorece el desarrollo y la carencia de afecto lo entorpece.

Nos proponemos ubicarnos en un contexto cultural e informativo, con la determinación de hacer las cosas lo mejor que podamos, pero con la suficiente humildad para reconocer por anticipado que habrá errores generacionales. Cada generación tiene sus aciertos y virtudes y sus aspectos negativos.

BIBLIOGRAFÍA

Alardin, Susana
"Los Procesos de Aprendizaje en el Niño con Problemas de Comunicación Humana"
Editorial Impresos Hilmac, IDICH, 4a edición, 1991, México.

Bloom, Benjamin S.
"Human Characteristics and School Learning"
Mc Graw Hill Book Company, 1st paperback edition, 1982, U.S.A.

Bloom, Benjamin S.
"Developing Talent in Young People"
Ballantine, 1st edition, 1985, U.S.A.

Brazelton, Berry
"On Becoming a Family. The Growth of Attachment"
A Merloyd Lawrence Book, Delta-/Seymour Lawrence, 2nd edition, 1982, U.S.A.

Brazelton, Berry
"Bebés y Madres. El Primer Año de Vida"
Emecé Editores, 1era Edición, 1987, Argentina.

Brazelton, Berry
"El Saber del Bebé"
Editorial Paidós, 1era edición, 1989, México.

Brazelton, Berry
"Cómo Conciliar Trabajo y Familia. Una Guía para los Matrimonios de Hoy"
Editorial Norma, 1era. Edición, 1989, Colombia.

Brazelton, Berry y J. Nugent, Kevin
"Escala para la Evaluación del Comportamiento Neonatal"
Evaluación Psicológica no. 69, Editorial Paidós, 1era. edición, 1997, España.

Cravioto, Joaquín y Arrieta, Ramiro
"Nutrición, Desarrollo Mental, Conducta y Aprendizaje"
DIF – UNICEF, 1982, México.

Doman, Glen
"Qué hacer con su Niño con Lesión Cerebral"
Editorial Diana, Serie Revolución Pacífica, 1ª edición en español, 1993, México.

Elkind, David
"Miseducation. Preschoolers at Risk"
Alfred A. Knopf, 1st reprint, 1988, New York, U.S.A.

Elkind, David
"The hurried child. Growing Up Too Fast Too Son"
Perseus Books, Revised Edition, Reading Massachusetts, 1988, U.S.A.

Gardner, Howard
"Multiple Intelligences. The Theory in Practice"
Basic Books, a member of the Perseus Books Group, 1993, U.S.A.

Goleman, Daniel
"Emotional Intelligence. Why It Can Matter More Than IQ"
Bantam Books, 1995, U.S.A.

Grasso Fitzpatrick, Jean
"Superbaby Syndrome. Escaping the Dangers of Hurrying Your Child"
Harvest Book, Harcourt Brace Jovanovich Publishers, 1st edition, 1988, U.S. A.

Kaye, Kenneth
"La Vida Social y Mental del Bebé"
Editorial Piadós, 1986, México.

Karnes, Merle
"Puericultura, Tú y Tu Pequeña Maravilla"
Ed. Ceac, (3 tomos), 1985, México.

Leach, Penelope
"Su Bebé y Su Niño"
Editorial Argos Vergara, 1985, España.

Naranjo, Carmen
"Algunos Trabajos sobre Estimulación Temprana"
Unicef Procep, 1983, México.

Naranjo, Carmen
"Mi Niño de 0 a 6 Años"
Unicef Procep, 1983, México.

Naranjo, Carmen
"Ejercicios y Juegos para mi Niño de 0 a 6 Años"
Unicef Procep, 1983, México.

Sammons, William A.H.
"The self calmed baby. A liberating New Approach to Parenting Your Infant"
Ed. St. Martin's Paperbacks, 1989, U.S.A.

Schnider, Vimala
"A Handbook for Loving Parents"
Bantam Books, 1982, U.S.A.

Serrano, Ana
"La Estimulación del Lenguaje en el Bebé y el Niño Pequeño"
Revista Padres y Maestros. no. 137-138, 1988, La Coruña, España.

Serrano, Ana
"Lactancia y Destete"
"El Gateo y los Primeros Pasos"
"Formación del Lazo Afectivo"
"El Lenguaje en el Bebé y el Niño Pequeño"
"Berrinches y Primeros Límites"
"Juegos y Juguetes".
Folletos de Educación Inicial, SEP, Conafe ProDEI, 1995, México.

Noriega, Laura
Terapista visual
5683-7393
Ciudad de México

APÉNDICE

Corrientes de la Estimulación Temprana. De los años 70 a los 90.

Por un lado: En Latinoamérica, surgió en los 70 la tesis de la "Deprivación Cultural". Como parte del fenómeno de la pobreza y la migración en los países latinoamericanos, se observó que esos bebés y niños pequeños vivían en ambientes sensorialmente empobrecidos. Los niños recién emigrados a las ciudades, cuyas mamás tenían que salir a trabajar, carecían de un mínimo de estímulos y su sistema neurológico se iba deteriorando. Les hacía falta "alimento cerebral". Esto, de la mano con el fenómeno de la "desnutrición física", daba como resultado un grave deterioro en la capacidad de aprendizaje de los niños.

La corriente de la deprivación cultural procura enriquecer el ambiente de los niños de pocos recursos mediante estímulos más tempranos, que protejan el desarrollo de su sistema neurológico. Conscientes de que el cerebro atraviesa por un período único de desarrollo, que no se replica en otros momentos, se le enseñan a la madre las distintas técnicas para cargar al niño, cantarle, estimularlo, rodearlo de música, a fin de que ese cerebro no se adormezca sino que despierte.

Carmen Naranjo, psicóloga mexicana, contribuyó a la documentación y sistematización de estas ideas. Alude a una investigación entre animales que son privados de estímulos sensoriales durante los primeros meses de vida, lo que redunda en que queden atrofiadas parcial o totalmente sus funciones.

Tenemos también estudios que reportan los casos de niños huérfanos que viven en instituciones, donde son atendidos físicamente, pero no reciben afecto ni estímulos. Esos niños presentan un desarrollo menor al esperado y llegan hasta a morir. (Spitz y Brazelton)

La estimulación sensorial interactúa con el alimento y ambos facilitan el desarrollo en los niños (Cravioto)

Toda la documentación que podemos encontrar en el programa de UNICEF PROCEP, gira alrededor de estas ideas y es de gran valor. Aunque dirigida a sectores de escasos recursos de Latinoamérica, es interesante, concreta y práctica también para papás de otros niveles socioeconómicos.

Dicha documentación se refiere fundamentalmente a la necesidad de estimular de manera oportuna al bebé y al niño pequeño, cuidar las oportunidades de movimiento y exploración, estimular su lenguaje y enriquecer su entorno, para que le vaya mejor en la escuela y en la vida.

Hay textos en Chile, Panamá, Venezuela y Costa Rica, que confluyen en el material de UNICEF.

Por otro lado: La educación especial. El trabajo con niños con distintas discapacidades, fue aceptando la idea de que era importante trabajar con ellos de manera más temprana. Esta aseveración se basó en la idea de la "plasticidad del cerebro", que se refiere a que si tenemos un problema en una zona del cerebro, otra puede retomar las funciones de la primera si es debidamente estimulada. De esta forma, el planteamiento de esta corriente se convierte en una promesa para los niños con pronósticos delicados. El trabajar de manera temprana con ellos, les permitiría tener un futuro más alentador. Esta corriente reconoce también que el cerebro pasa por un período crítico de maduración en los primeros años de vida del niño, y que es un momento de oro para estimularlo.

Un ponente representativo de la educación especial (y que luego aplicó sus conocimientos al niño común), es Glenn Doman. Este investigador inició su trabajo con niños y personas en general que padecían problemas severos, y obtuvo logros extraordinarios a través de ejercicios como el gateo, el caminado con patrón cruzado, etc.

(Por cierto, Glenn Doman es conocido como uno de los ponentes más radicales de la estimulación del bebé y el niño normal. Después de descubrir las maravillas que ocurren con bebés atípicos bien estimulados, trasladó sus técnicas y descubrimientos al niño sano y común. Su programa pretende enseñar a leer a los bebés y también enfocarse a la enseñanza de las matemáticas).

Es frecuente que los hallazgos y técnicas de la educación especial se apliquen luego al mundo del desarrollo en general. Este es, por ejemplo, el caso de María Montessori, quien empezó trabajando con niños con síndrome de Down y luego continuó con niños sin esta problemática, basándose en los mismos principios.

No podemos dejar de mencionar a Jean Piaget, investigador Suizo del desarrollo de la inteligencia en el bebé y el niño pequeño. Hay que ubicar sus estudios como un marco teórico obligado para las corrientes de aprendizaje contemporáneas.

También contribuyó al entusiasmo de estas ideas la investigación científica acerca de las capacidades del recién nacido, realizada por Fantz, Jerome Bruner y Brazelton. La ciencia nos abre una ventanita para asomarnos al fascinante mundo del bebé. El bebé recién nacido sí ve, enfoca y tiene preferencias visuales. Posee la capacidad de aprender y de recibir condicionamiento desde que está en el útero.

Dentro de la corriente científica, con un magnífico enfoque integral, tenemos a Berry Brazelton, pediatra norteamericano, a quien consideramos una figura central en este campo, del que todavía tenemos mucho que aprender y quien constituye un ejemplo de equilibrio al cual aspirar. Lo mismo pensamos de la inglesa Penelope Leach. Podríamos considerarlos autoridades en este campo de estudio.

A esta corriente científica se suma la investigación más reciente acerca de la Neurofisiología del cerebro, que inspiró los fascinantes artículos de divulgación en las revistas Newsweek y Time del año 1997.

Junto con el retorno del interés por la estimulación prenatal, relativa a que el bebé es susceptible de aprendizaje y estimulación desde que está en el útero, la tesis de Daniel Goleman y Schapiro, vienen a enriquecer las ideas de la estimulación temprana. El cerebro también genera rutas y conexiones exitosas cuando el bebé recibe afecto, vive en un ambiente coherente, que le enseña a ir desarrollando su capacidad de espera, su tolerancia a la frustración, sus capacidades sociales, su perseverancia en las tareas y su habilidad para reconocer y expresar sentimientos. Goleman nos recuerda que un individuo que desarrolla parcialmente su inteligencia analítica pero es un analfabeta afectivo, es infeliz y no logra tanto éxito en la vida.

Otro autor que le ha dado un matiz al pensamiento del desarrollo de la inteligencia es Howard Gardner, con su tesis de las Inteligencias Múltiples, otorgándole flexibilidad a la concepción de la inteligencia.

México ha contribuido a esta corriente con investigadores como el Dr. Joaquín Cravioto, la psicóloga Carmen Naranjo y la maestra Susana Alardín, con su teoría y su planteamiento de ejercicios "multisensoriales", que operacionalizan con juegos sencillos y personalizados las etapas propuestas por Piaget:

Nutrición, Desarrollo Mental, Conducta y Aprendizaje.

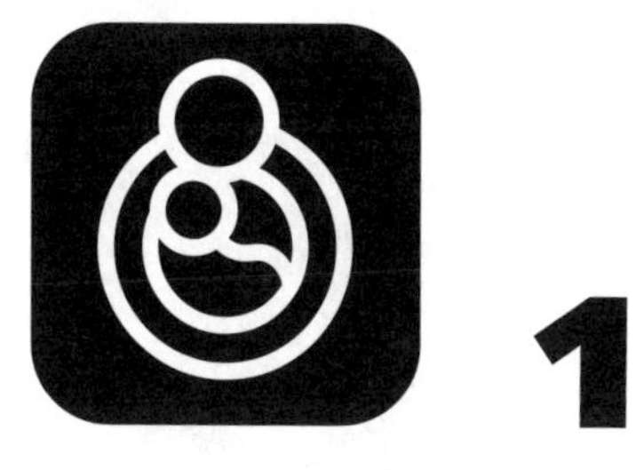

1

El bebé y el niño pequeño
0 a 1 año

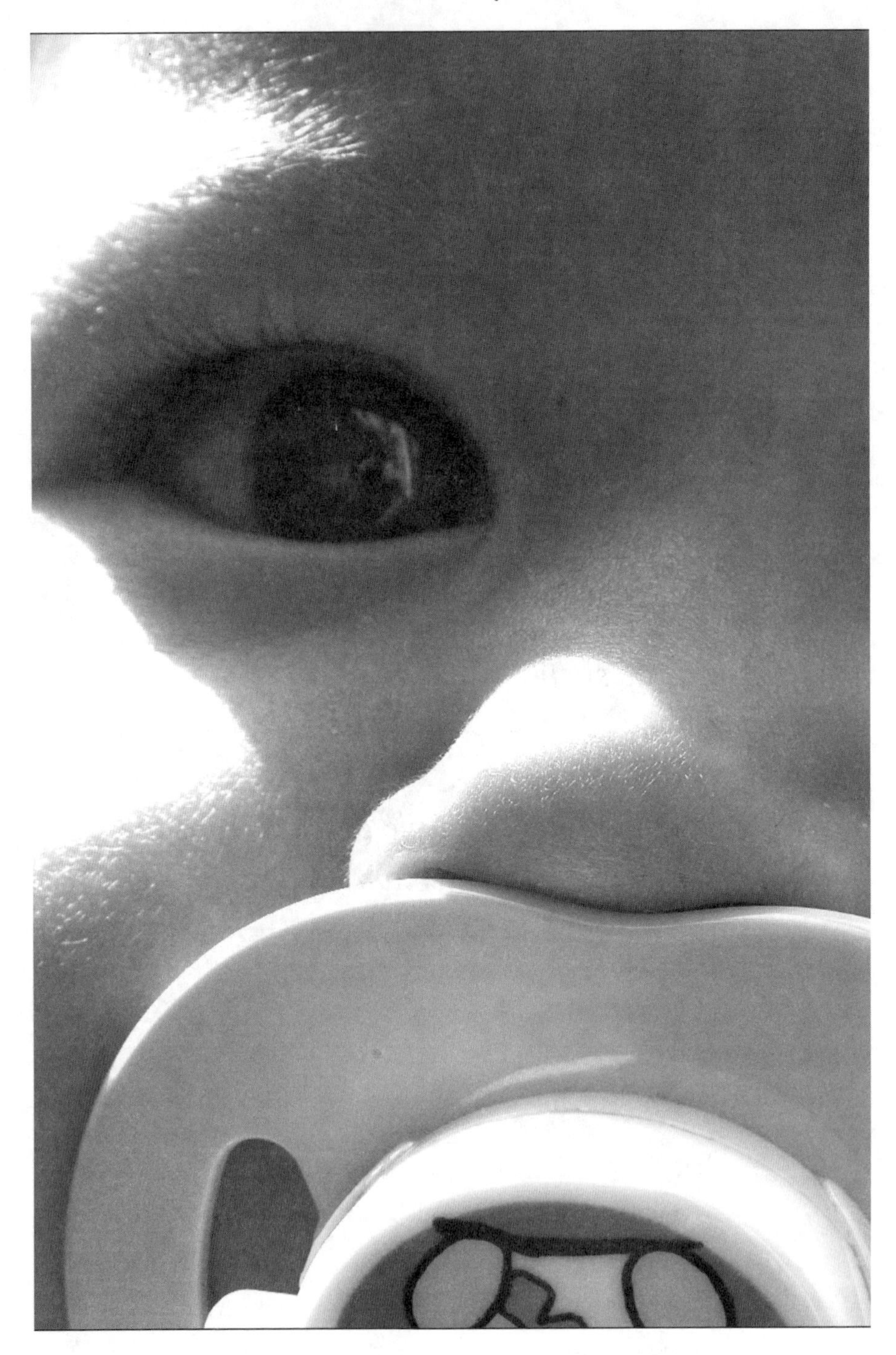

1.1 • El desarrollo del bebé y del niño pequeño

CAPACIDADES VISUALES DEL BEBÉ Y DEL NIÑO PEQUEÑO: UNA OPORTUNIDAD DE ESTIMULACIÓN DEL CEREBRO

Nuestras abuelas pensaban que de recién nacido el bebé no veía, que tardaba en abrir los ojos, que sólo veía sombras, etc.

Robert Fantz[1], investigador, observó que el bebé recién nacido (a diferencia de lo que se pensaba), ve, enfoca y tiene preferencias visuales.

En efecto; el bebé recién nacido puede ver en un punto situado a 20 cm. de la línea media de su cara. Poco a poco va ampliando el ángulo y la distancia a la que puede enfocar.

El bebé prefiere ver rostros (de frente), colores intensos, patrones visuales complejos y figuras planas.

La cara de mamá, un dibujo de un rostro, una cara feliz, serán objetos visuales de interés para un recién nacido.

Esto es apasionante y nos ofrece la primera oportunidad de estimular la vista del bebé, cuando observamos una reacción de interés y actividad de su parte.

¿Cómo llega el investigador a estas conclusiones?

Su metodología es ingeniosa: mientras se le pasan al bebé distintas alternativas visuales, hay un observador mirando a través de una cámara con un lente dirigido a los ojos del bebé. Aquellos estímulos que reciben atención más prolongada, acompañada de cambios en los ritmos respiratorio y cardiaco, son los clasificados como preferentes.

Sin necesidad de la cámara de observación, un adulto sensible podrá distinguir el momento en el que el bebé está enfocando un objeto. Vamos a notar que el bebé fija los ojos, dilata la pupila y orienta todo su cuerpo hacia el objeto. Es algo detectable y maravilloso, y además nos permite hacer una selección de los primeros objetos visuales que pueden estimular su vista. Los móviles tienen precisamente este objetivo: capturar su atención y ayudar a que se inicie el seguimiento visual.

Sobra aclarar que el móvil es secundario, comparado con el estímulo natural y espontáneo de la mamá platicando cara a cara con su bebé.

Una mamá (o papá) que carga, platica y mece a su pequeño, es el más integral de los estímulos.

Al estimular la vista del bebé estamos interesándolo en objetos de su entorno y facilitando el establecimiento de conexiones neurológicas en el cerebro, que luego le permitirán otros aprendizajes.

El bebé no puede ser estimulado visualmente todo el tiempo.

El bebé cansado no se interesa por caras, evade los colores intensos y los patrones visuales complejos. Cuando está cansado, después de un día difícil, va a evitar los estímulos y va a mirar "con gran interés" una pared blanca.

Esto es para nosotros muy importante, pues deja de ser momento de estimular al niño, quien regula la entrada de estímulos para conservar el equilibrio.

Al adulto le toca observar la respuesta del bebé y respetarlo.

Cuando el adulto no respeta esto, corre el riesgo de sobreestimular y saturar al niño.

El acto voluntario y la visión.

Existe otra investigación importante, que parece complementar a la de Fantz en lo que respecta a la capacidad visual de los bebés:

Sikeland y **Kalmis**[2], un par de investigadores intrigados con la aparición del acto voluntario, programaron chupones interconectados con pantallas, de tal manera que cuando el bebé dejara de succionar, la imagen se enfocara, y si el bebé succionaba, la imagen se desenfocaba. Es decir, en este experimento, los bebés podían enfocar y desenfocar la imagen a partir de la succión.

Bebés tan pequeños como de cuatro semanas, lograron tener enfocadas las imágenes por períodos significativos.

El bebé está dispuesto a sacrificar la succión con tal de recibir un estímulo visual. ¡Le gusta ver! Necesita ver. Incluso en ocasiones se tranquiliza y contiene cuando le ofrecemos algo llamativo que capte su atención.

Los invitamos a practicar ejercicios de seguimiento visual con su cara, a hacerle un móvil con imágenes planas, a platicarle a su bebé estableciendo contacto visual.

ESTIMULACIÓN TEMPRANA VS. ESTIMULACIÓN OPORTUNA

Prefiero utilizar el concepto de Estimulación Oportuna sobre el de Estimulación Temprana, por la connotación de aprendizaje precoz que implica el término temprana.

Hemos definido de manera muy coloquial estimulación como "**Alimento del Desarrollo**".

Es un alimento que no entra por la boca para ir al estómago, sino que entra por la piel, por los ojos, por los sentidos y se "digiere" en el cerebro y en el corazón.

---

1. Citado en Elkind, David & Irving, Veirner, *"Development of the child"*
2. Citado en Jerome Bruner, *"Beyond the information given"*

Cada sentido del bebé es una ventana de entrada a estímulos que generan conexiones nerviosas, cimientos de asociaciones y base del aprendizaje.

Nos hemos tomado la licencia de considerar "7 sentidos"; cada uno de ellos tiene como hogar una zona (o zonas) del cerebro. Hablamos de la vista, el oído, el olfato, el gusto, el tacto y también, del movimiento y el afecto.

El afecto, de manera análoga a la vista, tiene una entrada global en el organismo y el cerebro del bebé y se aloja en una zona específica de él, transformándolo.

La estimulación afectiva es determinante para imbuir de sentido al bebé, para socializarlo y para estimular su inteligencia afectiva, entendida ésta como la capacidad de demora, la tolerancia a la frustración, la empatía, etc., elementos esenciales en la crianza de un ser humano feliz[3].

La analogía de la estimulación como alimento es literal: el alimento tiene que ingerirse de manera dosificada y de acuerdo con las necesidades de cada etapa. Igualmente no podemos proporcionar el estímulo fuera de tiempo ni tampoco en exceso; tiene que darse en cantidad y oportunidad para que nutra.

Asimismo, el recién nacido requerirá de estímulos visuales a cierta distancia. El niño de 8 meses necesitará ejercicios de barrido visual para ir enfocando de cerca y de lejos. El niño de 6 años requerirá ejercicios de percepción visual.

El aprendizaje en los bebés.

El aprendizaje del bebé se inicia a partir de sus acciones reflejas. Se da cuenta que algo ocurre y lo repite como para alargar la experiencia: al principio consisten en acciones muy simples como chuparse la manita, y poco a poco se van volviendo más complejas hasta lle-

---

3. Goleman, Daniel; *"La inteligencia emocional"*

varlo a explorar bucalmente todo lo que le rodea, patear y desplazarse, manotear y activar un juguete.

El bebé debe de tener oportunidad de que sucedan cosas a partir de su acción para que pueda aprender. Así, va generando una idea a partir de su mundo inmediato.

El bebé va estableciendo asociaciones de eventos con base en sus sentidos. Esto es apasionante y a la vez sencillo de recordar y utilizar por los papás. Simplemente diseñando estímulos para los sentidos, podemos estimular al bebé. Los sentidos son la ventana al mundo; por ellos entra la información que va organizando el niño.

CONCEPTO DE DESARROLLO

a) Analogía para entenderlo

Cuando hablamos de desarrollo, lo concebimos como una sucesión de etapas que se asemejan a la construcción de un edificio.

Hay muchos elementos que analizar si lo pensamos así:

- Lo más importante son los cimientos, o sea las primeras experiencias en la vida del niño. Sus experiencias tanto afectivas como sensoriales van a ser los cimientos de su vida futura.
- Quien construye el edificio es el propio niño, y lo hace con los elementos ambientales que le ofrecemos.
- Se van sucediendo etapas y unas son la base de las que siguen. No debería de haber prisa por llegar a los pisos superiores antes de solidificar la etapa actual. No debemos entonces apurarnos por que el niño camine, si no ha gateado de manera integral, con un control bien coordinado de todos sus músculos. No debe interesarnos que aprenda a leer ni a escribir si todavía no se comunica ni entiende conceptos abstractos.
- Cuando un logro importante no se presenta con el tiempo, hay que regresar a etapas anteriores y hacer resanes.
- Es importante que haya armonía entre las oportunidades y las habilidades. No es deseable que un niño no se mueva pero que sea un lector precoz, ni tampoco que un niño sea muy ágil, gateador, deportista pero carezca de la capacidad de observación. Hay ladrillos de distinta naturaleza y el niño necesita disponer de una variedad de ellos para lograr un desarrollo armónico.
- El edificio se va construyendo con elementos motrices, sensoriales, de comunicación, que requieren un balance. A estos diferentes elementos les llamamos: líneas del desarrollo.

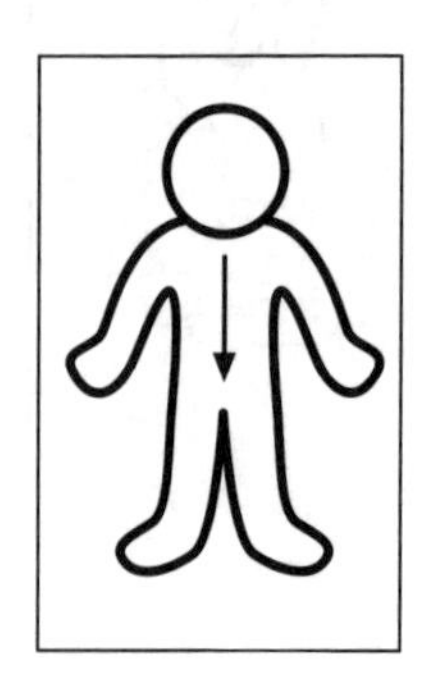

b) Líneas del desarrollo

Desarrollo motriz grueso. (Músculos largos del cuerpo). Este desarrollo se va observando según los logros corporales del bebé. Estos van apareciendo en una línea descendente (como lo señala la flecha) que va de la cabeza a los pies. Al principio, el bebé no controla su cuello; está dominado por reflejos y posee muy poco control corporal. Poco a poco va a ir controlando el cuello, el pecho y la espalda, la cadera y las piernas.

Vamos a observar logros como el sentarse con ayuda, luego sin ayuda, el gateo, la marcha, el trepado, el brinco, etc. Los logros se irán dando siguiendo una secuencia específica; es decir, no es posible que camine, por ejemplo, si no controla el cuello.

Dentro de la línea motriz gruesa, buscaremos que su cuerpo esté centrado, que vaya superando los reflejos más primitivos, que tolere la posición boca abajo para que controle el cuello y se estimule el gateo, que vaya presentando movimientos cada vez más coordinados.

El niño va aprendiendo con su movimiento y va sintiéndose dueño de su cuerpo y de su espacio.

Cada niño tiene su propio ritmo, y podrá presentar los logros antes o después que otros niños.

El juego motriz tiene por objeto ayudar a los papás a captar el momento evolutivo de su niño y a dosificar el reto y el grado de dificultad para que el pequeño vaya avanzando y se vaya sintiendo seguro en su movimiento, a la vez que éste sea cada vez más coordinado y placentero.

Desarrollo motriz fino. (Músculos cortos del cuerpo).

Estos músculos van adquiriendo control a partir del centro hacia los extremos (como lo señalan las flechas).

Al principio, el bebé no puede tomar objetos aunque esa sea su intención; se orienta "todo él" hacia el objeto, después agita el brazo. Poco a poco va logrando aproximaciones más finas. Llega un momento en el que abre la mano, anticipa la forma del objeto y lo toma. Un requisito para que el bebé pueda tomar objetos es que vaya madurando su seguimiento visual, que también involucra músculos finos (oculares).

Hacer juegos de seguimiento visual, de prensión, de manipulación, de observación de objetos adaptados a las edades de cada niño, ayudará al desarrollo de la motricidad fina.

Desarrollo sensorial/cognoscitivo.
Esta línea de desarrollo es muy hermosa y fácil de estimular. Ya hemos hablado de esta área al inicio del capítulo.

Con sólo recorrer los sentidos, que son las ventanas del conocimiento, podremos idear juegos que permitan nutrir el cerebro del bebé.

Cada uno de estos sentidos (incluyendo los supuestos), al recibir información coherente y dosificada, va generando circuitos nerviosos que luego admitirán otros conocimientos y asociaciones.

Desarrollo del lenguaje, comunicación y afecto.
El bebé y su mamá (y papá) van evolucionando a partir de una comunicación tónica, afectiva, global, hacia la palabra. Al principio, reforzando el balbuceo, el ritmo, las canciones, la mímica, etc., se va favoreciendo el lenguaje y la comunicación.

La música.
Una parte importante del juego, para acompañar el estímulo de las distintas áreas es el recurso musical, que propicia la sensibilización auditiva, la coordinación, el estímulo del movimiento, las secuencias, etc.

LA FUNCIÓN DEL AMBIENTE ESTIMULANTE

El bebé trae dentro de sí un dictado genético que le abre determinadas posibilidades de desarrollo.

El ambiente de los padres puede promover o inhibir este potencial genético, mas no transformarlo. Si el niño es robusto y ágil, aunque no lo estimulemos a gatear, gateará.

Si el niño es prematuro o muy débil, quizá implique más trabajos que gatee y probablemente no tenga un futuro de campeón olímpico.

La estimulación ayuda mucho pero no transforma. Lo más importante es aceptar el perfil del niño y sus umbrales sensoriales, sus tiempos, sus respuestas.

De hecho, la corriente de la estimulación oportuna reconoce que el período de desarrollo del bebé es privilegiado para el aprendizaje, ya que la etapa de desarrollo del cerebro es única, es el ciclo en que se establecen conexiones nerviosas que luego le permitirán futuros aprendizajes. El cerebro es plástico, de tal manera que si hay problemas en el funcionamiento de un hemisferio, el otro puede retomar las funciones.

Esto provoca gran entusiasmo entre los papás y maestros de niños pequeños.

Áreas fuertes y débiles

Todos tenemos áreas fuertes y áreas débiles. Nuestra pasión puede ser la ciencia, el deporte o la música. Si nos gusta el deporte, le entramos a la "cascarita", si no damos una, vamos a evadir el futbol. También en los bebés se puede empezar a vislumbrar un perfil en el cual haya áreas fuertes y débiles, intereses e inclinaciones.

Es apasionante la oportunidad actual que nos ofrece la teoría de las "Inteligencias Múltiples"[4].

El niño tiene preferencias, inclinaciones, pequeñas pasiones. Nuestra labor es nutrir las áreas, buscar su equilibrio, fortalecer las fuertes y reforzar las débiles, aceptando de entrada su perfil.

Se dispone de diversos programas para niños desde los 2 ó 3 meses hasta los 2 años y medio, destinados a aportar sugerencias de apoyo para el desarrollo por áreas, buscando estimular tanto las fuertes como las débiles, con la finalidad de lograr un desarrollo armónico. No todos los bebés son iguales.

---

4. Gardner, Howard; *"Multiple Inteligences"*

LA SOBREESTIMULACIÓN. EN LA CASA Y EN LOS GRUPOS.

Cuando el niño está expuesto a más estímulos de los que puede digerir, se bloquea. Su "sistema digestivo neurológico" se satura y en lugar de beneficiarse del estímulo, lo desorganiza. Anteriormente hablábamos de los intereses visuales y de la regulación de entrada a los estímulos; un bebé cansado, evita los colores intensos.

El niño tiene un mecanismo de regulación de entrada a los estímulos que debemos de respetar. Brazelton[5] describe este mecanismo, comparando respuestas de apertura ante estímulos gratos y organizadores, y de bloqueo ante estímulos abrumadores.

El bebé va dando entrada a los estímulos. Cuando su mamá se acerca, se ilumina su carita, suaviza el gesto y se relaja. Ya sabe que la proximidad de la mamá se asocia con un trato suave y lo anticipa con una actitud corporal, como preparándose al abrazo.

Cuando se acerca el papá, alza los hombros, levanta las cejas y patalea de gusto, como anticipando el juego.

En cambio cuando llega una tía gritona que le molesta, el niño desvía la mirada, la evita, se bloquea, y si la tía sigue abrumándolo, termina llorando.

Cada bebé es diferente y tolera un diferente cúmulo de estímulos simultáneos. Hay bebés muy robustos que resisten ser cargados por distintas personas y pasar de brazo en brazo, que pueden además estar expuestos a música, besos, etc. Hay otros bebés que parecen "aturdirse sensorialmente" si hay varios estímulos sensoriales simultáneos.

Es muy importante observar al niño y dosificar los estímulos sensoriales. Cuando la estimulación rebasa ese límite de tolerancia en un bebé o niño pequeño, veremos signos de sobreestimulación.

Estos conceptos, tienen diversas implicaciones en la vida del be-

---

5. Brazelton, Berry; *"Escuchemos al niño"*

bé: su habitación, la cantidad de juguetes que posee, el movimiento al cual se ve sometido. Debe de haber una dosis óptima de estímulos que le interesen y no lo abrumen.

Paradójicamente, una sobreestimulación termina atropellando los lapsos de atención en un bebé.

¿Cuáles son los signos de la sobreestimulación?

Signos de sobreestimulación son: desinterés, bloqueo o nerviosismo.

La sobreestimulación es contraproducente y repercute en el niño igual que la ausencia de todo estímulo.

Así como existen los umbrales del dolor, existen también los umbrales sensoriales; es decir, la tolerancia a estímulos y la capacidad de irlos organizando y de no agobiarse. Como ya mencionamos, hay bebés que no toleran mucho ruido, hay algunos más robustos, hay otros para los que tocarles y hablarles es más que suficiente.

Este hecho tiene implicaciones para los grupos: cuando percibimos que nuestro niño tiene umbrales muy sensibles, es recomendable que la mamá se aleje un poco del grupo y vaya protegiendo a su bebé del exceso de colores, ruido y movimiento.

A medida que van creciendo, los niños van aceptando más estímulos.

ACOPLAMIENTO PAPÁS-BEBÉ.

Sobra decir que cada bebé es diferente, y que a veces hay un buen acoplamiento entre el estilo de los papás y el del bebé pero en otras, no es óptimo: el papá es acelerado y el bebé lento, o viceversa.

Esto cuesta trabajo reconocerlo y aceptarlo. A veces, como padres tenemos la fantasía de que hemos traído al mundo a un tipo de niño, con un cierto temperamento o ritmo afín a nosotros, pero nuestra fantasía es traicionada ante el niño real y concreto. Aunque lo adoremos, no se nos hace fácil la tarea de acoplarnos a él.

El primer paso para lograr un mejor acercamiento es reconocer sus diferencias como algo natural y humano. Si tenemos claro su perfil, ritmo y preferencias, quizá nos será más fácil criarlo.

Como adultos nos corresponde trabajar para lograr la adaptación mutua, y el primer paso es aceptar el perfil del niño, tal como es. Acelerado, pasivo, irritable, como sea, lo que un niño más necesita es la aceptación de su perfil.

RITMOS DE RESPUESTAS

a) Diálogos no verbales

Al adulto le toca observar las respuestas del bebé e irse adaptando en tiempo y calidad a dichas respuestas. Esto es algo que no siempre ocurre; a veces los adultos atropellamos su ritmo.

Cada bebé tiene su ritmo de respuesta. Observa a tu bebé y respeta su ritmo.

Al respecto, es de mucha ayuda el concepto de los diálogos.

Se trata de establecer **diálogos no verbales**; por ejemplo diálogos musculares al hacer la gimnasia: *"Te muevo la pierna y observo cómo tu cuerpo me contesta"*. *"Inicio el masaje, te doy tiempo a que lo anticipes y que me respondas con tu cuerpo"*.

Diálogos de prensión: *"Te ofrezco un juguete y me espero a que lo focalices, a que muevas tu mano y a que intentes tomarlo"*.

Diálogos sensoriales: *"Envío un estímulo y observo tu respuesta"*.

Diálogos verbales: *"Te imito, te platico, etc."*

b) El concepto de Pausa. Un ejemplo de diálogo y de respeto a los ritmos.

Este concepto lo definió **Kenneth Kaye**[6] al observar a mamás en in-

6. Kaye, Kenneth; *"La vida social del bebé"*

teracción con sus bebés. El procedimiento para ello fue el siguiente: se filmó a un grupo de bebés, acompañados de sus mamás, intentando tomar un objeto llamativo que estaba detrás de una placa de acrílico. El bebé trataba de tomar el objeto pero su manita chocaba con el acrílico. Tenía que resolver el problema, descubrir qué pasaba y rodear la placa para obtener el objeto.

Lo más interesante del experimento fue la conducta de las mamás, sus reacciones conforme a sus estilos de retroalimentación. Hubo mamás desesperadas que trataron de llevarle la manita a fuerza.

Hubo otras que los dejaron solos en el intento.

Las más atinadas, fueron aquellas que observaron la reacción del bebé, lo dejaron intentar y equivocarse, e intervinieron en el momento en el que él hacía una **pausa** en su intento y la volteaba a ver como pidiendo ayuda. En ese momento, este grupo de mamás intervinieron ayudando al bebé a tomar el objeto.

Es interesante analizar:

La observación y calma para no atropellar ni intervenir antes de tiempo.

Aprovechar el momento oportuno para la intervención.

Este concepto se aplica a todas las etapas y edades en el aprendizaje.

Podemos aprovechar la pausa para intervenir cuando el niño está aprendiendo a gatear, a caminar, a trepar; respetar sus intentos de equilibrarse sin prestarle ayuda excesiva, esperándolo, dándole tiempo y permitiendo que poco a poco él se vaya haciendo dueño del logro, que vaya asimilando y organizando qué músculos tiene que mover para equilibrarse.

A veces los adultos tenemos tanta prisa de que el niño aprenda algo, que precipitamos la actividad, con lo que no asimila ni hace suyo el logro.

c) Manera global de atender y aprehender al mundo

El tipo de atención del bebé es global, no específica; esto significa que aunque nosotros, adultos, nos distraemos o perdemos parte del mensaje de algún ejercicio de aprendizaje, los bebés en cambio absorben por los cinco sentidos. Por ejemplo: cuando subimos y bajamos a un bebé al ritmo de la música, éste puede mostrarse distraído y aun así beneficiarse de la actividad. Tal vez voltee a ver a otra persona, se chupe la mano, patalee un poco, pero a pesar de no parecer concentrado en la actividad, está registrando con todos los sentidos que se encuentra arriba y luego abajo. Va haciendo una **alcancía de sensaciones** de las cuales echará mano después. En la siguiente ocasión que se repita la actividad notaremos signos de que ya la reconoce: sus reacciones se volverán más específicas, como una imagen que se va enfocando.

d) La generalización.
La generalización es otro concepto importante en las actividades con el bebé, y consiste en permitir que éste generalice su habilidad y la aplique en otro contexto, haciéndose dueño de ella. Por ejemplo: si aprendió a destapar frascos, podemos ofrecerle una variedad de objetos que pueda destapar, de distintos tamaños y diversos grados de dificultad para que vaya así asociando, vinculando, aplicando. El buscar la generalización nos lleva en ocasiones a repetir actividades, lo que requiere paciencia por parte de los padres.

RETRASOS Y DESVIACIONES

Cuando el niño no presenta la respuesta deseada al estímulo.
Hay veces en que el niño no presenta en su movimiento o en su actitud de exploración la respuesta deseada; en esos casos el adulto puede ayudar. Por ejemplo:

Si el niño no gatea y ya está en edad de hacerlo, el adulto puede “gatearlo” mecánicamente con sus manos; es decir, imprimir sobre su cuerpo los movimientos de "patrón cruzado" y poco a poco irlo dejando solo. Con afecto y suavidad, como diciéndole al cerebro: "Esto es lo que espero ver, ordénale al cuerpo que lo haga. "

Si la ausencia de respuesta se convierte en un caso que requiera una valoración más sistemática, se sugiere a la familia que consulte a algún especialista.

La estimulación no es una vacuna

Cabe aclarar que el trabajo en grupos no funciona al modo de una vacuna para evitar que el niño necesite terapias posteriores. Cierto es que la estimulación oportuna es preventiva; sin embargo, hay un porcentaje de la población en general con disfunciones mínimas, no muy notables y que eventualmente requieren de alguna ayuda o terapia, independientemente de la estimulación.

Un papá involucrado con la estimulación, tendrá mayor apertura para leer, informarse y buscar ayuda de manera efectiva, además de que la ayuda posterior será menos complicada gracias a haber existido la estimulación.

CONCEPCIONES ERRÓNEAS ACERCA DE LA ESTIMULACIÓN

En ocasiones, algunos papás y abuelitos que llevan a sus niños a sesiones de "estimulación temprana" no entienden lo que sucede, tienen la idea de que *el bebé va a su clase* o bien de que se está volviendo un niño muy inquieto por las *"clases de estimulación temprana"*.

Un concepto muy difundido es que el niño inquieto, que se mueve mucho, sin control ni límites, es un *niño listo*. Hay que buscar que la actividad y curiosidad naturales de los niños encuentren un cauce y vayan logrando el control corporal que les permita concentrarse y dedicar lapsos de atención. Un niño listo, para nosotros, es un niño que se mueve y explora, pero de manera controlada, es decir, que su cabeza manda sobre el cuerpo.

Esto, por supuesto, va ocurriendo de modo paulatino. Al principio los bebés son naturalmente dispersos, pero poco a poco vamos esperando de ellos que dejen de moverse cuando detenemos la música, que caminen por la barra de equilibrio concentrados para no caerse y que completen un rompecabezas. Estas experiencias les van permitiendo contenerse y experimentar que su cabeza manda sobre el cuerpo.

El alumno es el adulto más que el bebé. Buscamos brindar elementos para apoyar la crianza, la cual se acerca más a un arte que a una técnica.

CRIAR: Alimentar al desarrollo

- Conociendo (y aceptando) el perfil del niño y la etapa por la que atraviesa.
- Rodeándolo de afecto incondicional.
- Limitando su conducta, conteniéndolo.

CONSEJOS PARA LA CRIANZA

Primeros límites y disciplina. El llanto.

Cuando tenemos a nuestro primer bebé en las manos, cuesta trabajo definir en qué momento empezaremos a poner límites y pensar qué actitud tendremos ante el llanto.

Es importante saber que el niño, desde la cuna, necesita una actitud firme, coherente y cariñosa, una actitud que no lo confunda. Si le decimos: *"¡A dormir, te quedas en la cuna!"* pero a los dos pasos nos damos vuelta en "U" y regresamos dudosas a sacarlo, obviamente el niño no recibirá mensajes claros.

Es recomendable pensar que necesitamos ir inculcando buenos hábitos de sueño. ¿Cómo? Primero diferenciando el día de la noche. De noche, aunque lo alimentemos, no debemos hablarle, no es momento de aspavientos ni de apapachos; ya tendremos todo el día para hacerlo. Después de alimentarlo durante la noche, tratamos de acostarlo semi-despierto para que sea él mismo el encargado de conciliar el sueño. Estas son valiosas recomendaciones del **Dr. Ferber**[7].

Otra actitud recomendable durante la crianza es el manejo del llanto: cuando un niño llora, desde luego hay que atenderlo, pero sin atropellarnos para cargarlo. Podemos ir probando estrategias que lo ayuden a contenerse, como platicarle desde lejos, cambiarlo de posición (como aconseja la **Dra. Jenny Pavisic**[8] en sus conferencias), o proporcionar un estímulo visual. Si a pesar de hacer todo esto sigue llorando, entonces sí lo cargamos. Desde luego si el llanto es por hambre o dolor hay que atenderlo, pero poco a poco aprenderemos a diferenciarlo.

En ocasiones el bebé llora y volamos a atenderlo. Y en cambio cuando está alegre, tratando de platicar con nosotros, abierto al exterior, no le hacemos caso. El bebé establece una asociación muy lógica: *"necesito llorar para llamar la atención"*. No es maña, es lógica de su parte.

Una vacuna ambiental para que el niño no llore de más, es hacerle mucho caso cuando está atendiendo de buenas el juego. Así, aprende que hay formas positivas de llamar la atención.

7. Dr. Ferber, Richard; *"Solve your child's sleep problems"*
8. Conferencista de Proyecto DEI

BIBLIOGRAFÍA

Brazelton, Berry
*"On Becoming a Family.
The Growth of Attachment"*
A Merloyd Lawrence Book,
Delta/Seymour Lawrence,
2nd edition, 1982, U.S.A.

Brazelton, Berry
"Bebés y Madres. El Primer Año de Vida"
Emecé Editores, 1era. Edición, 1987,
Argentina.

Brazelton, Berry
"Escuchemos al Niño"
Editorial Plaza Janés, 1989, España.

Goleman, Daniel
"Emotional Intelligence. Why It Can Matter More Than IQ"
Bantam Books, 1995, U.S.A.

Ferber, Richard
"Solve your Child's Sleep Problems"
A Fireside Book, Simon & Schuster
Inc., 1985, New York, U.S.A.

Karnes, Merle
"Puericultura, Tú y Tu Pequeña Maravilla"
Ed. Ceac, (3 tomos), 1985, México.

Kaye, Kenneth
*"La Vida Mental y Social del Bebé.
Cómo los Padres Crean Personas"*
Editorial Piadós, Biblioteca Cognición
y Desarrollo Humano, 1ª edición en
español, 1986, México.

Leach, Penelope
"Su Bebé y Su Niño"
Editorial Argos Vergara, 1985, España.

1.2 • Cómo cargar y acomodar al bebé

La manera de cargar y acomodar a nuestro bebé, puede contribuir a que su cuerpo se desarrolle de manera correcta y a que se sienta contenido y seguro. La forma de cargar trasciende en su desarrollo físico y afectivo.
Es importante la variedad de posiciones para que su cuerpo trabaje como respuesta a cada una de ellas. Es muy recomendable la posición boca abajo, porque el bebé va a luchar contra la gravedad y va a fortalecer mucho su cuerpo. Cuando sostenemos al bebé, se recomienda que esté "centrado" bien alineado, para evitar vicios posturales. El uso del rebozo o hamaca a ratos puede contribuir a esta finalidad. Tenemos que vigilar el abuso de la silla y de otros implementos de cuidado del bebé.
El capítulo compara la evolución de dos bebés, "Sebastián y José", contrastando el desarrollo de su cuerpo como resultado de diferentes prácticas de cargado y acomodo.

¿CÓMO CARGO Y ACOMODO A MI BEBÉ?

Parece mentira, pero la manera como cargamos y acomodamos a nuestro bebé puede ayudar a que su cuerpo se desarrolle de manera adecuada.

Vale la pena comentar acerca de esto, pues varias veces durante el día vamos a estarlo cargando, cambiando de posición, acomodándolo. Y es mejor hacerlo bien.

Al acomodarlo debemos buscar lo siguiente:

Que su cuerpo trabaje y se vaya fortaleciendo.

Es decir, que el bebé vaya trabajando para alzar su cuello, para ejercitar sus brazos, que registre cómo se siente estar boca abajo, rodarse, enderezarse para quedar sentado, arrastrarse y gatear.

Que haga un esfuerzo con su cuerpo y no hagamos todo por él.

Que su cuerpo se centre.

Es decir, que la cabeza, que al principio está de lado, pueda girar con libertad y se enderece al frente, para que pueda mirar con atención lo que quiera.

También, que los brazos vayan hacia el frente, que no se echen para atrás, para que puedan trabajar tomando objetos.

Por lo tanto, hay que evitar:

Que aviente la cabeza hacia atrás y haga un arco con su espalda, así como que mantenga sus brazos hacia atrás.

¿Se han percatado de este movimiento que hacen los bebés?

A veces lo hacen cuando están muy enojados y quieren cambiar de posición: se avientan hacia atrás y arquean el cuerpo.

Es de preocuparse si el bebé está continuamente arqueándose; uno debe tratar de que esto no pase.

¿Por qué?

Porque al hacerlo el niño pierde por un momento su foco visual y el control.

Si hacemos la prueba nosotros mismos de aventar de repente la cabeza y los brazos para atrás vamos a sentir lo que ellos: mareo y confusión.

A un bebé que continuamente se está arqueando, le va a costar trabajo tomar con sus manos objetos que se encuentran enfrente de él.

A) LA POSICIÓN BOCA ABAJO

Vamos a imaginarnos la historia de un bebé que se llama Sebastián al que *cuando estaba despierto*, desde que nació hasta que cumplió 10 meses, su mamá lo acostaba por ratitos *boca abajo*, y ahora se para agarradito de una silla.

Y vamos a compararlo con otro que se llama José, cuya mamá, también *cuando estaba despierto*, desde que nació hasta que cumplió 10 meses, siempre lo tenía acostado *boca arriba* y ahora igualmente se para agarradito de una silla.

Sebastián, de *recién nacido* y *acostado boca abajo*, tiene la cadera levantada y las rodillas bien alineadas debajo de la cadera, los brazos encogidos a los lados del cuerpo, echados hacia adelante, con los puños cerrados y trata por momentos de alzar la cabeza. Siente contra el suelo presión en sus rodillas y antebrazos. Batalla en contra de la gravedad y trabaja su cuello.

José, de *recién nacido, permanece boca arriba*, su cabecita está de lado, siente todo su cuerpo aplanado contra el suelo, por la gravedad. Como la cadera está encogida (si estuviera boca abajo, estaría levantada), se presiona contra el suelo y se aplana. José no siente la presión en las rodillas ni antebrazos (están volando), ni tiene oportunidad de alzar el cuello.

Sebastián cumple tres meses y su cuello está mucho más fuerte, levanta su cabeza y se apoya en los antebrazos. Su cadera ya no está tan encogida, ya se estiró un poco, apoya el pecho y la pancita sobre el suelo, patalea y trata de arrastrarse. La cabeza de Sebastián está redondita, como nació.

José cumple tres meses, sigue boca arriba y su cuello está flojo. Si se le pone boca abajo no le va a gustar porque desconoce la sensación y le incomoda; parecería decir *"Quítame de esta posición, me duele"*. No es que le duela, pero la presión sobre las rodillas y los pies boca abajo le es extraña. Su cabecita y tórax se empiezan a aplanar.

Sebastián cumple seis meses, y cuando está boca abajo se levanta sobre las palmas de las manos, doblando el codo, alza muy bien la cabeza y la voltea con libertad para un lado y para el otro. Ya trabajó su cuerpo por bloques: su cuello, sus brazos (hombros, codos, muñecas y palmas) y sus piernas. Se está alistando para sentarse firme y fuerte y luego para gatear. Ya quisiera moverse solito, como sea arrastrándose o gateando, pues ve delante de él un juguete llamativo que quisiera alcanzar.

José cumple seis meses y sigue boca arriba. Depende de su mamá para cambiar de posición; su cuello está un poco más fuerte porque trata de enderezarse como pidiendo que lo carguen, sin embargo no ha trabajado los brazos, ni el cuello, ni las piernas. Cuando se le sienta, su espalda está un poco curva, no está tan fuerte. Para alcanzar objetos, está atenido a que su mamá se los dé.

Sebastián cumple 10 meses y ya gatea. Su cuerpo está muy fuerte: su cuello y espalda, sus brazos, su cadera, sus piernas. Para gatear sus manos se abren y trabaja la muñeca y el antebrazo como palanca al ir avanzando.

Al gatear descubre el mundo, se siente seguro. Trabajan los dos hemisferios de su cerebro, y su cuerpo coordina movimientos que le van a servir para toda la vida. Cuando llega a una silla se apoya en ella y se levanta victorioso.

José cumple 10 meses y no se arrastra ni gatea; su cuerpo no está muy fuerte. Tiene muchas ganas de caminar pues ve que todos en su casa así se mueven; se sostiene de los muebles y se logra parar pero su cabecita y su tórax están planos. Lástima, no trabajó su cuerpo lo suficiente.

Quizá después de platicar sobre estas historias de Sebastián y de José, surjan varias dudas que intentaremos resolver:

¿Necesito dejar al niño todo el tiempo boca abajo?

No, no todo el tiempo, pero sí a ratos.

En realidad lo ideal es que el niño cambie de posición, que no esté todo el tiempo en la misma, porque así aprende más de su cuerpo y de su mundo.

A ratos, lo podemos cargar como haciéndole una silla (esto les ayuda mucho, pues la posición de ovillo precisamente centra su cuerpo, alinea la cabeza hacia adelante y los brazos también), a ratos ejercitando la línea de la espalda, a ratos en la hamaca, que ayuda también a alinear su cuerpo y a tranquilizarlo, a ratos boca arriba platicándole y con juguetitos hacia el frente y, sobre todo, a ratos boca abajo.

Todo exceso es malo, el niño necesita variedad. Es importante que haya un poco de cada posición.

Al bebé le hace bien y le gusta que lo carguemos, pero no todo el tiempo.

Al bebé le gusta y hace bien la hamaca, pero no todo el tiempo.

Al bebé le gusta y hace bien la posición boca arriba; pues podemos platicar con él, pero no todo el tiempo.

¿Despierto o dormido?

El niño necesita estar boca abajo, despierto, porque es cuando va a trabajar con su cuerpo y a desear ir para adelante. Lo podemos dormir de lado.

¿En dónde se le debe acostar boca abajo?

Lo ideal es que esté acostado *sobre una superficie rígida*, como el suelo, para que sienta la presión sobre sus articulaciones y trabaje el cuerpo. La cama a veces es muy blanda y el cuerpo no trabaja igual.

Claro que esto a veces no es fácil de hacer, ya que tenemos que estudiar cómo acondicionarle un pedacito limpio y rígido para colocarlo.

Vale la pena hacerlo. La mejor gimnasia que puede hacer un bebé es estar boca abajo.

¿Y si tiene reflujo?[1]

Podemos esperar un tiempo después de comer y utilizar una cuña, (que es una almohadita en forma de rampa), para acostarlos. Lo colocamos brevemente boca abajo y vamos incrementando el tiempo poco a poco. Es importante hacer un esfuerzo especial, para que el niño con reflujo, no se pierda de la vivencia de estar boca abajo y de luchar contra la gravedad.

B) CÓMO LEVANTARLO CUANDO ESTÁ ACOSTADO

Para levantarlo cuando está acostado, debemos de **evitar dos maniobras**:

• Alzarlos de la espalda, porque la cabeza queda colgada hacia atrás.

---

1. Es muy recomendable establecer una rutina de masaje con los bebés que tienen reflujo, esto les va a ayudar mucho a asociar la presencia de mamá y su toque con algo placentero, y a desplazar la atención del estómago a la piel. (Dra. Paulina Garibay: Curso de actualización, Proyecto Dei, 1993.)

• Alzarlos jalándolos de los brazos hacia adelante.

A veces, al alzar así a un bebé, provocamos que se arquee hacia atrás o que ponga muy rígidos sus hombros. Es mejor levantarlos girándolos primero de lado y luego alzarlos hacia arriba, como nos lo muestra esta secuencia de imágenes:

1º. Envolvemos sus hombros y lo giramos de lado.

2º. La ayudamos a que se apoye en el antebrazo.

3º. Y luego, lo sentamos.

Esto lo hacemos **muy lentamente**, permitiendo que el bebé vaya sintiendo poco a poco las diferentes posiciones, la carga de peso y a que vaya respondiendo con su cuerpo. Como en cámara lenta. De esta forma, él contribuirá con su esfuerzo al cambio de posición.

Analicemos cada una de las imágenes.

1º. Envolvemos sus hombros y lo giramos de lado.

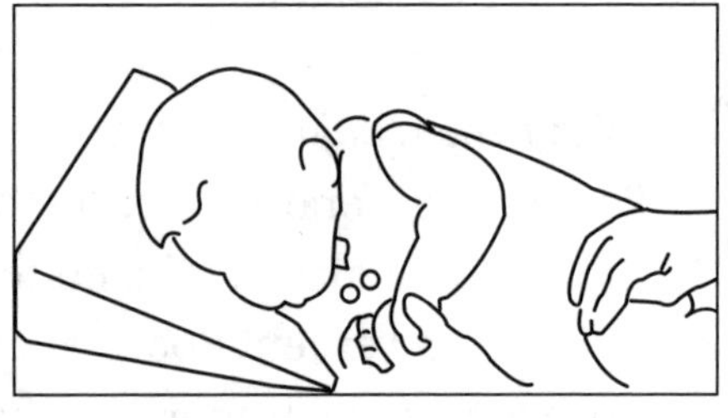

Al envolver sus hombros y girar al niño de lado, el bebé se centra, su cabeza queda al frente de su cuerpo y sus brazos también. Este giro a veces lo tranquiliza.

2º. Le ayudamos a que se apoye en el antebrazo, y entonces sí lo alzamos hacia arriba.

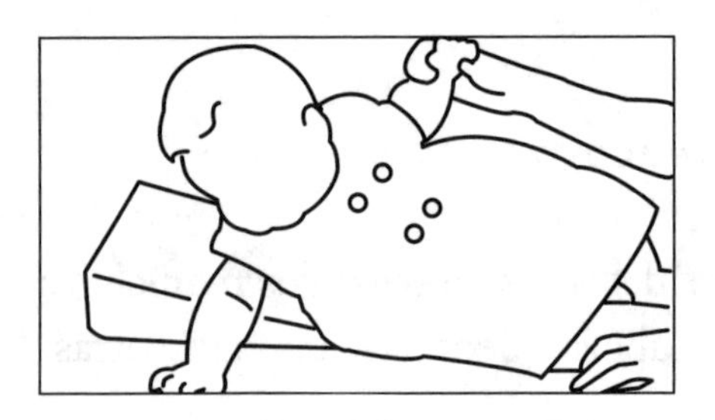

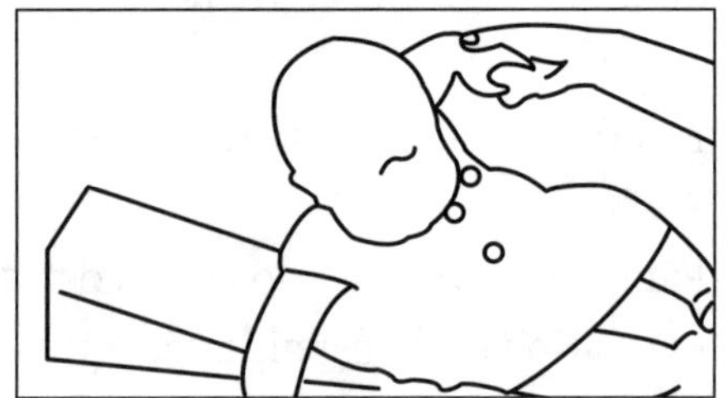

3º. Y luego, lo sentamos.

¿Por qué es bueno hacer esto?

Es bueno levantarlo así: primero rodándolo de lado y de ahí, enseñándole a que se apoye en el antebrazo y luego sentarlo poco a poco.

El bebé, como dijimos, al rodar de lado, centra su cabeza y sus brazos y se tranquiliza; después, cuando lo apoyamos suavemente sobre el antebrazo, le permitimos experimentar cómo se va a sentir apoyarse solo en el brazo.

Va a llegar un momento en el que quiera hacerlo él solo.

"¡Ah, esto ya lo había sentido antes!" Pensará.

c) CÓMO AYUDARLO PARA RODAR

Cuando queremos cambiar al niño de posición, por ejemplo de boca arriba a boca abajo, es bueno rodarlo despacio sobre el suelo, sin levantarlo.

Le ponemos un objetivo visual de lado, que puede ser nuestra propia cara. La secuencia ideal es que los ojos se dirijan hacia el lado al que va a rodar, luego elevamos el hombro ayudándolo con el brazo y por último la cadera, cuidando que el brazo de abajo esté alineado y no se lastime. El orden a seguir es el siguiente: *ojos, cabeza, hombros, cadera.*

Dejamos que la gravedad nos ayude un poco y se ocupe del último paso para rodar, con el objetivo de que el niño registre el movimiento en la piel y en las articulaciones y sienta cómo su cuerpo se va adaptando. El niño separa los hombros de la cadera y registra cómo se siente rodarse.

Cuando por fin quede boca abajo, revisamos que los brazos estén hacia adelante. A veces el bebé se queda con el bracito atorado hacia atrás; hay que ayudarle a zafarlo alzando suavemente el hombro y permitiendo que él acomode el brazo. Es importante dejarle algo de trabajo a él. Si no acomoda su brazo después de alzarle el hombro, se lo movemos suavemente y le colocamos las palmas hacia adelante, externando verbalmente lo que estamos haciendo: *"Así, bebé, bracitos hacia delante"*.

Esto es de mucha más utilidad y beneficio que levantarlos en el aire y cambiarlos de posición.

D) CÓMO CARGARLO.

Lo podemos cargar haciéndolo un ovillito, cuidando que los brazos vayan hacia adelante y al centro.

Silla en el aire

Otra manera de cargarlos que les gusta y sirve, es como lo muestra la foto: haciéndole una silla con nuestros brazos. Esta posición es benéfica porque las piernas y los brazos están alineados hacia el frente, el cuerpo está derecho y la cabeza hacia el frente también.

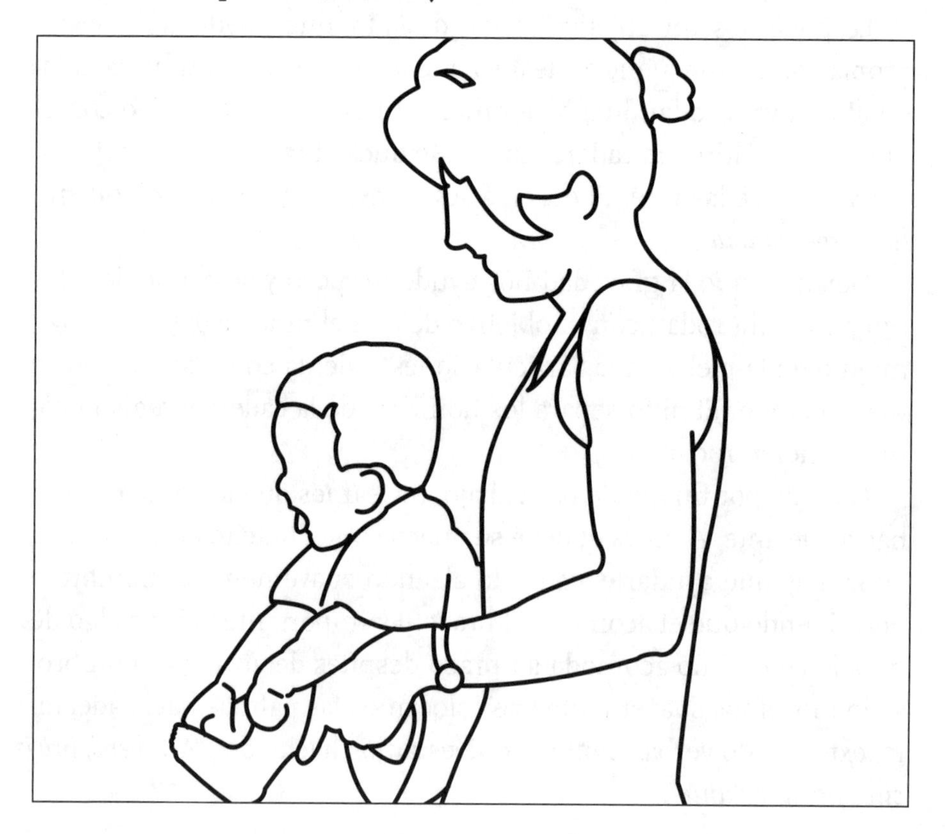

El rebozo o lienzo que acuna al bebé es ideal para que se sienta contenido y centrado.

Trabajo de la línea

Otra manera de cargarlo es la que muestra la foto. En esta posición, el bebé está trabajando el cuello y la espalda. Podemos ponerle una mano sobre el estómago, dejando libre el pecho, para que él trabaje tratando de enderezarse y de mirar hacia adelante.

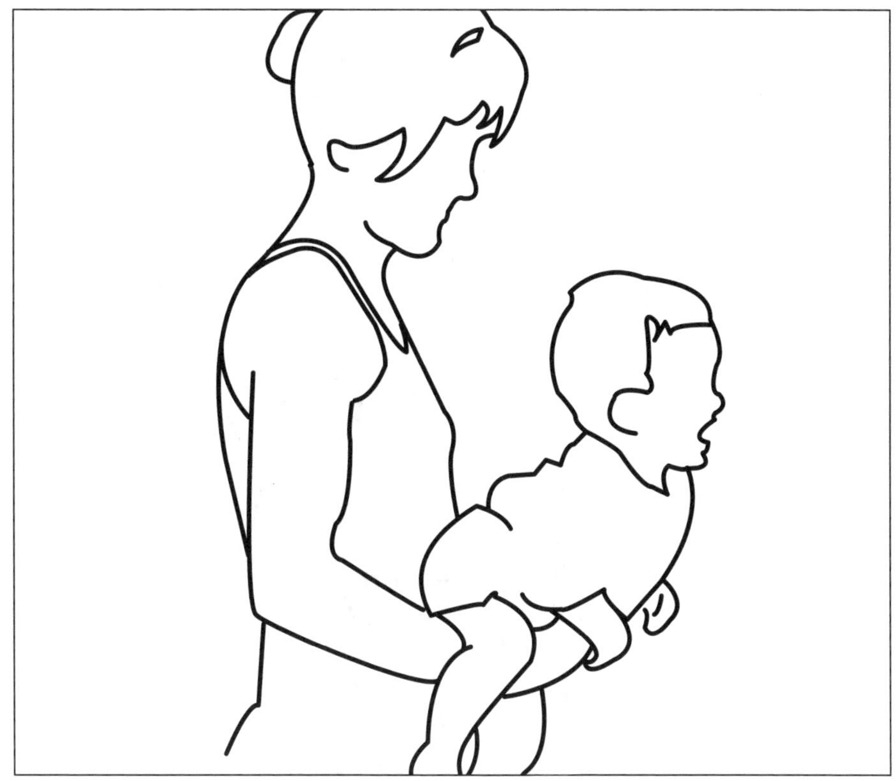

DE LOS SEIS MESES EN ADELANTE:

E) CÓMO AYUDARLO A QUE SE SIENTE SOBRE NUESTRAS PIERNAS

Podemos ayudarlo a que se siente sobre nuestras piernas haciendo como si nosotros fuéramos una silla: lo enderezamos, presionamos sus piernas con las nuestras, colocamos sus plantas de los pies derechas, recargadas en el suelo y las rodillas formando un ángulo de 90°.

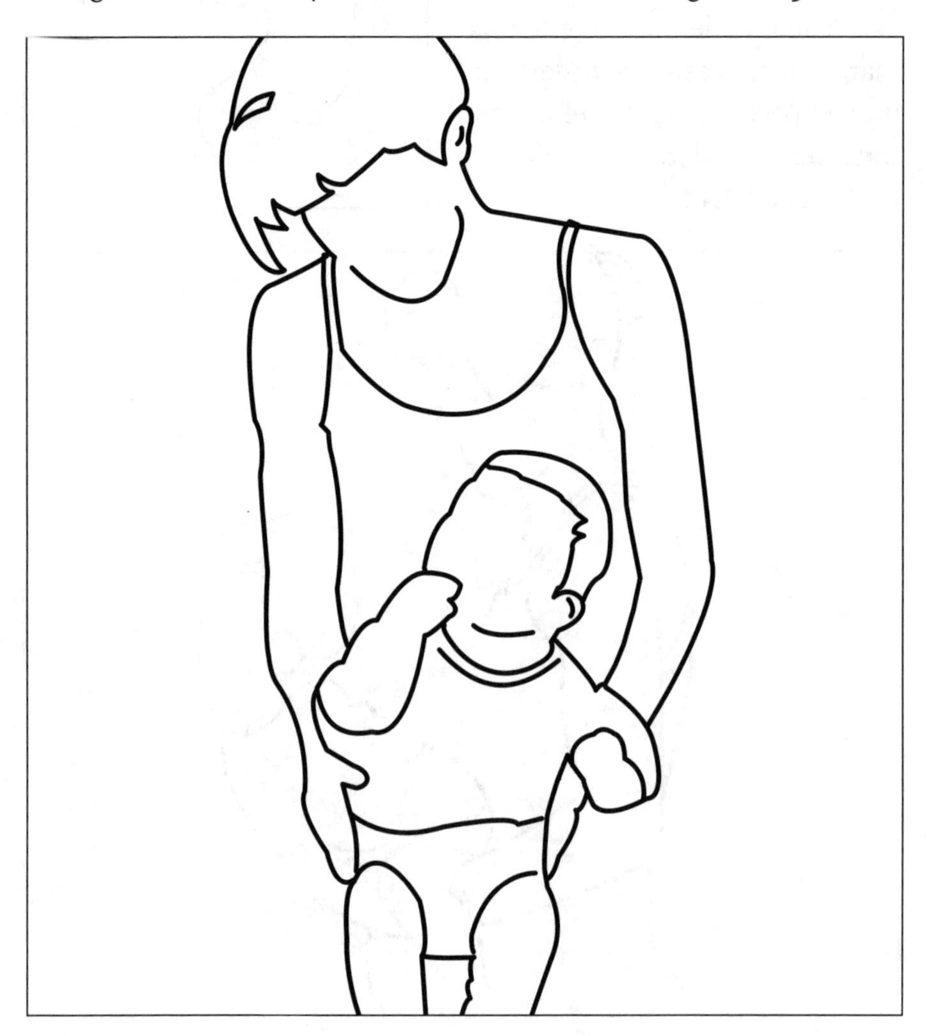

D) CÓMO AYUDARLO A QUE SE PONGA EN POSICIÓN DE GATEO

Cuando ya controla bien el cuello y la espalda, y ya fortaleció sus bracitos, lo colocamos como indica la foto: arrodillándolo y colocando sus piernas bien derechas, en una posición que se llama: "cuatro puntos".

Así debemos dejarlo un rato.

A lo mejor se mece o se mueve para atrás en lugar de hacia adelante. No importa: esta posición le va a ayudar mucho a fortalecer su cuerpo, alinearlo y a prepararse para gatear.

RESUMEN

¿Cómo debo cargar y acomodar a mi bebé?

Busco:

- Que su cuerpo trabaje y se vaya fortaleciendo.
- Que haga un esfuerzo con su cuerpo y no lo hagamos todo por él.
- Que su cuerpo se centre (cabeza y brazos)

Evito:

- Que se arquee hacia atrás.
- Que mantenga sus brazos hacia atrás.

a) La posición boca abajo:
El niño necesita estar boca abajo, despierto, porque es cuando va a trabajar con su cuerpo y a desear ir para adelante.
La mejor gimnasia que puede hacer un bebé es estar boca abajo.
b) Cómo levantarlo cuando esté acostado:
Girarlo de lado, apoyar el antebrazo y luego sentarlo.
c) Cómo ayudarlo a rodar:
Sobre el suelo, sin levantarlo.
d) Cómo cargarlo:
Hacerlo un ovillo, sentado en nuestros brazos a modo de silla, ejercicio de la línea.
De los seis meses en adelante:
e) Cómo ayudarlo a que se siente sobre nuestras piernas:
Lo enderezamos, presionamos sus piernas con las nuestras, colocamos sus plantas de los pies derechas, recargadas en el suelo y las rodillas formando un ángulo de 90°.
f) Cómo ayudarlo a que se ponga en posición de gateo:
Cuando ya controla bien el cuello y la espalda, y ya fortaleció sus bracitos, lo colocamos de rodillas y con sus piernas bien derechas en una posición que se llama "cuatro puntos".

BIBLIOGRAFÍA

Flehmig, Inge
"Desarrollo Normal del Lactante y sus Desviaciones" (Diagnóstico y Tratamiento Tempranos)
Editorial Médica Panamericana, 1988.
Buenos Aires, Argentina.

Reisetbauer, E. y Czermak, H.
"La Posición del Lactante"
Revista Psicología Educativa no. 37

Seminario de Neuro Desarrollo impartido por la **Dra. Pavisic, Jenny**

Colaboración:
Cabello, Margarita
Casarín, Coral

1.3 • Hábitos de sueño

Todo niño sano puede dormir toda la noche, sin necesidad de disponer de recursos ajenos a sí mismo, y puede tener la capacidad de recuperar el sueño si se lo permitimos.
El sueño pasa por períodos irregulares en los cuales tendemos a despertarnos. Cuando estos períodos se acompañan de mamilas, agitación, chupones o, entre los más grandes, de actividades para distraerlos o pasarse a la cama de los papás, el sueño se interrumpe.
El sueño interrumpido se puede corregir mediante una estrategia familiar clara, firme y coherente, que tome en cuenta un plazo realista, mensajes definidos y la manera de ser de los papás, de los niños mismos, así como del espacio físico en el hogar.
El sueño, junto con los alimentos, el baño y la rutina de juego, forman un sistema. Al corregir vicios en una de estas actividades y regularizarla, tenderá a organizarse el resto. La rutina y el horario le dan seguridad al niño y estructuran su tiempo y espacio.

INTRODUCCIÓN

Este tema suele interesar a dos grupos de papás:

a) A los que tienen bebés muy pequeñitos y quieren favorecer buenos hábitos de sueño.

b) A los que ya están preocupados porque su niño tiene patrones nocturnos de sueño interrumpido.

Intentaremos abordar ambos casos, ya que es uno de los temas que más ansiedad generan entre los padres de familia.

Si tú, lector, perteneces al segundo grupo, es muy útil que antes de leer el artículo, respondas las siguientes preguntas. Esto facilitará la aplicación de las nociones a tu caso en particular.

1) ¿Cómo es la rutina de tu(s) niño(s) antes de dormirse? ¿Qué signos recibe(n) de que ya es hora de dormir?

2) ¿Cuál es su patrón nocturno; es decir, las conductas típicas que presenta(n): llora(n), pide(n) chupón, requiere(n) que se les meza, pide(n) leche, pide(n) jugo, se pasa(n) a la cama de los papás...?

3) ¿Cuál ha sido la respuesta de ustedes, los papás: atenderlo(s), darle(s) lo que pide(n), regañarlo(s)...?

4) ¿Cuándo se empezó a establecer este hábito de sueño interrumpido: desde siempre, después de una enfermedad, después de un viaje o un cambio de casa?

5) ¿Cuáles han sido las estrategias de solución que se han intentado: dejarlo(s) llorar, prometerle(s) regalos si coopera(n)?

6) ¿Por qué te (o les) molesta o preocupa un hábito de sueño interrumpido?

Para abordar el tema nos basaremos principalmente la tesis del **Dr. Richard Ferber**[1], sumándole algunos elementos de los seminarios de desarrollo que yo misma imparto.

La finalidad de este capítulo es que cada uno de los lectores elabore su propia rutina de corrección de hábitos de sueño de su(s) hijo(s). Se pretende que cada estrategia sea diferente y personalizada, ya que tienen que considerarse aspectos particulares como:

- Ritmos del niño
- Personalidad
- Distribución de la casa
- Tiempo y horarios de trabajo de los papás
- Estilos de cada uno (horarios, hábitos, valores, etc.)

Cada programa será único pero deberá ser coherente, claro y con objetivos bien trazados, ya que si no eres consistente perderás la oportunidad de corregir un hábito tan importante.

---

1. Dr Ferber, Richard; *"Solve your child's sleep problems"*

TESIS DEL DOCTOR RICHARD FERBER

a) Supuestos.

1) Los problemas de sueño interrumpido son muy frecuentes. Saber esto, tranquiliza.

2) Sin embargo, no son inherentes al desarrollo (como podrían ser, por ejemplo, la ansiedad de separación, la mimitis o los berrinches).

3) Prácticamente todos los niños sanos pueden irse a la cama, dormir toda la noche y recuperar el sueño después de breves interrupciones normales, y hacerlo **solos**, con sus propios recursos.

b) Cuándo debe dormir un bebé toda la noche.

De hecho los bebés varían mucho en sus requerimientos de sueño y vigilia desde recién nacidos, sin embargo, a pesar de las diferencias, se espera que de noche el bebé vaya demandando menos alimento y vaya durmiendo más horas. Según las estadísticas recopiladas por el Dr. Ferber, un bebé empieza a dormir toda la noche entre los 3 y los 6 meses. Vale la pena aclarar que dormir toda la noche consiste al principio en 6 horas corridas, por ejemplo, de 12 de la noche a 6 de la mañana y este lapso se va extendiendo hasta las 10 ó 12 horas corridas.

Estos parámetros nos permiten ir juzgando los casos particulares.

Los papás de un bebé de dos meses aún no deben de considerar problemática una noche interrumpida, pero quizá los padres de un bebé de 5 meses que se despierta con mucha frecuencia, pueden visualizar que cumplirá los 6 meses y seguirá teniendo sueño interrumpido.

En ocasiones, el bebé ya dormía muy bien y después de una enfermedad, viaje o cambio de casa empieza a interrumpir el sueño si no se le ayuda a recuperar el ritmo.

Vamos a adelantar un poco el argumento principal de este tema: nosotros, los papás, podemos ayudar a los bebés a dormirse solos, si los acostamos semidespiertos y no nos encargamos de adormecerlos. Este hecho de acostarlos semidespiertos les sirve tanto para el hábito de dormirse al estar acostados, como para recuperar el sueño si se despiertan a media noche.

c) Los temores de los papás.

Uno de los mayores obstáculos es el temor de los papás a que el bebé tenga hambre, sed, esté enfermo, sueñe pesadillas, se sienta solito, etc. De noche todo es negro y la peor sospecha siempre es viable.

Estos temores tan comunes, junto con el cansancio, dificultan mucho una buena aproximación a la problemática del sueño.

d) Autosuficiencia para recuperar el sueño.

Todos tenemos períodos irregulares de sueño; esto ha sido estudiado ampliamente practicando encefalogramas y midiendo el grado de actividad de la retina (REM): alternamos sueño (soñar con imágenes) con relajamiento. Estos períodos irregulares de sueño nos exponen a pseudodespertarnos, a veces, sin mayor conciencia de nuestra parte y sin mayor problema para volver a dormirnos.

A algunos bebés no les damos la oportunidad de este aprendizaje.

Cuando los acostamos y para que se duerman tenemos que darles un biberón, mecerlos media hora, levantarnos adormilados a ponerles el chupón, estamos haciendo más pronunciadas las interrupciones "biológicas" y propiciando que el bebé se despierte totalmente, y para que vuelva a conciliar el sueño tendremos que repetir exactamente los pasos que hemos ritualizado para que se duerman.

Hay mamás y papás a quienes no les importa despertarse, ponerles el chupón, mecerlos para que recuperen el sueño o, tratándose de preescolares, no les molesta que se pasen a su cama. El problema es que no los estamos haciendo autosuficientes, además de que estamos dificultando el relevo de otros cuidadores: no podremos dejarlos con los tíos o abuelos mientras no se regularice su sueño.

Ferber presenta un argumento paralelo referido al adulto. Los adultos también tenemos una serie de *asociaciones* que nos ayudan a adormecernos; cuando falta algún elemento, el sueño suele dificultarse. Por ejemplo, hay quien duerme con calcetines; si no se los pone, no puede dormir. O al contrario, los calcetines lo acaloran y con ellos no puede conciliar el sueño. Lo mismo, con o sin cobijas pesadas, con o sin almohada, con la puerta cerrada o abierta, etc.

¿Qué pasaría –pregunta Ferber– si durante el sueño superficial desaparece nuestra almohada? Seguramente nos despertaríamos. Si simplemente se ha caído al suelo, la recuperamos y se acabó; a seguir durmiendo. Pero si nuestra almohada se esfuma, probablemente nos despertaremos por completo.

Extrapolando el ejemplo, supongamos que somos temporalmente minusválidos y nos sucede esta escena de la desaparición de la almohada; obviamente necesitaremos que nuestra pareja nos la regrese y acomode para poder recuperar el sueño. Además de desesperarnos, dependemos de la acción y buena voluntad de la pareja para volver a dormirnos.

Exactamente esto es lo que le ocurre al bebé que necesita de los papás para que le pongan el chupón o lo mezan, proporcionándole las condiciones de sueño.

Las condiciones para que el niño concilie el sueño varían mucho en las familias: cambiarse a la cama de los papás, requerir del chupón, la mamila, el arrullo, que le rasquen la espalda, etc.

Estas condiciones no autosuficientes surgen por varias razones:

- Funcionan un día y tienden a perpetuarse.
- Inician a raíz de días críticos, como después de una enfermedad o cambios en la rutina.

Tienden a prevalecer porque:

- Es muy fácil interrumpir el sueño durante períodos superficiales.
- Hay una cierta ganancia de privilegios que el niño no quiere perder: tiempo de atención concentrada por parte de los papás, su contacto, una mamila caliente, etc.

Es por estas razones que decimos que son frecuentes, más no inherentes al desarrollo del niño.

ESTRATEGIAS

Vamos a dividir la estrategia en dos partes: una, relacionada con el recién nacido (preventivo) y otra que ya contempla hábitos de sueño interrumpidos.

a) Estrategia preventiva para recién nacidos (0 a 3 meses).
Nuestra meta será la **autosuficiencia**, tanto para que al cabo de unos meses se duerma solito, como para que él mismo pueda recuperar el sueño si se despierta. Por ahora, el recién nacido no distingue entre el día y la noche y pide alimento aproximadamente cada tres horas.

Es tarea de los papás dejarle claro el mensaje de que el día y la noche son diferentes; no sólo por la luz, sino por el ritmo de actividad. De día hay juego, ruido, apapachos, conversación, etc.

De noche, sólo lo estrictamente necesario: hay alimento pero no hay juego, no hay intercambio verbal **ni visual** (es importante no mirarlos a los ojos) y, en la medida de lo posible, no cambiarles el pañal. Esto muy difícil al principio, pues evacúan después de comer; con el tiempo se le puede acostar con doble pañal o bien con un sobrepañal de hule que los proteja para que no se mojen.

Curiosamente, en la noche los bebés se encuentran muy relajados, platicadores y simpáticos, pues todo está en paz y ellos quisieran "socializar". Uno siente la tentación de contestarles. Realmente vale la pena resistir dicha tentación, pues **el hecho de que diferencien el día de la noche es el primer gran organizador del bebé**. Les ayuda a hacer una diferencia social y mental y a sembrar en ellos una buena semilla de sueño.

No se trata de dejarlos llorar; de chiquitos hay que atenderlos de noche, pues necesitan el alimento (lo dejarán de necesitar a los 3 meses); sin embargo, si es posible, hay que procurar **acostarlos un poco despiertos**. Al hacer esto, habremos de tolerar unos gemiditos, que no son precisamente llanto sino una descarga. Si evitamos mecerlos o darles más alimento y en cambio les damos unas palmaditas de cariño, estamos colaborando a la posibilidad de que sean autosuficientes para dormirse.

Hacia un horario

A pesar de que los bebés recién nacidos son irregulares en su demanda de alimento y sueño, es conveniente tener la mira puesta en el eventual establecimiento de un horario. Este será el resultado de una negociación entre los mensajes del bebé y los nuestros.

1) Podemos, sin traicionar la teoría de la libre demanda, a partir del mes dejar pasar por lo menos 2 horas entre toma y toma. Es decir, poner un límite flexible de 2 a 6 horas entre comidas. Si pide alimento antes, podemos entretenerlo, platicarle, etc. Esto empezará a regularlo. La meta es establecer un horario regular de comidas con lapsos entre 3 y 4 horas.

Si bien es cierto que muchos bebés se autorregulan si se les da la oportunidad, hay aproximadamente un 15 % con ritmos irregulares (**Turecki**[2]) que necesitan de la ayuda del adulto para establecer horarios.

Es útil ir tomando nota de las horas y condiciones en las cuales les da hambre.

2) El horario de sueño y alimento forman un sistema.

Cuando se regula el alimento, se ayuda a regular el sueño y viceversa: regulando el sueño, se ayuda a regular el alimento.

Los factores que hay que tomar en cuenta son, por un lado, las necesidades del propio niño y, por otro, el estilo de vida y la rutina de los papás.

Si hay papás muy dormilones, se buscará establecer un horario que tienda a que pida alimento más tarde en la mañana, aunado a que reciba más atención en las noches. Si los papás prefieren madrugar y dormirse temprano en las noches, trabajarán por propiciar un horario más tempranero.

---

2. Turecki, Stanley: *"El niño difícil"*

Esto nunca se logra de inmediato, pero poco a poco se puede ir "forzando", es decir, despertar al niño un poquito más temprano (si tenemos un horario madrugador) o bien entretenerlo un poco más en la noche para aplazar en la mañana el momento en el que pida atención, enseñándole a que se entretenga un rato solo.

Estos avances son paulatinos y se van logrando poco a poco. Desde luego tenemos que tomar en cuenta el tipo de bebé que es: su ritmo de actividad, sus necesidades de sueño, etc.

El baño, la rutina de juego y de masaje puede ayudarnos a que se vayan estableciendo horarios. Dichos horarios no deben ser rígidos, pero es recomendable que existan. Serán el primer acto de disciplina que viva el niño.

3) Otro elemento que ayuda a regular el sueño es, como mencionamos anteriormente, el acostarlo semidespierto.

Los signos de los 3 meses

A los 3 meses, el bebé muestra conductas más diferenciables que un recién nacido; por ejemplo, el llanto de dolor es un gemido agudo, continuo, no cede cuando lo cargamos y en ocasiones tiene leves interrupciones de espasmos (como dejando un instante de respirar). La parte adolorida suele ponerse tensa.

El llanto de hambre es también agudo, pero se interrumpe cuando succiona la mano. Cede momentáneamente si lo cargamos.

El llanto de sueño y aburrimiento consiste en gemidos cada vez más esporádicos.

Reconocer este último tipo de llanto puede orientarnos para dejar a los bebés un poco despiertos al acostarlos y no alarmarnos, sabiendo que es un llanto *de descarga*.

Ferber recomienda rezagar el tiempo de atención si el bebé todavía se despierta en la noche entre los 3 y 6 meses. Esperarnos un poco antes de atenderlo. En ocasiones esto suele desvanecer las interrupciones.

Con frecuencia, el bebé ya dormía toda la noche y como resultado de una enfermedad, viaje, o cambio de contexto, el sueño se interrumpe y el problema se prolonga. En estos casos hay que tomar acción, pero sabiendo que el recuperar el ritmo de sueño será bastante sencillo, debido a que el tiempo que lleva presentando esta conducta ha sido relativamente corto (en comparación con niños que nunca han dormido bien toda la noche).

b) Estrategia correctiva.

1) Revisar la rutina.

Un primer paso de la estrategia correctiva es reanudar la rutina. Muchas veces esto basta para recuperar el ritmo de sueño. Cualquiera que sea la rutina, el niño tiene que tener claro cuándo se va a dormir mediante el envío de una serie de avisos, que van ayudándole a aceptar el hecho irremediable de que dormir se aproxima, a la vez que tienen un efecto sutil de aletargamiento.

Es importante que la rutina sea exacta e invariable, pues de lo contrario pierde sus cualidades de aviso. Cuando los pasos previos para dormirse suceden a veces y a veces no, y debido a que al niño no le gusta perder privilegios, luchará a toda costa por no dormirse; por ejemplo, *"cinco minutitos más"*, que en realidad se convierten en veinte; *"otro cuento"* que termina en enojo, *"un vaso de agua"*, etc., etc.

Hay rutinas que ya están viciadas, que no le dicen nada al niño. En este caso hay que inventar alguna nueva.

El mensaje tanto para bebés como para niños más grandecitos es el mismo: *"Ya es hora de dormir. Te quiero mucho pero hay tiempo para todo. Por tu bien y por el del resto de la familia te vas a quedar en tu cama y no voy a ceder a tu deseo de hacer alguna actividad"*. Desde luego **esto se dice con la actitud**, más que con palabras.

Hay muchos elementos que pueden integrar una rutina: apagar la luz, cerrar la cortina, acostar al muñeco, cantarles, ponerles música suave, bañarlos, ojear un libro, etc. Esto depende del estilo personal del adulto y del niño.

2) Plan

Al elaborar el plan a seguir conviene plasmarlo por escrito y hacerlo en función del problema específico que presente el niño. Escribirlo en un rato de paz durante el día, nos permite tener la suficiente distancia y objetividad para poder actuar en la noche.

Lo que recomiendo es la **desincentivización paulatina**; es decir, irle quitando poco a poco al niño el incentivo para despertarse, dándole tiempo para que se vaya ajustando y reforzar el cariño y el apoyo durante el día para facilitar el cambio con afecto.

Vale la pena preguntarnos:

¿Qué y cómo ha ganado?

- *¿Se despierta y recibe atención al regresarle el chupón a la boca?*
- *¿Se despierta y tiene una deliciosa mamila caliente?*
- *¿Se despierta y tiene unos papás amorosos que lo mecen hasta que se vuelve a dormir?*
- *¿Se despierta y tiene unos papás consentidores que le permiten que se pase a su cama?*

¿Durante cuánto tiempo?

Es diferente una interrupción de una semana, como resultado de una enfermedad, a cuando interrumpir el sueño se ha convertido en vicio y lo ha presentado toda su vida. En este último caso, el plazo que nos propongamos para cambiar el hábito tendrá que ser mucho más largo. Tenemos que deshabituar al niño a despertarse. Para ello, básicamente tenemos que cambiar la situación, de tal manera que ya no le funcione lo que antes le funcionaba. **Al desaparecer el incentivo para despertarse, su mejor alternativa será dormirse.**

La estrategia en concreto debe trazarla cada quien. Es muy importante que sea viable, y en especial que estemos determinados a aplicarla; si no, resultará inútil y será más cruel para el niño enfrentarse de momento a un mensaje aislado y desconcertante, sin sentido para él. Por eso es muy importante que no se lleve a cabo durante crisis familiares, sino iniciarla posteriormente.

Ayuda diseñar una tabla precisa de visitas a la cama del bebé o del niño. En la que vayamos aplazando el tiempo de atención.

Esta tabla hay que **diseñarla de día, y tomar acuerdos en pareja.**

¿Por qué? De noche tendremos toda la tentación de *"tirar la toalla"* y a percibir los tiempos de una manera subjetiva. Un minuto de llanto del bebé o niño nos va a parecer una eternidad. En cambio, en el diseño y el acuerdo matrimonial, un minuto es un tiempo lógico, en el que el mensaje de que se deberá de dormir solo, podrá ser entendido.

Nuestro mensaje debe ser: *"No te abandono, pero debes dormirte"*[3].

Así podremos elaborar nuestra tabla a seguir.

Al principio, acudimos pronto, por ejemplo, al minuto del llanto y de ahí "tabla en mano" vamos aplazando la visita de manera sistemática, a los tres minutos, a los cinco, y así consecutivamente.

En cada visita, tendremos que dar la orden con mucha firmeza: *"A dormir"*, dando palmaditas.

Evitamos sacarlo de la cuna, alimentarlo, interactuar, mecer, etc, que son conductas que contribuyen a romper el ciclo de sueño.

Si es necesario podemos decir *"No estás solo, mamá está en su cuarto y quiere dormir, si me necesitas vengo"*

Ayuda mucho si nos conseguimos un "amigo valiente" y lo vestimos con una prenda "que huela a mamá". Le podemos encargar al amigo que lo cuide.

Es realmente notable lo eficiente de esta técnica, siempre y cuando no echemos marcha atrás.

Vale la pena mencionar que el niño va a llorar, porque no le gusta perder privilegios y quizá le cueste trabajo conciliar el sueño. Pero será un llanto de ajuste, no de abandono. Esta técnica difiere del consejo drástico que escuchamos en ocasiones: *"Déjalo llorar toda la noche..."*

En este caso, lo dejamos llorar, dentro del cobijo afectuoso de un plan de re-entrenamiento de sueño.

---

3. Estivill y De Béjar, Sylvia y Estivill, Eduard; *"Duérmete niño"*

Puede ser acompañado de mucho afecto de día, para que no nos sintamos culpables.

OTROS TEMAS

El chupón

El chupón adormece, como en su caso lo hace la almohada. La meta es ayudarlo a que no dependa del chupón para recuperar el sueño a media noche. (Es diferente cuando el bebé es autosuficiente para recuperar él solo el chupón y seguir durmiendo. El caso al que nos referimos se aplica a bebés que para ello requieren del adulto. Sin embargo, aun cuando sean autosuficientes, habrá un momento en el cual será conveniente retirar el chupón nocturno, convertido ya en un hábito. Para ello podría pensarse también en un plan y anotarlo por escrito).

Cuando el bebé se despierta a media noche pidiendo el chupón, podemos ir aumentando el tiempo de espera entre que se despierta y lo atendemos. Ferber sugiere que el primer día tardemos unos 5 minutos y prologuemos ese lapso sucesivamente.

Sin el chupón, el bebé estará muy incómodo; no sabrá cómo dormirse. Se recomienda regresar, tranquilizarlo y volverse a ir. La primera noche va a ser mala, la segunda peor. El reclamo será muy violento y habrá mucha tentación de sacarlo de la cuna o devolverle el chupón pero no hay que ceder. Es por su bien y el de todos. Es como si el ortopedista nos indicara que por algún problema cervical tenemos que dormir sin almohada y el marido compadecido nos la diera a media noche. No serviría de nada el tratamiento.

El pronóstico es que en una semana ya dormirá sin chupón. Ayuda mucho a los papás y al bebé el pasar durante el día un rato cálido, cercano, en el cual se le demuestre y diga que lo queremos. Esto funciona como una especie de vacuna contra las culpas de los papás.

Conviene señalar que hay una diferencia sustancial entre esta estrategia y simplemente dejarlos llorar (aunque sí funcione). Conforme a nuestro plan, los dejamos llorar, pero reforzamos el desprendimiento haciendo más patente nuestro cariño. Tenemos una meta y mandamos un mensaje.

Las mamilas

Las mamilas nocturnas se convierten en un círculo vicioso. Los niños se empapan porque tomaron más líquido. Además, la ingesta calórica activa su organismo; toman leche y se despiertan a las tres horas con mucha energía, pidiendo más leche.

Hay que respetar lo que indique el pediatra, pero nos atrevemos a afirmar que ningún niño de más de 6 meses necesita mamilas nocturnas, a menos de que le creemos la necesidad.

La desincentivación de la mamila puede realizarse dándole un biberón cada vez menos agradable; la primera noche con leche diluída, la segunda, más fría; la tercera, con té, y así sucesivamente hasta llegar al agua fría. SIN RETROCEDER. Hay que anotar el plan del día para que sea preciso y paulatino. El mensaje es el mismo: "Te quiero, lo hago por tu bien, y la mejor alternativa es dormirte. Lo que hay es agua; si no la quieres, mejor duérmete".

Mecerlo, rascarle la espalda, etc.

En esencia se trata de hacer lo mismo con respecto a estas costumbres: alargar el tiempo en que acudimos a atenderlo, le damos unas palmaditas y nos retiramos. Igual va a haber noches malas, reclamos, dudas, pero la meta es la misma.

Hay conductas que **rompen** el ciclo del sueño: sacarlos de la cuna, jugar, alimentarlos, mecerlos, darles el chupón, permitir que se pasen a la cama de los papás.

Hay conductas que **no rompen** el ciclo del sueño: acompañar, reacomodar y dar palmaditas.

Pasarse a la cama de los papás

Tal vez ni nos acordemos cuándo fue la primera vez que se pasó a nuestra cama. En ocasiones se da como resultado de una enfermedad, pues requeríamos estar tomándole la temperatura, quizá fue porque el niño tenía una pesadilla o simplemente cedimos a su antojo de "estar en bola".

Las familias que quieren prever que no ocurra esto, no deben pasar nunca al niño a su cama; será como una pared que no se puede atravesar.

Si tenemos un preescolar que se pasa a nuestra cama, conviene tener claro si realmente eso nos importa, ya que hay familias que lo disfrutan. Si éste es nuestro caso, no vale la pena que gastemos energía tratando de evitar esa conducta, aunque sí conviene tener especial cuidado en el momento en que lo haga, a fin de que no interfiera con la actividad sexual de la pareja o se exponga a presenciar visual o auditivamente experiencias que no tiene la madurez de procesar.

Ahora, si realmente nos molesta y queremos ponerle remedio, primero hay que hablar con el niño durante el día. Mencionarle que si nos necesita en la noche, puede solicitar nuestra compañía y nosotros iremos a su cama pero que no está permitido pasarse a la nuestra.

Necesitamos de su aprobación diurna para poder ser firmes de noche.

Al principio, esto implica varias malas noches para los papás, pero es como una inversión bancaria: invertimos ahora y todos recuperamos después.

Si el niño se pasa sigilosamente en la noche, hay que regresarlo a su cama. Se puede usar la técnica de **desincentivación paulatina** que mencionamos con los bebés, marcando linderos progresivos. Es decir: *"me llamas pero no te metes a mi cama"*, luego *"me llamas desde tu puerta"*, después, *"me llamas desde tu cama"*. La rutina será regresarlo una y mil veces a su cama.

Un siguiente paso será la puerta. *"Tú decides si quieres tener la puerta de mi cuarto abierta o cerrada. Si la quieres abierta, no entres y me llamas desde afuera; si te metes, perderás el derecho a que esté abierta y la voy a cerrar"*. Con advertencia no hay crueldad y él tiene el control de la situación, lo cual es diferente a cerrar la puerta como medida drástica sin anticipárselo.

Al tener la posibilidad de llamarnos si realmente tiene miedos, éstos se aliviarán con la presencia del adulto en su cuarto y se irá rompiendo el vicio de conciliar el sueño en la cama de los papás.

Es importante cumplir la advertencia, pues es por su bien y le da credibilidad a los papás.

Desde luego es más cómodo que se arremoline en nuestra cama a que uno se esté levantando, pero es en aras de un futuro sueño reordenado.

Es muy importante platicar con ellos de día, escuchar sus sugerencias sobre cómo solucionar el problema, quedar de acuerdo y dedicarle un ratito de juego incondicional y afectuoso para que el niño no asocie el cambio con la pérdida de cariño.

Es necesario estar listos, preparar el plan por escrito, no dar marcha atrás y estar conscientes de que las primeras noches serán mucho peores que la peor de las noches. Los niños reclamarán, pues no querrán perder sus privilegios.

A los preescolares también les hace mucho bien la rutina nocturna previa a acostarse, el aviso claro y contundente de que ya es hora: *"un cuento y uno sólo"*, *"cuando el reloj dé las..."*, *"no se vale pararse de la cama"*, etc.

Parece mentira cómo con un poco de firmeza, todos en la familia podemos ser más felices.

SÍ SE PUEDE

Valdría la pena regresar a la encuesta inicial y tomarla como guía para elaborar el plan de reordenación de hábitos de sueño. Adelante. Es por el bien de todos.

PREGUNTAS FRECUENTES

¿Cuándo cambio al bebé a su cuarto?

Cada familia tendrá que estudiar la disponibilidad de espacios con los que cuenta. Es conveniente cambiarlo a un espacio propio, entre los 3 y los 6 meses de edad. En este período ya esperamos que el bebé duerma en la noche. La pareja necesita intimidad y el bebé un espacio para conciliar bien el sueño, sin depender de la presencia de sus papás.

¿El bebé tiene pesadillas?

Existen hipótesis acerca del sueño y el soñar, así como de las pesadillas. La teoría del sueño nos señala que una pesadilla en forma, es una elaboración afectiva en la que proyectamos nuestros miedos, deseos, ambivalencias en símbolos que tienen un significado específico. Esto ocurre cuando la mente es más elaborada, en la antesala de los 3 años, que es cuando empiezan los miedos y las pesadillas "narrables". De esta forma, cuando un bebé entre 6 y 30 meses se despierta, es probable que sea una "evocación" de imágenes desagradables vividas durante el día. *"Mi mamá se me va", "Me quemo con lo caliente", "No me dejan tocar lo que me interesa"*

Es importante **no despertarlos** en caso de que los veamos agitados, pero dormidos.

BIBLIOGRAFÍA

Brazelton, Berry y J. Nugent, Kevin
"Escala para la Evaluación del Comportamiento Neonatal"
Evaluación Psicológica no. 69, Editorial Paidós, 1era. edición, 1997, España.

Estivill, Eduard y De Bejar, Sylvia
"Duérmete Niño"
Editorial Plaza y Janés, edición de bolsillo, 4ª reimpresión, 2001, México.

Ferber, Richard
"Solve your Child's Sleep Problems"
A Fireside Book, Simon & Schuster Inc., 1985, New York, U.S.A.

Turecki, Stanley y Tonner, Leslie
"El Niño Difícil"
Ediciones Médici, 1ª Reimpresión, 1999, España

1.4 • El destete

Son varias las alternativas para retirar del bebé la fuente de succión. El destete puede llevarse a cabo temprana o tardíamente. Este apartado describe las distintas alternativas, cada una con sus ventajas y desventajas para que los padres de familia puedan considerarlas y ponderarlas. En este capítulo se menciona la tesis de ***Penélope Leach***[1] *acerca del* ***momento sensible del destete****, que se caracteriza por la facilidad para destetar al bebé y por la inhibición del reflejo de succión.*

INTRODUCCIÓN

Cuando tenemos en brazos a nuestro bebé recién nacido, parece remoto el momento en el cual estará bebiendo de una taza; pero éste llega más pronto de lo que creemos.

Siempre es inquietante escuchar historias acerca de la dificultad para quitarle el pecho, la mamila o el chupón y nos parece que invariablemente representará una gran dificultad; sin embargo, como expondremos a continuación, el destete no tiene por qué ser conflictivo, cuando contamos con la suficiente información para realizarlo.

Intentaremos exponer varias posibilidades del destete, así como algunas sugerencias prácticas, con la intención de que cada mamá enriquezca con ellas sus propias decisiones.

INFLUENCIAS CULTURALES

Hay diferencias importantes entre las distintas costumbres cultura-

1. Leach, Penelope; *"Babyhood"*

les en cuanto a los hábitos de amamantamiento, de destete y de frecuencia de tomas.

Erick Erickson[2] estudió a dos culturas indígenas norteamericanas muy contrastantes: los Yurok acostumbran un destete temprano y abrupto antes o inmediatamente después de la salida del primer diente; esto es, alrededor de los 6 meses y sin ofrecer ningún sustituto de succión. (Erickson menciona que entre los Indios Yurok es frecuente encontrar la costumbre de masticar tabaco o morder, como compensación oral). En cambio los Sioux contrastan con los primeros, pues posponen el destete hasta los dos o tres años e incluso hasta los ocho en caso de enfermedad.

En nuestro ambiente mexicano encontramos diferencias importantes entre la ciudad y el campo e incluso entre las familias. En los medios rurales, el tiempo de lactancia tiende a ser más largo que en los medios urbanos.

Curiosamente cada quien defiende la preeminencia de su opción y, sin embargo, puede ser que lo que para una familia es lo mejor, para otra no lo sea.

Podemos optar por una estrategia específica, pero es necesario revisar nuestros motivos y las ventajas y desventajas que conlleva esa opción. Las posibilidades son muchas: pasar del pecho a la mamila, del pecho a una tacita entrenadora o el destete total (de toda fuente de succión) temprana o tardíamente.

Iremos revisando cada posibilidad, pero antes resulta interesante exponer lo que se llama **el momento sensible de destete**, que se caracteriza por el momento ideal y oportuno para ello.

MOMENTO SENSIBLE DEL DESTETE (ALREDEDOR DE LOS 9 MESES)

A pesar de que hay mucha controversia acerca del momento ideal para el destete, es interesante la postura de Penelope Leach acerca

2. Erickson, Erick; *"Childhood and Society"*

del momento sensible para ello, el cual aparece en promedio a los 9 meses; en algunos bebés antes y en otros después, pero podemos estar alertas a reconocer los signos que acompañan este momento entre los 8 y los 10 meses.

Este momento se caracteriza por el hecho de que el bebé está listo para "dejar ir" a la mamá y para adormecer el reflejo de succión; en ocasiones, los bebés que toman pecho incluso se destetan solos alrededor de estas fechas.

Cuando aprovechamos este momento, es más fácil retirar de manera paulatina el acceso del bebé a todo objeto succionable (pecho, biberón, chupón); el bebé va inhibiendo el reflejo hasta olvidarlo. De esta forma no se le da la oportunidad a la succión de transformarse en hábito y, por lo tanto, el destete no presenta conflicto.

¿Por que a los 9 meses?

Bien a bien no se sabe por qué esto ocurre así, pero observando a culturas que acostumbran efectuar el destete antes de los 9 meses del niño, notamos que éste encuentra sustitutos orales (como por ejemplo, mascar, morder, etc.), como una compensación oral a lo que se les privó de manera prematura.

Y cuando observamos casos de un destete muy posterior, notamos que suele ser doloroso, porque ya se ha creado un hábito. (¿A quién no le ha costado por ejemplo dejar el cigarro? En este caso también se buscan y encuentran sustitutos).

Por ello, la suavidad con que se presenta el destete a los 9 meses del bebé y la ausencia de sustitutos orales nos hacen pensar que es un momento oportuno. (En general, antes del año, todavía no se ha creado una dependencia afectiva con el objeto de succión).

Como sabemos, la succión es un reflejo. El bebé nace equipado con múltiples reflejos para su sobrevivencia; algunos se van modificando, como el de la prensión, posibilitando que el bebé explore a voluntad con sus manitas; otros se van inhibiendo.

La succión es uno de los reflejos más importantes. De él depende no sólo la obtención del alimento sino que es la primera aproximación cognoscitiva al mundo (**Piaget**[3]). A partir de ella el niño descubre sensaciones diferenciadas y empieza a conocer su mundo.

Según la teoría expuesta, la succión es uno de los reflejos que pueden inhibirse totalmente a los 9 meses y dar paso a otras formas de alimentación y de conocimiento.

¿Cómo podemos distinguir el período sensible en nuestro bebé?

Cuando tenga entre 8 y 10 meses, hay que estar atentos. Algunos teóricos sugieren una coincidencia que puede orientarnos: ésta se presenta cuando el niño "da" (un bebé de 6 ó 7 meses no saben entregar objetos; "dar" requiere de movimientos musculares en sentido contrario a tomar) o bien cuando suelta a propósito un objeto y ve como cae.

Esto puede ser interpretado como una coincidencia neurológica o como indicador de que ya se percata de que es una persona diferenciada de su mamá y de que se capta a sí mismo como individuo.

¿Qué factores pueden desalentarnos a efectuar un destete total a los 9 meses?

Las desventajas de un destete a los 9 meses son:

- Generalmente baja la ingestión de leche. (Esto es algo que hay que valorar especialmente cuando el niño tiene problemas de alimentación o peso).
- La mamila es práctica para que los niños beban en el coche o cuando se sale de casa.

Necesitamos estar conscientes de las ventajas y desventajas de destetar al niño en este momento; si dejamos pasar la oportunidad, se disfrutará un tiempo más de las ventajas de la mamila pero es

3. Piaget, Jean; *"Seis estudios de Psicología"*

necesario estar dispuesto a enfrentar las dificultades de un destete posterior.

Un elemento que contribuye a dificultar el destete después del año, además de la creación del hábito, es el hecho de que la mamila, el chupón o el pecho se hayan convertido en su objeto transicional.

¿Cómo aparece este objeto transicional?[4]

Cuando el bebé se acerca a su primer cumpleaños siente fascinación por su propio movimiento e independencia; a ratos quiere ser grande y a ratos seguir siendo bebé. Es una etapa de ambivalencia y de muchas inseguridades, derivadas de sus recientes conquistas. Es muy frecuente que elija un "algo" de su alrededor que simbolice todo el bienestar de haber sido bebé y le acompañe como amuleto durante las inseguridades o el sueño. **Este objeto transicional es un elemento común y sano en el desarrollo**; el apego a él es superado cuando el niño siente que "vale la pena ser grande". A veces requiere de ayuda o incentivo por parte de los adultos para desprenderse de él; de cualquier manera, a la larga acaba cediendo y renunciando a él.

Si nosotros dejamos pasar los 9 meses, el niño tendrá dentro de sus alternativas de elección como objeto transicional el chupón, la mamila o el pecho. Esa elección es personal y se da al azar; también puede elegir la cobija, la almohada o algún juguete, cualquier elemento que él asocie con ser bebé. La dificultad que enfrentamos cuando el bebé elige el objeto de succión, es que éste es realmente importante para él y si se lo "arrancamos" sin consideración (muchas mamás deciden arbitrariamente que al año y medio es suficiente), el niño va a sufrir, y muy probablemente a buscar compensaciones fuera de nuestro control, como chuparse el dedo, morderse las uñas o comer todo el día.

---

4. Para una descripción más completa de cómo aparece el objeto transicional y de la función que cumple en el desarrollo del niño, leer el capítulo 2.2 "El objeto transicional y los niños".

El objeto transicional deja de cumplir su función entre los 2 y los 3 años. ¿Cómo retirárselo?

Podemos manejar el restringir la succión poco a poco y, al mismo tiempo, irlo convenciendo de que "los niños grandes ya no toman mamila" o "ya no usan chupón".

Es muy difícil ser firmes cuando verdaderamente el niño tiene una dependencia afectiva hacia la succión; sin embargo, podemos propiciar un desprendimiento paulatino pero sistemático y claro. Es decir, que por ejemplo sepa que la mamila no puede salir de la casa, que ésta se queda. También se pueden ir limitando el tiempo y los momentos en que puede tenerla consigo.

En ocasiones los niños se aferran más a su objeto transicional cuando crecer conlleva una gran pérdida de privilegios y de demostración de afecto. Este es un aspecto que vale la pena considerar.

A veces ayuda elegir una ocasión especial para efectuar una especie de rito de desprendimiento: envolverlo en una cajita y regalarlo, quemarlo, tirarlo, etc. Cada familia puede encontrar un "rito" que le parezca lógico, que sientan que el niño entiende para que le ayude a pensar que el chupón o la mamila ya no están a su alcance. Y, desde luego, es una buena idea que paralelamente obtenga un pequeño privilegio para hacer patente que vale la pena ser grande.

En ocasiones el dentista puede ser de gran ayuda. Algunas mamás han recurrido a una mini-cita con el dentista para que "hable en privado" con el niño. Como todos sabemos, desde el punto de vista de la ortodoncia es muy negativo el uso prolongado del chupón y para la salud dental, de la mamila nocturna: además de los problemas que ocasiona en los dientes, crea una dependencia del bebé para conciliar el sueño.

De acuerdo con la tesis de **Ferber**[5], el niño puede desarrollar la habilidad de conciliar el sueño una vez acostado sin la necesidad de

5. Ferber, Richard; *"How to solve your child sleep problems"*

ningún objeto exterior, pero muchas veces nosotros, los adultos, con nuestras acciones (ponerle el chupón, cargarlo, darle la mamila), interferimos con el desarrollo de dicha habilidad.

Si ya se ha hecho un hábito en él dormirse de esa manera, habrá que darle la oportunidad de que se duerma solo y sea autosuficiente. Desde luego que esto no ocurrirá espontáneamente; habrá que apoyarlo con un reentrenamiento para que empiece a dormir sin la mamila. Será natural que le cueste trabajo; podemos ayudarle, además de anunciárselo y no dar marcha atrás, con un nuevo rito para dormir, poniéndole música suave y dándole un masajito como sustituto temporal; de hecho la mamila lo adormece porque le da un "masaje interno" derivado de la succión.

Una posibilidad es el uso del popote.

Para que el niño capte cómo succionar del popote, podemos usar un vasito con tapa (del tipo crema de leche) a la cual le hacemos un orificio con una perforadora. Si llenamos el vaso con algún líquido sabroso y lo apretamos, el líquido subirá por el popote y llegará a los labios del niño con poco esfuerzo de su parte. Así tendrá el incentivo para succionar y será una ayuda para que empiece a beber en vaso.

¿Y si no se le detetó a los 9 meses y sin embargo el bebé no depende de la succión?

En ocasiones, el bebé sigue teniendo la mamila o el chupón pero ha elegido como objeto transicional otra cosa o simplemente no muestra dependencia afectiva hacia algún elemento de succión. En este caso, es mucho más sencillo destetarlo y puede ser realizado sin mayor dificultad. La estrategia es la misma sólo que el proceso será más rápido: hay que ir restringiendo y regulando el uso del chupón o de la mamila a momentos específicos, diciéndole que eso está asociado con "ser bebé" y hablando acerca de las ventajas de ser "grande". Podemos, igualmente, reforzar todo esto concediéndole un pequeño privilegio por "ya ser grande".

Otras posibilidades: Paso del pecho a la botella (antes de los 9 meses). En algunas ocasiones, el bebé se desteta y pasa del pecho a la botella. Esto puede ocurrir en cualquier momento después del nacimiento, y la decisión de la mamá puede estar determinada por distintos factores: de salud (de ella o del bebé), de trabajo, de circunstancias familiares, de viaje, preferencias y valores.

Es recomendable que el bebé no desconozca la sensación de beber del biberón aun cuando su alimentación se base exclusivamente en el pecho.

A veces, por más determinadas que estemos a darle exclusivamente leche de pecho, de repente se nos pueden presentar emergencias que nos obligan a darle biberón, lo cual suele repercutir en una seria complicación para el cuidador sustituto.

El paso del pecho a la mamila puede ser manejada de manera paulatina, cada vez ofreciendo menos tomas de pecho para permitir que la leche se vaya regulando y la mamá vaya produciendo cada vez menos leche. Al mismo tiempo vamos incrementando las tomas de fórmula.

Hay ocasiones en las cuales el bebé rechaza totalmente el biberón. Esto puede compensarse en cierta medida sacándose leche materna, calentándola y sumergiendo el chupón en ella, de modo que el chupón se ablande y le sepa a la leche que ya conoce.

Otra solución es que alguien más le dé el biberón con la fórmula, pues suele haber rechazo cuando éste se lo da la mamá. En tales casos, el paso es más drástico. La mamá puede aliviar la presión del pecho sacándose un poco de leche (no mucha para evitar estimular su producción).

Una vez que el bebé está alimentado con mamila, ya pensaremos posteriormente en un segundo destete, y en las alternativas que tenemos por delante.

¿Qué hacer si se chupa el dedo antes de los 9 meses?
Erradicar en el niño la succión del dedo es un poco más difícil debi-

do a que no es posible "desaparecérselo"; sin embargo, esta información puede sernos de utilidad.

Si el bebé empieza a mostrar un hábito muy acentuado por chupárselo, una manera de influir para inhibirlo es ofreciéndole objetos y jugando con él. El bebé disfruta mucho de los ejercicios visoespaciales y de tomar objetos que su cuidador pone a su alcance; es una forma de tenerlos entretenidos y con las manos ocupadas.

Afortunadamente, el momento natural del destete (9 meses) se acompaña de intereses muy marcados de manipulación y, por lo tanto, de "entretenimiento" de las manos. Por ejemplo, va a estar muy interesado en tomar "objetos grandes" como pelotas, para lo que requiere ambas manos y también en "objetos pequeños" como chochitos o cereales. Otro de sus intereses va en el sentido de "vaciar" recipientes.

Al mismo tiempo que rodeamos al bebé de otros "potenciales objetos transicionales", podemos retirar suavemente (sin forzarlo) la manita de la boca. En caso de que elija el dedo como objeto transicional, debamos aplicar lo que hemos mencionado acerca de la mamila.

¿Qué hacer con el chupón antes de los 9 meses?

Para ciertos niños el chupón no es necesario; sin embargo hay bebés que nacen con un intenso deseo de succión (diferente al hambre) y en esos casos el chupón es una gran ayuda.

No obstante, es necesario tener en consideración varios elementos: alrededor de los 3 meses se inicia una **exploración bucal sistemática**; es decir, el bebé "conoce por la boca", recibe sensaciones muy diferenciadas de los objetos y, a través de la exploración bucal, se da una estimulación cerebral. Partiendo de este argumento, **cuando el bebé de 3 meses está despierto, contento y alerta, no necesita el chupón porque éste inhibe el deseo exploratorio**; hay que restringirlo a momentos de intranquilidad (cuando de cualquier manera no iba a aprender).

Si el chupón ha sido la alternativa elegida, conviene tener en mente su uso decreciente hasta que se le retire entre los 6 y los 9 meses. Si se le quita a los 6 y el bebé sigue ejerciendo la succión al lactarse es muy probable que no haya conflicto al retirarlo, pues eso indica que no se encuentra entre sus alternativas de objetos transicionales.

Como podemos percatarnos, las posibilidades del medio de succión son muchas; sin embargo, es necesario pensar bien por cuál vamos a optar considerando las características y necesidades del bebé, nuestros intereses y razones. Conviene elaborar con estos elementos una estrategia, dispuestos a disfrutar de los beneficios de nuestra opción, así como de asumir los inconvenientes.

BIBLIOGRAFÍA

Erickson, Eric H.
"Childhood and Society"
Norton & Company, 2nd. Edition,
1963, New York, U.S.A.

Ferber, Richard
"Solve your Child's Sleep Problems"
A Fireside Book, Simon & Schuster
Inc., 1985, New York, U.S.A.

Leach, Penelope
"Babyhood"
Alfred A. Knopf, 9th printing, 1991,
New York, U.S.A.

Piaget, Jean
"Seis Estudios de Psicología"
Editorial Seix Barral, 3ª edición, 1983,
México.

Servitje, Mari Carmen
"El Lazo Materno-Infantil"
Revista Padres y Maestros, Mar/Abr.
1988, No. 137-138, La Coruña, España.

1.5 • El gateo

El gateo es un logro muy importante en los bebés. Vale la pena estimularlo, vigilar que aparezca y favorecer que se ejercite durante un período sólido de su vida para que extraigan de él todos los beneficios. El gateo ayuda a que el bebé establezca conexiones cerebrales específicas que favorecerán su aprendizaje y la calidad del movimiento futuro. El gateo les ayuda a fortalecer su cuerpo, a lograr una mejor coordinación de él, favorece la alineación visual y la coordinación de los dos hemisferios cerebrales, además de que le da al bebé independencia en su movimiento. Se considera como una "revolución copernicana" porque mediante el gateo, el bebé puede observar a las personas y cosas desde distintos ángulos, integrando una imagen visual más completa. Se incluyen algunos ejercicios preparatorios para el gateo, así como una guía de observación.
No es un enfoque clínico.

IMPORTANCIA Y BENEFICIOS DEL GATEO

Como parte del desarrollo motriz, hay bebés que "se saltan el gateo" y empiezan a caminar a veces hasta precozmente. Algunos padres inhiben incluso de manera intencional el gateo porque temen que el bebé pueda enfermarse si llega a meterse a la boca cosas que se encuentran en el suelo y lo motivan a un caminado precoz. Hacen esto como valorando la verticalidad del caminar adulto y asociando el gateo con un movimiento más primario (o animal).

A veces el bebé se salta el gateo independientemente de que se le motive o no, simplemente porque le disgusta la posición boca abajo y no siente la motivación para desplazarse arrastrándose hacia adelante.

Sin embargo, el gateo tiene un lugar muy especial en el desarrollo del bebé por varias razones:

a) El gateo le da al bebé autonomía en su movimiento y exploración. Un bebé que gatea, no depende de que la mamá o su cuidador le "muestre" áreas y objetos para nutrir de imágenes diversas su cerebro. Él mismo va, busca y aprende. La mente del bebé sufre una *revolución copernicana*; se da cuenta de que él no es el centro del universo, lo que contribuye a que pueda observar las cosas desde distintos ángulos a voluntad. Asímismo, esto le beneficia en la calidad de representación de su espacio, y en su idea de la permanencia de las cosas; es decir, aprende que a pesar de no ver momentáneamente la mesa, puede moverse un poco y *ahí está*.

b) El gateo le permite al bebé desarrollar nociones elementales del espacio. Como *adentro, afuera, abrir, cerrar, etc.*, de las cuales echará mano para organizar aprendizajes futuros.

Poco a poco va captando que hay huecos por los cuales sí cabe y hay otros por los que no cabe. Esto le ayuda a integrar una idea de la dimensión de su propio cuerpo (lo que no sucede con la andadera, que al desplazarse abarca más espacio).

La interiorización mental del espacio se ha reconocido recientemente como una condición para el aprendizaje de la lectoescritura; para aprender a leer y a escribir, el niño debe hacer un recorrido visual ordenado de izquierda a derecha.

En el caso de un bebé, el aprender a leer y escribir parece muy remoto. Un bebé desde luego no verbaliza *arriba, abajo, a un lado y al otro*, sin embargo la vivencia del espacio que experimenta ahora, es un prerrequisito para el ordenamiento perceptual y, eventualmente, para la lectoescritura.

c) El gateo está relacionado con la estimulación cerebral. Nuestro cerebro está formado por dos hemisferios. Desde el punto de vista motriz, el hemisferio derecho regula los movimientos del lado izquierdo y el hemisferio izquierdo regula los del lado derecho.

Si observamos a un bebé gateando, notaremos que utiliza un *pa-*

trón cruzado; es decir, desplaza un brazo y la pierna contraria; esto significa que está trabajando con los dos hemisferios cerebrales y establece, gracias a este trabajo, conexiones nerviosas privilegiadas.

Mientras que el hemisferio derecho procesa preferentemente la información viso espacial, el hemisferio izquierdo regula el lenguaje, el razonamiento abstracto y el lógico. En un bebé, esta especialización no está aún plenamente desarrollada.

El gateo facilita la *lateralización*, pues el niño mide distancias y explora espacios viso espaciales (derecho), a la vez que va previendo, anticipando y descubriendo si cabe, si no cabe, etc. (izquierdo).

Hay pequeñitos que presentan dificultades para hablar, para coordinar sus movimientos, para leer y escribir, para especializar un lado dominante (ya sea diestro o zurdo) y una buena terapia es ponerlos a gatear a modo de juego[1].

Los beneficios que aporta el gateo respaldan la importancia que hay que darle en su momento.

Los bebés tendrán toda la vida para caminar y sólo unos meses para gatear

Otro elemento interesante es la coordinación motriz en sí. El ejercitar el gateo coordinando los dos lados del cuerpo, es un buen antecedente para lograr una buena coordinación futura. Asimismo el balanceo estimula la maduración del sentido del equilibrio.

El gateo cruzado y coordinado, también beneficia la alineación ocular y el envío de información desde los ojos al cerebro.

Habrá algunos padres a quienes preocupe esta información si es que su bebé se saltó el gateo. Aunque el niño ya camine se puede jugar con él gateando durante períodos largos y de esa manera extraerá buena parte de los beneficios que hemos mencionado.

---

1. Incluso a adultos que han sufrido de embolia se les pone en ocasiones a gatear para restablecer las conexiones cerebrales y recuperar el movimiento.

MOMENTO DEL GATEO

El momento del gateo varia mucho de un bebé a otro. Los más precoces gatean a los 5 meses, los más tardados lo hacen alrededor de los 12 ó 13 meses. Como ya dijimos, algunos simplemente se lo saltan.

R. Griffiths[2] menciona que el momento promedio de gateo es los 10 meses; sin embargo en México se da alrededor de los 8 meses y medio.

Al hablar de promedios, tenemos que estar conscientes de que hay bebés que lo hacen antes, otros después y tanto *unos como otros son niños normales.*

Por todo lo expuesto, vale mucho la pena vigilar y favorecer la aparición del gateo. Y cuando éste se presente, es conveniente cuidar que vaya siendo cada vez más maduro para que realmente se beneficie el bebé. De esta manera mencionaremos un programa para pre-gateadores y otro para gateadores.

PRE-GATEADORES: "MEDICINA PREVENTIVA". DESDE EL NACIMIENTO HASTA ANTES DEL GATEO

Desde que son muy pequeñitos, podemos estimular el gateo (con la expectativa de que se presente en su momento, no antes), haciendo lo siguiente.

a) Acostarlos boca abajo.

Desde recién nacidos, podemos procurar mantenerlos boca abajo a ratos. Esta acción tan sencilla resulta la mejor preparación que puede tener el bebé para el gateo.

El mantener al bebé *acostado boca abajo* cuando está despierto y activo es muy bueno, pues fortalece su cuerpo (cuello, espalda), y lo motiva además a alcanzar los objetos que están frente a él, así como a dominar con la vista el espacio que le rodea.

---

2. Citado en Oates, John *"Early Development"*, The Open University Press

En realidad el hecho de estar acostado boca abajo se considera como la mejor gimnasia para los bebés.

Aparentemente están estáticos pero de hecho están trabajando muchísimo; están luchando contra la gravedad para levantar la cabeza y mirar hacia el frente, a fin de mantener el equilibrio. Además, la presión del suelo contra sus rodillas y antebrazos les va a ayudar a fortalecer el cuerpo y a prepararse para el gateo.

Cuando los acostemos boca abajo, es importante vigilar que estén bien alineados y que los brazos y manos estén orientados hacia delante.

Hay bebés que se quedan boca abajo, con las manos presas al lado del cuerpo y la cabecita hundida. Esta posición los desespera y les impide impulsarse hacia delante. Podemos ayudarles motivándolos a que saquen la manita, levantando el hombro y liberando el brazo.

¿Qué hacemos si no les gusta estar boca abajo?

En estos casos se necesita planear la actividad de tal manera que pueda irla tolerando. Podemos colocarlos en esa posición por períodos breves, sin agobiarlos, y buscando que siempre haya una novedad, como por ejemplo la cara de mamá acostada frente a él, burbujas de jabón, juguetes nuevos, acostarlos sobre la mamá o el papá, quienes están en posición horizontal, etc. Es muy importante no ceder, e ir incrementando día con día la tolerancia del bebé a esa posición, de manera dosificada, un ratito más cada día. Es por su bien[3].

Hay bebés a los que por problema de reflujo el pediatra aconseja no se acuesten boca abajo después de comer. Es necesario dejar pasar un rato antes de colocarlos así. Aun en estos casos, vale la pena que pasen por lo menos un rato en esa posición.

---

3. Se recomienda comentar al pediatra o al especialista cuando la intolerancia a acostarse boca abajo es extrema. En ocasiones se le puede enseñar a la mamá un masaje específico para incrementar la tolerancia, sensibilizando las articulaciones.

Para niños con reflujo o bebés que rechazan la posición, podemos ayudarnos de una almohada o cuña, colocarla a la altura de sus hombros y levantarle un poco el cuello. Las almohaditas en forma de cuña permiten mantener al bebé acostado boca abajo, conservando una cierta pendiente para que no se les regrese la comida. Con un objetivo visual enfrente.

Boca abajo, favorecer el arrastre.

Podemos favorecer el arrastre y darle así la oportunidad de registrar los movimientos que pueden derivar en un gateo independiente. El arrastre es un logro previo al gateo, y puede favorecerse desde que son muy pequeñitos, aprovechando el reflejo de pataleo.

Le llamamos "el gusanito medidor". Si se le pone un límite a las plantas de los pies, el bebé responde pateando y entonces se arrastra. Si esto se acompaña de un estímulo visual y táctil, el bebé capta que **a un esfuerzo motriz, corresponde un desplazamiento**. El gusanito medidor puede hacerse desde que son pequeños, muy contadas veces, con dos o tres impulsos es suficiente; no hay que saturarlo.

Cuando el bebé ya controla el cuello y empieza a levantar pecho y la espalda, se le puede colocar unos segundos hincado frente a un colchón colocado en el suelo. Se sitúa al bebé de rodillas en el suelo, con la pancita y brazos echados sobre el colchón. Y desde luego con un objetivo vistoso a alcanzar. Es decir, lo hincamos bien alineado y le permitimos que se acople a la posición durante unos segundos. Posteriormente le subimos una rodilla al colchón; esperamos a que reaccione, a que se ajuste al cambio de equilibrio y de peso, y luego lo seguimos moviendo hacia arriba, subiéndole al colchón la otra rodilla.

Este es un ejercicio de gateo mecánico en el cual el adulto lentamente (dando un tiempo para que el bebé responda con sus músculos), imprime los movimientos que se requieren para gatear o, en este caso, trepar al colchón.

Con el tiempo el bebé va a realizar por él solo los movimientos, pues ya experimentó con su cuerpo lo que se requiere para trepar. Este ejercicio del colchón puede acompañarse de un espejo acostado. De esta manera la meta va a ser verse en él y le va a encantar.

b) Juegos para soltar el cuerpo.
(Alternancia y patrón cruzado. Separacion de cadera y de hombros)
Hay muchos juegos populares que pueden gustarle al bebé, y que podemos hacer con él para ir imprimiendo en su cuerpo los movimientos alternados. Por ejemplo:

- Piernas de bicicletas (acostado boca arriba y moverle suavemente las piernas como si anduviera en bicicleta)
- Abrir y cerrar brazos, subir y bajar, abrazarse.
- Patrón cruzado, tocamos un pie con la mano contraria y luego el otro con la otra mano.

Juegos que ayudan a separar la cadera de los hombros.
Al principio, el bebé está como "cosido", la cadera y los hombros se mentienen en la misma línea, sin movimientos independientes. Forman un solo bloque. Para que su movimiento vaya siendo cada vez más fluido, necesita poder separar la cadera de los hombros.

Al hacer el juego de las bicicletas, podemos levantarle las piernas hasta la pancita y llevar sus rodillas hacia un lado y hacia el otro, procurando que los hombros se mantengan pegados al suelo.

Cuando el bebé ya tiene entre tres y cuatro meses de edad, podemos hacer el siguiente ejercicio que ayuda a separar la cadera de los hombros: sentarlo entre nuestras piernas, teniendo éstas estiradas en el suelo y poner un objeto que llame su atención en la parte exterior de ellas, al lado del muslo. Esto lo va a invitar a estirarse para tomar el objeto; permanece sentado con el apoyo que le dan nuestras piernas, a la vez que llevan los hombros hacia un lado.

c) Jugar con cargas de peso y equilibrio.
El bebé va aprendiendo a reconocer su cuerpo y a responder con equilibrio; estas dos acciones van a favorecer un gateo armónico.

Podemos acostar al bebé boca abajo sobre una cobija o almohada y levantar suavemente una orilla, ladeándolo ligeramente para hacerle perder el equilibrio y obligarlo a reacomodarse. Luego lo hacemos del otro lado. Esto le va a ayudar a sentir la presión de su cuerpo sobre la superficie del suelo, de manera alternada, y le va a ayudar a aprender a manejar sus movimientos boca abajo.

También podemos ayudarlos a que se abracen a sí mismos; hechos bolita los giramos sobre el suelo para un lado y para el otro, a un ritmo lento que les permita ir registrando los cambios de peso.

Generalmente les encanta y se sienten contentos.

Entre 0 y 6 meses, podemos vigilar el tono muscular de nuestro bebé. No deben estar demasiado estiradas las piernas, esto es, que respondan como resortes tensos cuando las tocamos (tono alto) ni que estén muy lacias (tono bajo). Si notas alguno de estos dos casos extremos en tu hijo, consulta a tu pediatra.

FAVORECIENDO EL GATEO

¿Qué se necesita para que un bebé gatee?

Intentemos visualizar, como en una película, a un bebé gateando con el patrón ideal de gateo.

¿Cómo debe ser?

Un movimiento fluido, continuo y muy elegante, "como pantera" en conquista del terreno, en que la cabecita esté erguida, la mueva como antena parabólica para un lado y para el otro, con las palmas abiertas y bien apoyadas en el suelo.

El cuerpo se ve alineado, se apoya en rodillas y palmas con comodidad, las rodillas y la cadera están en línea. La espalda se mantiene recta. Mueve su cuerpo en "patrón cruzado", es decir, con la mano

de un lado y la pierna contraria.

Cuando va gateando se sienta, observa un juguete y vuelve a gatear; es como una danza fluida.

A eso aspiramos con el gateo de los bebés.

REQUISITOS

¿Qué se necesita para que se presente este gateo ideal?

A) FUERZA

(Fuerza en brazos, piernas, línea de la espalda, cadera)

- *Tono*

B) POSTURA EN CUATRO PUNTOS

(Como gatito; se relaciona con la fuerza en la cadera)

C) MOTIVACIÓN

(Tolerancia a la postura boca abajo y deseo de hacer el esfuerzo por desplazarse)

D) ALTERNANCIA Y COORDINACIÓN

(El hecho de mover alternadamente un brazo y la pierna contraria)

- *Separación de cadera y hombros*
- *Cargas de peso*
- *Simetría*

E) REACCIÓN DE PARACAÍDAS

(Protección de la cabeza sacando los brazos)

Es probable que las causas por lo que los bebés no gatean puedan diferir de uno a otro.

Es decir, a uno puede faltarle por ejemplo fuerza y a otro motivación y alternancia. Por lo tanto, debemos analizar específicamente qué es lo que lo está deteniendo y planear la consecuente estimulación, de tal suerte que no hay una sola técnica de estimulación para inducirlo al gateo, sino tantas como factores lo estén deteniendo.

GUÍA DE OBSERVACIÓN Y EJERCICIOS

Cuando un bebé no gatea a pesar de estar en la edad promedio en que normalmente lo hacen, trataremos de buscar lo que se lo está impidiendo. A continuación se presentan varios ejercicios. Habrá información que no sea necesaria para un bebé en específico; en ese caso, puede no tomarse en consideración.

Es muy importante no agobiar al bebé. Los ejercicios deben ser divertidos tanto para él como para el adulto. El ejercicio debe ser breve y significativo para el niño; por ejemplo, si tolera 10 segundos boca abajo, nos proponemos 12 segundos al principio (y así consecutivamente). Las metas deben ser accesibles, e ir acompañadas de motivación, porras y afecto. La música es un recurso maravilloso que aligera el ejercicio.

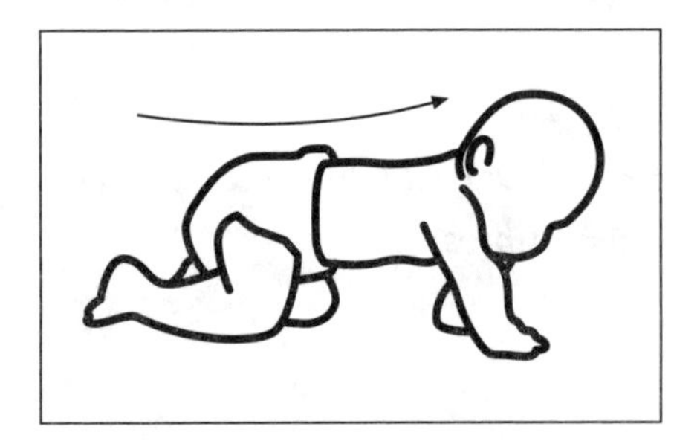

A) FUERZA en brazos, piernas, cadera y línea de la espalda.
Colocando al bebé boca abajo hay que observar si el cuerpo está bien alineado, si es capaz de levantar bien la cabecita, si se apoya en los brazos estirados con las palmas abiertas y tiene buen equilibrio, si levanta la cadera y si la línea de la espalda está bien estirada (no curva). Un movimiento esencial para tener fuerza, es el tono muscular, el tono es una característica del músculo, en relación con el cerebro, que alista al cuerpo para moverse.

Fuerza en brazos

¿El bebé se levanta y se apoya en las palmas cuando está boca abajo?

¿Es capaz de estirar el brazo y tomar un juguete que se le ofrece en esa posición sin perder el equilibrio?

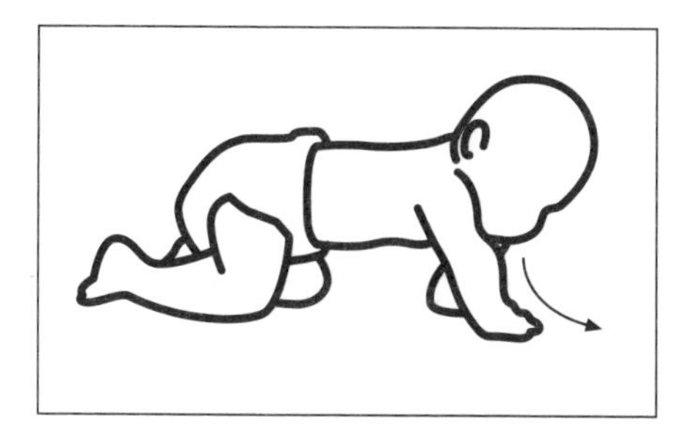

¿Puede hacer lagartijas, si se le levanta la cadera desplaza el peso a las palmas?

Si sospechamos que no tiene mucha fuerza en los brazos, podemos hacer los siguientes ejercicios:

1) Jugar manoteando el agua o aplastando burbujas de jabón boca abajo.

2) Lagartijas: Cuando esté acostado boca abajo, alzándose con los brazos, levantar levemente su cadera para desplazar su peso sobre los brazos.

3) Una vez que haga bien las lagartijas, se pueden intentar las carretillas. Es decir, llevándolo de las piernas hacerlo caminar hacia delante con las manos. Si no avanza, se le enseña a mover las manos alternadamente. Es importante que llegue a tomar algo muy llamativo y de su gusto al cabo de su esfuerzo.

4) El adulto se acuesta boca arriba con las rodillas en alto y las plantas en el suelo. Se para al bebé sobre el vientre del adulto, de espaldas a éste y se pretende que se detenga con los brazos en nuestras rodillas. Una vez sostenido, se le levanta de la cadera hasta colocarlo en posición horizontal, desplazando el peso hacia sus brazos. Esta posición lo obliga a hacer el esfuerzo en los brazos para mantenerse mirando hacia el frente.

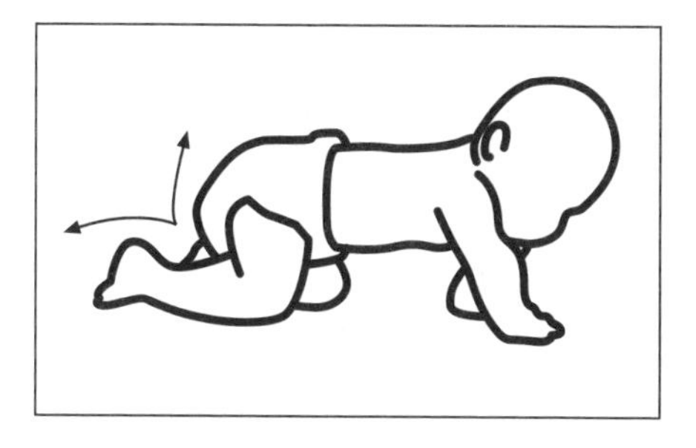

Fuerza en piernas

¿Al mantener paradito al bebé hace presión para estirar las piernas?

¿En esa posición, coopera con brincos cuando el adulto sostiene parte de su peso?

¿Cuando está acostado boca abajo y siente un tope en las plantas se desplaza pateando?

(Aproximadamente a los 9 meses) ¿Se para deteniéndose de los muebles?

Si sospechas que no tiene fuerza en las piernas, sugerimos realizar los siguientes ejercicios:

1) Poner colguijos frente a los pies para que los patee, como bolas de celofán y pelotas cada vez más resistentes y pequeñas. Si no las patea, le movemos su pierna para enseñarle, hasta condicionarlo.
2) Gusanito medidor boca abajo.
3) Trabajar sobre un rodillo para que se empuje con las piernas.
4) Brincolín (Después de los 6 meses y con moderación)
5) Columpio. El adulto se sienta en el suelo con las piernas extendidas y se acuesta al bebé boca arriba de modo que las plantas de los pies se apoyen en el estómago del adulto y la cabeza en las rodillas. Tomando las manos del bebé con firmeza, el adulto se reclina lentamente alzando las piernas, de tal manera que el bebé queda parado sobre el vientre del adulto.

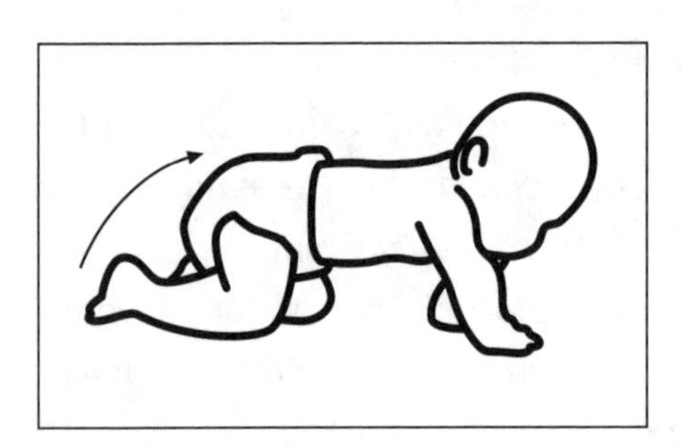

Fuerza en cadera

¿Cuando se sienta el bebé, conserva la postura o se cae?

¿Acostado boca abajo, no levanta la cadera?

Si se sospecha que el bebé no tiene suficiente fuerza en la cadera (lo que es común entre los gorditos), la mejor manera de ayudarlo es favoreciendo el sentado.

1) Se le puede sentar en el interior de una llanta o alberca inflable, también dentro de una caja.
2) Se le puede sentar con las piernas en forma de rombo: las rodillas abiertas y las plantas juntas. Esto ayuda a apalancarse.
3) El adulto abre las piernas y en medio se sienta al bebé dándole apoyo. Se fija uno en que la espalda esté bien alineada, y se le aplica una ligera presión continua sobre los hombros hacia la cadera.
4) El masaje descendente por la espalda cuando esté sentado, acompañado de un estímulo visual en alto, ayuda a incorporarse y a levantar la espalda, fortaleciendo la cadera.

5) Silla pequeña. Se recomienda que al bebé se le siente en una mini silla correspondiente a sus medidas (aprox. 13 cm): Sentado como adulto, con las piernas en 90 grados y las plantas recargadas en el suelo. Esto se puede acondicionar utilizando un escritorio para darle apoyo y hay que ponerle juguetes al frente.
6) Sentarlo sobre una almohadita en forma de cuña, como si fuera una resbaladilla.

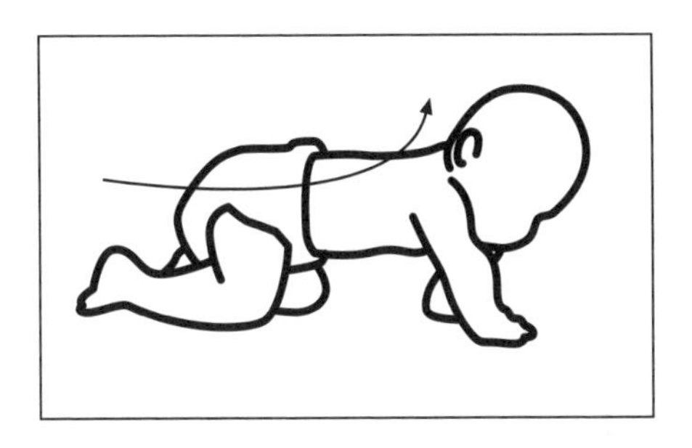

Fuerza en la línea de la espalda (tronco)

El tronco debe de estar estable, es el eje del cuerpo, ahí están mecánicamente insertadas las extremidades, y gran parte de la estabilidad del cuerpo del bebé depende de la estabilidad de su tronco[4].

Si se sospecha que el bebé no tiene bien fortalecida la línea de la espalda, se pueden hacer los siguientes ejercicios:
1) Ejercicio frente al espejo: Se carga al bebé colocándolo frente a un espejo y se le da apoyo a la altura de la cadera separándolo ligeramente del adulto. Lo que tendrá que hacer un esfuerzo de incorporación para verse en el espejo, trabajando la espalda y el cuello y llevando los brazos hacia delante.
2) Trabajo con rodillo y pelota. Rebotes en la pelota, con los pies apoyados en el suelo a 90 °, y el cuerpo bien alineado.
3) Aviones (Solicita una demostración de alguna instructora especializada). Se toma al bebé de la pantorrilla y se le pone de cabeza; el bebé reacciona tratándose de incorporar. Este ejercicio es muy positivo para estimular el sentido del equilibrio y para fortalecer la espalda, sin embargo requiere de supervisión y guía.

---

4. Herrera Lasso Mónica, Terapeuta asesora de DEI

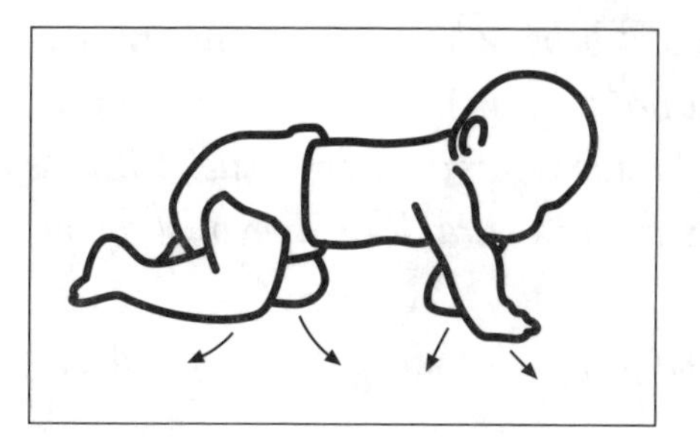

B) POSTURA EN CUATRO PUNTOS.

¿Se puede levantar el bebé en cuatro puntos, con los brazos y piernas bien alineados, levantando la cadera?

1) El adulto acomoda al bebé, de modo que este alce la cadera, y apoye las rodillas y las palmas sobre el suelo. Se puede utilizar una mascada para pasarla por su vientre a fin de levantar al bebé y para ayudarlo. Es importante no levantarlo de más; debe seguir manteniendo el apoyo en rodillas y palmas.

También se le puede amarrar una almohada al vientre.

2) Posición Balazkas: El adulto se sienta sobre sus piernas en el suelo y sienta al bebé sobre él, como haciéndole una silla a su medida. Se le alinean las piernas a 90° y se colocan sus plantas de los pies en el suelo. Se sitúa un objetivo visual muy llamativo y se le lleva hacia adelante, enseñándole la posición en cuatro puntos. El adulto coloca su mano en el pecho del bebé y lo va ayudando a pasar de sentado en su "silla" a gatas frente al objeto.

3) Trabajo sobre el rodillo.

4) Gateo mecánico. El adulto coloca al bebé en cuatro puntos y le sujeta sus rodillas entre las suyas para mantener los 90°. Poco a poco va el gateo de manera lenta y dosificada. Por ejemplo, le desplaza una rodilla hacia delante y espera la respuesta del bebé, que tendrá que acomodarse. Este ejercicio también puede hacerse utilizando un colchón en el suelo o en las escaleras. Lo va a obligar a alzar la cadera.

C) MOTIVACIÓN.

Esta es la causa número uno de inhibición del gateo, y se presenta en distintas circunstancias: **Cuando el bebé no ha estado boca abajo.**

A estos bebés les llegan los 8 ó 9 meses, que es cuando empiezan a imitar sistemáticamente, y prefieren caminar como el resto del mundo que gatear. Además, por cierto, como adultos tal vez ya lo olvidamos, pero es muy cansado gatear.

No gatear también ocurre entre bebés de andadera. Estos bebés satisfacen su deseo de locomoción mediante un mínimo esfuerzo, (en general no se recomienda la andadera)

Este tipo de casos suele asociarse con los intentos de la familia para que el bebé gatee, acompañados de la presión y desesperación de todos. Por lo mismo, cuando el problema es motivacional se requiere de la cuidadosa planeación de la actividad para que el bebé no la rechace de entrada, ni se vuelva una situación desagradable para todos.

1) *Es necesario usar objetos llamativos y novedosos. No tienen que ser caros; pueden ser burbujas de jabón, papel celofán, cajas sorpresa, etc.*

2) *Hay ocasiones en las que ayuda trabajar en las escaleras, situando el objetivo visual dos escalones arriba. A los bebés les atrae mucho subir, y dicha subida requiere forzosamente del gateo. Muchos bebés aprenden primero a subir escaleras y luego a gatear sobre superficies planas. Es muy importante enseñarles también a bajar gateando para atrás.*

3) *Reiteramos que es importante que haya recompensa, aunque a los ojos del adulto se trate de un esfuerzo muy leve por parte del bebé. También es recomendable el uso de la música.*

4) *Los modelos ayudan muchísimo. Dichos modelos pueden ser otros bebés, perritos, gatos, el adulto jugando.*

D) ALTERNANCIA.

Un gateo maduro se presenta cuando el bebé adelanta una mano, avanza la pierna contraria y así va alternando; es lo que se llama "patrón cruzado". Hay bebés que no logran esta coordinación y se les atora una manita o un pie. En estos casos: o no hay desplazamiento, o bien se realiza de manera descoordinada.

Para que el bebé logre una buena alternancia y coordinación, ha de tener separada la cadera de los hombros, el cuerpo simétrico y bien alineado, y suficientes cargas de peso acostado, boca arriba, bo-

ca abajo y sentado (si no se observan estos elementos, consultar los ejercicios para favorecer las cargas de peso y separación de cadera y de hombros en las páginas 5 y 6 de este mismo capítulo)
Para favorecer la alternancia se recomienda:
1) Realizar con él movimientos alternados, acostado boca arriba, subiendo una pierna y el brazo contrario y cruzando, es decir, tocando el pie con la mano contraria. Esto hay que hacerlo rítmicamente y alternando un lado y el otro.
2) Bicicletas.
3) Gateo mecánico (patrón cruzado).
4) Gateo en reversa del adulto.
5) Reto alternado a distintos lados: Se le van ofreciendo objetos para que tenga que tomarlos con la mano con la que le toca desplazarse.

E) REACCIÓN DE PARACAÍDAS.
A pesar de que algunos bebés gatean precozmente, en ocasiones no saben aún evocar el reflejo de paracaídas; es decir, de proteger la cabeza. Cuando se está dando el gateo, es muy importante vigilar que esté presente la reacción de meter las manos para proteger de golpes la cabeza.
1) Trabajo sobre el rodillo, sacando las manos hacia adelante.
2) Trabajo montados como caballito sobre el rodillo, sacando las manos hacia los lados.
Si el bebé no lo hace espontáneamente, el adulto debe irlo condicionando. Se les sacan las manos, se le apoyan sobre el suelo y se verbaliza, o sea se le dice por ejemplo "así".
3) Se carga al bebé boca abajo, se le levanta paralelo al piso y se le va inclinando con la cabeza hacia el suelo para que tome un objeto del piso.

GATEOS ATÍPICOS

En ocasiones encontramos gateos atípicos; por ejemplo, el desplazamiento de los bebés a modo de sentón, o con movimientos poco fluidos o elegantes. De algún modo, hay un logro: el bebé satisface su deseo de moverse y consigue autosuficiencia, además de que puede explorar su mundo y cambiar de perspectiva. Sin embargo, desde el punto de vista del movimiento, no es el ideal.

Cuando se desplaza a sentones, para motivarlo a que gatee en cuatro puntos podemos jugar "de panza", hincados en las escaleras vigilando que no se golpee. También podemos colocar un objeto visual de anzuelo, tres o cuatro escalones arriba y animarlo a que suba, ofreciéndole un poco de ayuda. Es importante que experimente éxito y que el esfuerzo, aunque sea pequeño, sea reconocido.

En ocasiones sí hay gateo, pero no es armónico. Cuando el gateo se presenta con la columna curva y las rodillas muy abiertas, puede ser que al bebé le haga falta tono en el tronco. Convendrá solicitar al pediatra que lo revise y sugiera algunos ejercicios especiales. También puede ocurrir que el gateo sea a base de tramos muy cortitos y poco fluido. Es también el pediatra quien podrá recomendar ejercicios y juegos para mejorar la calidad del gateo.

El bebé extrae el mayor beneficio del gateo cuando su cuerpo trabaja de manera armónica.

ESTÍMULOS PARA GATEADORES

Si el bebé ya gatea, es muy favorable que lo siga haciendo. En la medida en la que lo ejercite y mecanice, que lo perfeccione y se adueñe del movimiento, va a extraer el máximo de beneficio de la actividad. Podremos entonces observar ese gateo elegante, fluido y "de pantera".

Hay para ello varios juegos estimulantes:

1) *Pasando por túneles con objetivos del otro lado.*
2) *Subiendo y bajando escaleras (bajando para atrás, no de boca).*
3) *Gateando con rampas, entre cojines, entre pelotas.*
4) *Corretearlo gateando, jugando a las escondidillas.*

5) Persiguiendo pelotas.
6) Ejercicios de carretillas más exigentes: es decir, que le hagan levantar un poco más la cadera.

El ejercicio le va a permitir tener mejores reacciones para protegerse la cabeza, cambiar la carga de peso, detenerse, entender que tiene que agacharse para pasar por debajo de la mesa, etc.

¡Vale la pena!

Ahora bien, si "se saltó la gateada" y ya es un niño que camina, podemos jugar con él gateando, haciendo uso de la imaginación y pretendiendo que somos gatos persiguiendo pelotas.

PRE-REQUISITOS Y ELEMENTOS DEL GATEO. TABLA DE CHEQUEO

LOGRO	*OBSERVACIÓN*	*EJERCICIOS*
ANTES DEL GATEO		
Boca abajo	*¿Tolera estar boca abajo?*	*Dosificar la posición boca abajo. Ponerlo en ocasiones, tratando de no saturarlo. Meter cuña. Dar masaje con presión.*
	¿Se arrastra?	*Gusanito medidor.*
	¿Está su cuerpo bien alineado?¿Se arquea?	*Manera centrada de cargar y acomodar.*
Separación de cadera y hombros	*¿Tiene movimiento independiente de cadera y hombros? ¿Puede salirse de su eje sin angustiarse?*	*Ejercicios de cadera hacia los lados. Sentado entre las piernas del adulto, tomar objetos a los lados.*

Cargas de peso	*¿Puede alternar el peso de un lado y del otro de cuerpo? Boca abajo, si le damos un objeto, ¿lo toma sin perder el equilibrio y se sostiene del otro lado?*	*Juegos de cargas de peso boca arriba, boca abajo, en cuatro puntos, sentado y de pie.*
Tono	*¿Está muy rígido, con las piernas tensas?* *¿Está muy lacio?*	*Bamboleo para relajar.* *Masaje con presión.*
A PARTIR DEL MOMENTO DEL GATEO		
Fuerza en la línea de la espalda	*¿Tiene fuerza en la línea de la espalda? ¿Levanta la cabeza ayudado por el tronco, sin hacer demasiado esfuerzo con el cuello?*	*Ejercicio de la línea de la espalda. Masaje con presión para favorecer el sentado, rebotes de pelota.*
Fuerza en brazos	*¿Se levanta sobre las palmas?*	*Carretillas*
Fuerza en piernas	*¿Tiene fuerza en las piernas?*	*Masaje con presión, brincos.*
Posición cuatro puntos	*¿Se pone en cuatro puntos, apoyado sobre rodillas y con palmas abiertas?*	*Gateo mecánico en escaleras.*
Motivación	*¿Se interesa por moverse? ¿Le resuelven todo y no necesita moverse?*	*Dosificación, experiencia de éxito, evitar la sobreprotección.*

Alternancia	*¿Tiene movimientos alternos?*	*Patrón alterno.*
Reacciones de equilibrio	*¿Mete las manos adelante, a los lados, atrás?*	*Provocar reacciones.*
Otros elementos. Patrón de crianza	*¿Se abusa de la silla, del bincolín, de la andadera? ¿Está todo el tiempo cargado?*	*Dosificar. Acostar boca abajo. Evitar la sobre-protección.*

BIBLIOGRAFÍA

Doman, Glen
"Qué hacer con su Niño con Lesión Cerebral"
Editorial Diana, Serie Revolución Pacífica, 1ª edición en español, 1993, México.

Herrera Lasso de Álvarez, Mónica
"Principios de Neuro Desarrollo"
Taller impartido al equipo de Proyecto DEI, Mayo – Agosto, 2000

Leach, Penelope
"Babyhood"
Alfred A. Knopf, 9th printing, 1991, New York, U.S.A.

Oates, John
"Early Development"
The Open University Press, 1979, Great Britain

Reisetbauer, E. y Czermak, H.
"La Posición del Lactante"
Revista Psicología Educativa no. 37
Seminario de Neuro Desarrollo impartido por la Dra. Paviscic, Jenny

Serrano, Ana
"El Gateo y los Primeros Pasos"
Folletos de Educación Inicial, SEP, Conafe ProDEI, 1995, México.

1.6 • Estimulación del lenguaje en el niño pequeño[1] Bases teóricas para el apoyo del lenguaje en el hogar y la escuela.

En este artículo proponemos vincular el lenguaje del adulto con el desarrollo mental y afectivo del niño. Al ubicar el lenguaje en función de las características mentales y afectivas del pequeño, se le facilita su aprendizaje, se le apoya en su desarrollo mental y se favorece la comunicación. También se podrá transmitir al niño confianza en su mundo y anticiparle algunas de las experiencias que enfrentará, al comunicarle, a su nivel de comprensión, sobre cambios en su rutina y sobre ausencias temporales de su mamá, de su papá o de su cuidador, aminorando la angustia de separación característica de esta etapa[2].

INTRODUCCIÓN

EL NIÑO ENTIENDE MÁS DE LO QUE EXPRESA

El pequeño, aún antes de su primer cumpleaños, entiende mucho más de lo que puede expresar. Un cuidador sintonizado con él podrá decirnos que existe tanto una comunicación no verbal de gestos y actitudes, como una comprensión de frases y órdenes sencillas. Sin embargo, es frecuente encontrar que el adulto no se dirija directamente al bebé o niño pequeño, debido a la escasa respuesta verbal a cambio, o bien simplifique demasiado el lenguaje que usa al hablarle, empobreciéndolo, con el consecuente retraso en el desarrollo potencial del leguaje del niño.

¿CÓMO HABLAR CON EL NIÑO?

¿Cómo nos podemos dirigir verbalmente al pequeño? El niño entiende descripciones concretas, vinculadas a su acción o experiencia, sobre todo si puede constatarlas sensorialmente. Si le hablamos sobre sucesos que él no ha experimentado y que no puede imaginar, su mirada quedará perdida con un gesto de incomprensión. En cambio si le decimos: "A comer...", y el niño tiene hambre, huele la comida y su plato está servido, seguramente comprenderá lo que decimos. (**Leach**[3]). O bien: *"¡Uf! Que pesada está tu bolsa de juguetes. ¿Te ayudo a cargarla?"* Si está involucrado en la actividad de cargar su bolsa de juguetes, captará el mensaje y quizá eventualmente trate de verbalizar otra experiencia similar.

Al vincular el lenguaje al desarrollo mental del niño, vamos a proporcionarle un nombre para lo que está experimentando, guiado por su impulso exploratorio.

De esta manera nos engranamos con su mente, maximizamos la probabilidad de que lo aprenda, facilitamos la comunicación haciéndole ver que nos sintonizamos con sus intereses y apoyamos su desarrollo mental.

Es la línea de **Piaget**[4] del aprendizaje activo: la experiencia y acción del pequeño están vinculadas a la formación de sus primeros conceptos sobre el mundo físico y social. El bebé y el niño pequeño "aprenden haciendo", en un sentido literal de la palabra. ¿Cómo van a tener el concepto de arriba/abajo, delante/detrás, pequeño/grande, si no lo han experimentado? Con la locomoción, el bebé explora activamente e introyecta imágenes mentales de dicha exploración. Nos recuerda a un científico en acción en su manejo de hipótesis: *¿Qué pasa si...?* Así, pues, de su experiencia y de la manera de comportarse del mundo físico y social, deriva sus agrupaciones mentales o preconceptos.

---

1. Aproximadamente de 1 a 2 años y medio. O la etapa preverbal. (De esta forma, podría incluir niños más grandes que aún no hablan.)
2. En promedio, la angustia aparece a los 8 meses y cede en sus manifestaciones alrededor de los 2 años
3. Leach, Penelope; *"Babyhood"*
4. Citados en Elkind, David; *"Development of the Child"*

Estos primeros conceptos son vagos y muy generalizados; están especialmente en función de su experiencia activa; así veremos que con frecuencia llama "agua" a cualquier líquido: leche, jugo, refresco, agua. Ningún adulto se los enseña así y, sin embargo, ellos generalizan el vocablo "agua" a todos los líquidos, al percibir que se comportan de manera similar. (Sin embargo, si la leche u otro líquido tiene un valor especial para el pequeño, es probable que elijan un vocablo exclusivo).

Algo similar ocurre en la frecuente generalización de *"gua-gua"* hacia todos los cuadrúpedos (vaca, elefante, caballo). Mientras mayor experiencia tenga el niño de algo (o que deposite en ello un valor afectivo especial), es más probable que elija una alocución exclusiva para nombrarlo.

Así pues, si sus primeros conceptos se derivan de su propia experiencia y si el adulto se la describe con palabras animando al niño a que él también lo haga, se le estará apoyando en la formación de dichos conceptos, y se le estará brindando una "válvula verbal" para expresar la imagen que ha capturado.

EXPLORACIÓN ACTIVA Y FUNCIONAMIENTO DEL CEREBRO

Es interesante vincular la exploración activa del pequeño con el funcionamiento del cerebro. Haciendo una simplificación, el cerebro humano está dividido en dos hemisferios, cada uno con su función[5]. El derecho se encarga de la percepción de las formas, de las relaciones visuales y espaciales, de las representaciones mentales, de la imaginación y de los sueños[6]. El izquierdo se encarga del lenguaje y del pensamiento abstracto y lógico.

Debido a que el niño pequeño no es verbal y su pensamiento no es abstracto sino concreto, visual, espacial y manipulativo, se cree que en él existe un predominio del lado derecho del cerebro, aun cuando éste

---

5. Sefchovich, Galia; *"Hacia una pedagogía de la creatividad"*
6. Miller, Lauréese; *"En busca del inconsciente"*

no se haya especializado[7]. De esta manera, un pequeñito hace funcionar su cerebro al tener experiencias visuales y espaciales, al manipular objetos y juguetes, al descubrir relaciones entre los espacios. En un sentido literal, el niño aprende haciendo y jugando, lo cual apoya la tesis de la formación de los primeros conceptos a partir de la experiencia.

Cabe mencionar, por tanto, la importancia de la libertad de exploración y de manipulación en la medida de lo posible, (con el establecimiento de límites consistentes y en función de su seguridad).

De esta manera lo veremos en un incansable vaciar, tirar, comparar, con lo cual su cerebro está en plena actividad. Si le describimos verbalmente lo que está haciendo, hay una gran probabilidad de que capte y utilice los conceptos, pues los va a vincular de manera inmediata a su actividad, a su exploración y a sus hipótesis.

En términos generales, los intereses de la edad son la exploración, el juego con elementos (agua, tierra, lodo, arena, plastilina, etc.), formas, volúmenes, colores, lo pequeñito, los hoyitos[8], las ilustraciones (especialmente realistas, como primer paso hacia la abstracción), los juegos de constatación de permanencia del objeto (juegos de escondites), que trataremos más adelante.

MANIPULACIÓN Y MOTRICIDAD

Debido a que su exploración y sus pruebas de hipótesis dependen de sus posibilidades de manipulación y de motricidad en general, así como de las imágenes que de ellas se derivan, recomendamos el lenguaje de formas y volúmenes relativos, de dificultad de manipulación, de contrastes sensoriales, así como la descripción y constatación de la permanencia de un objeto.

Este lenguaje puede ser utilizado tanto en situaciones informales

---

7. Sinatra, R; *"El desarrollo del cerebro y la educación activa"*
8. Montessori, María; *"El niño: El Secreto de la Infancia"*

como es la convivencia en el hogar, como en situaciones más estructuradas de aprendizaje, sea cual fuere el método de educación.

A continuación ofrecemos algunos ejemplos:

Lenguaje visual y espacial (descripción de experiencias inmediatas).

a) Con énfasis en imágenes:

1) Paisaje inmediato: *"Mira, Pablo, el caballo está corriendo. ¿Te fijas cómo mueve su cola? ¡Corre tú como él!"*

2) Ilustraciones (de preferencia realistas): *"Mira, Pablo: la mamá lleva un cochecito con su bebé: van a pasear al parque. ¿Te fijas? Aquí está una niña asomándose a ver al bebé y tiene un vestido azul. Dime: ¿dónde están sus zapatos?"*

3) Evocación de experiencias significativas usando imágenes. Aunque la idea de tiempo es muy pobre en un pequeño, podemos aprovechar experiencias que lo hayan entusiasmado para evocarlas y ayudarlo a verbalizarlas: *"¿Te acuerdas, Pablo, que ayer fuimos a una fiesta? ¿Cómo le pegaste a la piñata? pum, pum y cayeron muchos dulces. Mira la bolsita de dulces que trajimos. ¿Te gustó el pastel? ¿De qué era?"*

b) Con énfasis en volúmenes y formas relativas: *"Mira, Pablo, cómo el cubo chiquito sí cabe en el grande, y en cambio el cubo grande no cabe en el chiquito". "¿Te fijas que este pico cabe en el hueco y ahí metes la pieza de tu rompecabezas? Dime: ¿dónde está el piquito? Ahora dime: ¿dónde está el hueco? Ponlo derecho. Al revés, bravo, muy bien.*

c) Con énfasis en la dificultad relativa y en el dominio corporal: *"¿No puedes? Dime: "Mamá, no puedo; ayúdame". Y yo te ayudo. Mira: empuja fuerte de aquí y la caja se cierra. ¡Listo! Ya cerraste la caja".*

El hecho de que el pequeño aprenda a verbalizar "no puedo" en esta etapa tiene una función catártica, ya que está expuesto a mucha frustración al no poder manipular correctamente los objetos. Frases como "pesa mucho", "no pesa", "te caes, está resbaloso", "ahora ya no está resbaloso", "cerrar, abrir", "fuerte, débil", "delante, detrás", etc., son muy útiles en esta línea.

También aquí entrarían frases para que reconozca y domine su cuerpo: *"arriba las manos", "abajo las manos", "las manos hacen fuerza", "ahora la panza hace fuerza", "vamos a caminar como gatito", "¿dónde pones tus manos?, "miau..."*.

En todos estos ejemplos se mezcla el lenguaje del adulto con la invitación al niño a que él también verbalice su acción inmediata (o sus experiencias significativas anteriores).

MANEJO DE "CONTRASTES"

Como regla general, es conveniente el manejo de contrastes con sus respectivos nombres. Esto tiene un potencial didáctico muy interesante entre los más pequeños. Es más fácil adquirir el concepto de "grande" vs. "pequeño" con dos objetos iguales pero que varíen en tamaño de manera contrastante, que cuando el niño está frente a dos objetos con un contraste menos claro[9]. Otros contrastes son: arriba-abajo, suave-áspero, rápido-despacio, etc.

GESTO Y EXAGERACIÓN

También es recomendable el gesto y la exageración, pues ofrecen al pequeño una clave más para la interpretación del lenguaje. **En realidad, el niño interpreta mejor nuestra actitud corporal que nuestras palabras.** Si hay coherencia entre lo que decimos y nuestros gestos y actitud corporal, será más fácil la comunicación. Esto no quiere decir que se desvirtúe el lenguaje o que se sobre-simplifique. Este puede ser rico en imágenes y con entonación adulta, siempre y cuando se mantenga a un nivel descriptivo y concreto.

---

9. Lapierre y Acoutourier; *"Los contrastes"*

NO INTERFERIR, AUNQUE SE EQUIVOQUE

Y, finalmente, sobre todo en cuanto a la manipulación directa de los objetos y a las dificultades que ello implica, es recomendable no interferir con los intentos del niño, aunque notemos que se está equivocando. Por ejemplo, cuando el pequeño está intentando abrir, cerrar, armar, empujar, etc., tiene un plan mental por primitivo que éste sea; es un reflejo de su actividad, y si lo interrumpimos no está preparado para escuchar nuestras indicaciones. Es importante aprovechar sus pausas: cuando se detiene a considerar por qué no puede, es cuando el mensaje del adulto tiene mayores probabilidades de ser escuchado[10].

Es necesario repetir con palabras lo que intenta hacer: *"¿quieres abrir la puerta?", "esta puerta está pesada"*, etc. Es un ejercicio de reiteración: al conectar el idioma con las intenciones del niño, con el resultado de su manipulación visual y espacial, y con sus logros de dominio corporal, le estamos apoyando en su aprendizaje del lenguaje y favoreciendo su desarrollo mental y su adquisición de conceptos.

EL NIÑO SE COMUNICA CUANDO HAY AFECTO

La sola experimentación o repetición mecánica de sus vivencias no es suficiente para el aprendizaje del lenguaje y de la comunicación. **El afecto es un sustrato que favorece la comunicación y, consecuentemente, el lenguaje**[11].

De acuerdo con Leach, las primeras palabras del pequeño surgen en situaciones de placer o de comunicación afectiva durante su interacción con el adulto. Rara vez la primera palabra del bebé se rela-

---

10. Kaye, Kenneth; *"La vida mental y social del bebé"*
11. Leach, Penelope; *"Babyhood"*

ciona con necesidades físicas como comer o dormir (los pequeños ya tienen para este momento recursos mímicos para indicar la necesidad de satisfacción). El bebé enuncia su primera palabra cuando algo lo emociona o cuando el adulto lo invita a que haya una interacción. **El pequeño experimenta, gracias al afecto, que vale la pena el esfuerzo de comunicarse.**

HABLARLE CORRECTAMENTE

La compañía del adulto, significativa y sintonizada con los intereses del pequeño y con su nivel de madurez mental, es la que tiene más probabilidades de incentivar al niño a la comunicación. Ahora bien, el sintonizarse con el pequeño no significa usar su vocabulario o su entonación. Existe la tentación de hacerlo como si de esta manera nos pusiéramos al nivel del pequeño. Cuando una niña pronuncia mal "Me llamo Vovoca" (Verónica) tiene en mente el modelo del adulto y no su propia alocución[12]. Incluso en boca del adulto llegan a no entender lo que ellos mismos dijeron. Quizá con el tiempo, si la mamá insiste en llamarle "Vovoca", la niña se acostumbrará a entender y a utilizar sus dos nombres. Aunque gracioso, no incentiva a la pequeña a perfeccionar su pronunciación. Esto no quiere decir que la ignoremos cuando escuchemos palabras mal dichas, sino hay que entenderle y hacerle sentir que su esfuerzo por comunicarse es válido, pero al mismo tiempo hablarle correctamente.

PERMANENCIA DEL OBJETO, ANGUSTIA DE SEPARACIÓN Y LENGUAJE

Siguiendo la línea de Piaget[13], en un pequeño la idea de permanen-

---

12. Este ejemplo fue ofrecido por Elena Carrillo, educadora perinatal mexicana. A veces los niños inventan vocablos para nombrar objetos sin que se parezcan al nombre real. No es el caso que tocamos aquí. Nos referimos a cuando el niño intenta decir la palabra real y balbucea o enuncia algo parecido.
13. Citado en Elkind, David; O. Cit.

cia del objeto es muy pobre. De recién nacido, cuando deja de ver un objeto cree que ya no existe. Si observamos a un bebé cuando pierde de vista a un objeto llamativo, notaremos que pierde también el interés y no lo busca.

Aproximadamente a los dos meses busca el objeto si está parcialmente oculto. Posteriormente, a los ocho meses, busca el objeto oculto, lo cual es un gran paso, pues sabe que existe a pesar de no verlo.

Sin embargo, su idea de permanencia del objeto es pobre. Si ocultamos algo y lo desplazamos ante su vista, lo va a buscar en el lugar donde originalmente lo ocultamos. Sólo después de repetidas experiencias se dará cuenta del desplazamiento y de que lo encontrará en otro lugar. Esto hace que esté interesado en juegos de "constatación de permanencia del objeto" o juegos de escondidas sencillos. Se recomienda verbalizar ante el niño la permanencia del objeto para que él pueda constatarlo: *"Mira, Pablo, tu mantita ya no está. Búscala. ¡Ah! Ya la encontré. Ahora escóndete tú."*

Es muy gracioso ver a un pequeñito tapándose los ojos y pensando que nadie lo ve. Es parte del mismo grado de desarrollo mental: cree que porque él no ve a nadie, los demás no lo ven a él.

Hay una alocución más o menos popular: *"Va"* para expresar: "se fue, no está, se escondió, se acabó", etc. Es aprendida con gran rapidez pues bautiza al preconcepto del niño de que, cuando alguna cosa se va, se esfuma.

Evitar la angustia de la separación

Al llegar a esta etapa, el pequeño ya se acostumbró a una rutina, a un panorama visual y a la persona o personas que están a su cuidado. Se dice que ya estableció su "lazo afectivo primario"[14]. Sin embargo, como mencionamos anteriormente, su idea de permanencia del objeto es pobre. Esto se traduce en angustia ante la desaparición

14. Bowlb, John; *"Attachment and Loss"*

de su lazo afectivo primario (comúnmente de la madre). Ante su ausencia, nada garantiza su regreso. En su mente, la mamá se esfuma; fenómeno conocido como "mamitis" o "ansiedad de separación". Este fenómeno es muy frecuente de los ocho meses a los dos años (o dos años y medio). Paulatinamente, la experiencia reiterada de que su mamá regresa, le irá ayudando a ya no angustiarse (junto con un avance en su idea de permanencia del objeto).

Una aplicación de estos conceptos es que para hablarle al niño recurramos al manejo de imágenes claras y utilicemos su propio vocabulario y sus gestos para transmitirle la idea de separaciones temporales y para ayudarlo a enfrentarlas: como viajes, hospitalizaciones, entrada al kinder o guarderías, etc. Aunque no es posible evitar completamente la ansiedad, ésta puede reducirse en gran medida: por un lado, maximizando la compañía, los objetos y la rutina que le sean familiares; por otro, utilizando lo que llamamos: "pantomima recurrente". Esto consiste en lo siguiente: con gestos y mímica, elaborar un breve mensaje que le informe al pequeño sobre la ausencia de la mamá (en su caso) y enfatizando su regreso. Debe ser breve, concreto, utilizando los gestos, vocablos e imágenes que el niño ya maneja; esto es: platicarle a qué se va a enfrentar y ayudarle, así, a que tenga recursos para enfrentarse a ello.

Decimos que es "recurrente" porque debemos repetírselo muchas veces durante varios días, antes de que se enfrente a la nueva situación. De esta forma, cuando finalmente ocurra, quizá se angustie al principio pero irá constatando cada imagen que le transmitimos, y a nuestro regreso comprobará que ocurrió lo que le dijimos, además de que sentirá que somos confiables y predecibles.

Un ejemplo: *"Te voy a llevar a casa de Tita. Vamos a dejar allá tu cuna y tu cobija. Tita te va a dar un beso y vas a jugar con ella. Mamá: "va", se va a ir en coche: pero va a regresar. Llegando, te voy a decir: "Hola nena, ya llegué, te abrazaré y nos regresaremos en coche: rrnn, rrnn a la casa..."*

Todo actuado y enfatizado. Pueden utilizarse muñecos; por ejemplo: una muñeca es la niña, otra la mamá, se suben al coche, etc. También puede uno apoyarse en fotos y dibujos (de preferencia realistas para enriquecer las imágenes.

El uso de este tipo de avisos a los pequeños preverbales los prepara en las separaciones para no sentirse abandonados. Después de varios intentos, será más fácil que el pequeño sepa de qué le estamos hablando y, por lo tanto, resulte un recurso útil; en cambio, si nos esfumamos sin avisar cuando nos vamos de viaje, lo dejamos en el kinder, o simplemente al ir de compras, estaremos reforzando su miedo: *¡Mamá se esfumó!*, con la consecuente angustia y privándolos de los recursos necesarios para lidiar con ello.

Para prepararlo a su entrada al kinder, es útil conseguir imágenes visuales o fotos del lugar: adornos en las paredes, escaleras, jardines, etc., así como de las personas que estarán con él y de la rutina a la que se verá sometido. Se puede visitar el lugar con él, informarse sobre lo que hará y elaborar una breve y sencilla "pantomima recurrente", enfatizando nuestro regreso a recogerlo. Hacer esto con varios días de anticipación ha probado ser de gran utilidad principalmente para el pequeño, pero también para las madres y las maestras.

Cabe decir que el kinder o guardería ofrecen al niño una rutina predecible, lo cual el niño capta al transcurrir los días y esto favorece su adaptación. Si la institución es de calidad, el ambiente afectuoso y se cuenta además con la previa preparación del pequeño, es probable que la adaptación dure poco tiempo.

Reiterando la tesis del capítulo: para vincular el lenguaje con el momento de desarrollo tanto mental como afectivo del niño, hay que ofrecerle nombres a lo que experimenta, maximizando la probabilidad de que lo aprenda, facilitando la comunicación y la confianza en su papá, su mamá o su cuidador.

BIBLIOGRAFÍA

Bowlby, J.
"Attachment and Loss"
Basic Books, 1969, New York, U.S.A.

Bruner, Jerome
"Investigaciones Sobre el Desarrollo Cognitivo"
Pablo del Río Editor, 1966, Madrid, España.

Elkind, David y Weiner, Irving
"Development of the Child"
John Wiley & Sons, Inc., 1978, U.S.A.

Kaye, Kenneth
"La Vida Mental y Social del Bebé. Cómo los Padres Crean Personas"
Editorial Piadós, Biblioteca Cognición y Desarrollo Humano, 1ª edición en español, 1986, México.

Lapierre, André y Acouturier, Bernard
"Los Contrastes y el Descubrimiento de las Nociones Fundamentales"
Editorial Científico Médica, Educación Vivenciada, 1977, Barcelona, España.

Miller, Lauréese
"En Busca del Inconsciente"
Psychology Today en español.
Año 1 n° 4. págs. 24-29.

Montessori, María
"El Niño, el Secreto de la Infancia"
Editorial Diana, 1966, México.

Sefchovich, Galia y Waisburd, Gilda
"Hacia una Pedagogía de la Creatividad"
Editorial Trillas, Expresión plástica, 1ª. Edición, 1985, México.

Sinatra, R.
"El Desarrollo del Cerebro y la Educación Activa"
Revista "Padres y Maestros", nos 120-121. Págs. 10-12. 1996. La Coruña, España.

1.7 Formación del lazo afectivo (Mamitis, papitis, ansiedad de separación y miedo al extraño)

Los niños entre los 8 ó 9 meses en promedio, se angustian ante los extraños y se resisten a dejar ir a sus mamás o cuidadores más importantes. Por un lado ya han desarrollado un lazo afectivo, ya quieren a los adultos que los rodean y depositan en ellos su confianza y, por otro, su idea de permanencia del objeto es muy pobre, de tal manera que cuando sus progenitores se les van, sienten que se esfuman y que nada garantiza su regreso. Por eso se angustian.
El que el niño ya haya formado un lazo afectivo es un evento muy importante en su vida, que con el tiempo le dará seguridad para explorar y relacionarse afectuosamente.
Es importante avisarle sobre las separaciones y ayudarlo a sortear esta etapa. El lazo afectivo se va formando lentamente, mediante cuidados y rutinas cotidianas.

El lazo afectivo entre el bebé y sus cuidadores no surge mágicamente a raíz de su nacimiento, sino conforme se van involucrando día con día, a medida que se van reconociendo mutuamente: por olores, aspecto, voz, ritmos. Así van aprendiendo a quererse a través de un contacto cotidiano de ratos buenos y malos.

ANTECEDENTES: INVESTIGACIONES CON CHIMPANCÉS

Un antecedente interesante de este tema, radica en las investigaciones de **Harlow**[I], quien estudió la conducta maternal de los chimpancés.

De acuerdo con sus investigaciones, entre los chimpancés podemos observar conductas similares interesantes hacia la maternidad y la paternidad. Su trabajo se extiende de 1940 a 1970 y nos ha legado algunos hallazgos apasionantes.

Harlow observó que cuando se separaba a la cría de la mamá para evitar contagios en las colonias, la cría desarrollaba conductas peculiares. Carecía del mismo vigor para jugar y explorar que sus compañeros y, a la vez, su vida social se veía afectada: no buscaba relacionarse con su grupo.

Esto lo llevó a pensar que el **contacto primario** con su madre (o cuidador) era crítico para eventualmente lograr un buen desarrollo. Con esta idea, se abocó a identificar los elementos esenciales de este contacto primario y concibió varios experimentos, ahora ya clásicos:

En un recinto experimental, estudió a un chimpancé ante dos "mamás" ficticias: una estaba hecha de trapo terso al tacto y la otra de alambre (y era de ésta de quien recibía el alimento mediante una mamila atada a ella). De esta manera se dividieron las funciones: por un lado, el cuidado rutinario a través del alimento y, por otro, el contacto físico para determinar cuál era más importante.

Un primer dato interesante fue que el chimpancé se montaba en la mamá de trapo y desde ahí tomaba la mamila que le ofrecía la de alambre.

Harlow sometió luego a este chimpancé a una situación de tensión: se introdujo en el recinto una gran araña de madera, esperando la reacción de la cría. Ante esta situación amenazante, el chimpancé se refugió atemorizado en la mamá de trapo.

A pesar de que hay un límite para inferir a partir de la investigación con animales la conducta humana, el dato resulta sugerente.

Harlow realizó otro experimento más drástico. Mantuvo a unas crías de chimpancés en total aislamiento dentro de una jaula, sin contacto ni humano ni animal. Se les alimentaba a través de una puerta en la jaula.

Su conducta se vio atrofiada desde el inicio: la cría se "abrazaba a sí misma" como para autocontenerse. Se arrinconaba en una esqui-

---

1. Citado en Elkind, David y Weiner, Irving B. *"Development of the Child"*

na de la jaula como buscando calor, y su expresión era vacía y triste.

Lo más dramático fue que cuando de más grandes estas crías salieron a la vida en la colonia, no jugaban, no exploraban, no sabían relacionarse con su ambiente y presentaban conductas de movimientos repetitivos.

Cuando llegaron a la edad adulta y se reprodujeron, mataron a sus crías. El hecho de no haber experimentado el proceso de crianza en ellas mismas, las incapacitó para poder presentar, a su vez, conductas de maternidad.

A veces pensamos que no hay memoria de las primeras experiencias.

La memoria quizá no se lleve en la mente, pero sí en el corazón.

Ahora bien ¿qué podemos mencionar en cuanto a investigaciones entre humanos?

René Spitz[2] realizó sus investigaciones en instituciones de Latinoamérica y observó que había algunas relativamente exitosas, en que los niños iban creciendo y preparándose para una vida funcional. En cambio había otras en donde los niños estaban deprimidos, con un desarrollo físico aminorado e incapacitados para enfrentar una vida normal.

Lo que distinguía a las buenas instituciones de las malas, era el tipo de cuidador, el que fuera atento y estable. Había casos en que no se disponía de muchos recursos o la alimentación no era óptima, pero la presencia de un **cuidador afectuoso**, con el cual los pequeños se relacionaban, de cuyo contacto físico directo se nutrían y que era símbolo de constancia y predictibilidad, fue determinante para su desarrollo futuro.

En algunas instituciones los niños morían sin causa física aparente o desarrollaban algún tipo de dermatitis.

---

2. Spitz, René; *"El primer año de vida del niño"*

Brazelton[3] narra otra investigación de **Provence** y **Lipton**, quienes obtuvieron resultados similares. En una comunidad, a pesar de tener una alimentación adecuada y recibir cuidados físicos frecuentes, la carencia de contacto físico afectivo provocó en la población un deterioro en su desarrollo mental, motor y social, presentando una apariencia de retraso mental y de depresión afectiva.

EL CONCEPTO DE APEGO

Otra fuente fundamental dentro del tema del lazo afectivo es **John Bowlby**[4]. De hecho, es el autor que acuñó los términos y definió los conceptos de lazos afectivos, privación materna y ansiedad de separación.

Como resultado de la segunda guerra mundial, los hogares europeos abrieron sus puertas a huérfanos de distintas edades. Bowlby observó que los niños variaban mucho en su capacidad de adaptación a los nuevos hogares. Las edades que presentaban más dificultades para adaptarse eran entre los 8 y 30 meses, precisamente cuando se manifiesta "la mamitis".

Esto puede sorprendernos, pues aparentemente en esa edad aún no hay memoria o eso suponemos. Antes de conocer esa conclusión podríamos haber anticipado que el proceso sería más problemático en niños mayores.

¿Por qué a esa edad? ¿Qué elementos aparecen?

El niño, en promedio entre los 8 y 9 meses (aunque algunos más tarde) empiezan a desconocer a los extraños y a llorar cuando sus cuidadores conocidos se van.

En realidad, esa actitud es una manifestación de que el niño ya formó lazos afectivos con su cuidador o cuidadores y ha depositado

---

3. Brazelton, Berry; *"On becoming a family"*
4. Bowlby, John; *"Attachment and Loss"*

su confianza en la constancia y presencia de ellos, en su rutina de cuidados y en su paisaje visual. A pesar de las incomodidades que suelen acompañar a estas reacciones, su presencia es signo de que algo muy importante ha ocurrido en el bebé: Ya tiene en quién confiar, ya tiene a quién querer. Este es un primer paso hacia una personalidad sólida y segura.

Debido a que la idea de permanencia de los objetos en los niños es todavía pobre, se angustian cuando su cuidador primario se va, ya que nadie les garantiza su regreso; sienten que se esfumó y se quedarán abandonados y perdidos.

Los niños en instituciones en donde hay muchos cambios de cuidadores, no le reclaman a éste cuando se va; ya se les han ido tantos que en realidad les es indiferente. A primera vista, cuidar a niños que no muestran problema ante esta inestabilidad parecería muy cómodo; sin embargo, a la larga serán personas con carencias básicas.

Según Bowlby, lo que facilita la aparición de un lazo afectivo es la presencia de un cuidador o cuidadores atentos, afectuosos y estables. Puede tratarse de la mamá y el papá biológicos o de padres adoptivos. Puede realizarse también mediante una estrategia compartida pero que sea predecible; o sea, hay distintas maneras de solucionar los cuidados del niño, pero siempre y cuando haya predictibilidad. Un lazo afectivo sólido le dará al niño una base para su seguridad en el futuro, una plataforma para explorar y conocer y una disponibilidad para amar.

EVOLUCIÓN DEL LAZO AFECTIVO. SUS DISTINTOS MOMENTOS

El lazo afectivo va evolucionando lentamente. No es que a los 8 meses aparezca mágicamente. Surge como un bordado artesanal de convivencia cotidiana, de días buenos y malos, del reconocimiento mutuo de signos, del contacto físico y afectivo, del intercambio visual, de la atención concentrada, de la sensibilidad ante el llanto y el deseo de juego.

Es una conquista y, como hemos mencionado, **de la existencia de lazos afectivos primarios depende la seguridad, la autoestima y la capacidad eventual que tendrá el niño de demostrar cariño durante toda su vida.**

El bebé puede desarrollar lazos afectivos con un cuidador o con varios. Es un privilegio de las sociedades latinoamericanas. La posibilidad de que los bebés se involucren afectivamente con abuelos, tíos, hermanos, etc. Estratégicamente es recomendable que el bebé conozca a varios cuidadores antes de que aparezca la angustia; esto permitirá dejarlo con ellos en emergencias o viajes sin provocarle una angustia exagerada.

a) Etapas previas a los 8 meses

El momento de nacer

El momento de nacer y los primeros días de nacido del bebé se han reconocido como un "período sensible" de formación de lazos afectivos. **Budin**[5], el creador de la incubadora a principios del siglo XX, reporta cómo se abate la mortalidad infantil con este recurso tecnológico y narra el dolor que sin embargo siente la mamá cuando se separa de su bebé por un período largo.

Estos conocimientos, junto con investigaciones de diversos autores (**Kennell** y **Klaus**[6]) en hospitales, han demostrado el valor especial que tiene el contacto físico con el recién nacido, como un facilitador privilegiado de la formación del lazo afectivo. Asimismo el he-

---

5. Budin, Pierre; profesor de la Universidad de París; *"Obstetricia y Neonatología de principios de siglo"*
6. Kennell, John H. y Klaus, Marshall H.; *"Bonding"*

cho de tener cerca y tocar a un bebito, facilita que el adulto se predisponga a sus cuidados. Estos conceptos han revolucionado las prácticas de trato a los bebés prematuros. Se invita a los papás a tocar con guanteras a su bebé, a mecerlo, a cantarle, a hacerle masaje.

Por otro lado, se ha fomentado el darle el bebé recién nacido a la mamá para su amamantamiento inmediato, lo cual facilita el flujo de calostro e incentiva en el niño el reflejo de succión. A los padres de ahora se les invita a presenciar el parto y a cargar y a tocar al bebé.

Existe una investigación muy elocuente sobre el impacto que provoca en el padre presenciar el nacimiento de su hijo.

Como resultado del trabajo de parto, los bebés pasan por un estado de alerta y muestran una increíble vitalidad. Después, entran en un aletargamiento. Cuando un papá presencia el parto, el bebé lo conquista. Algunos no se dan cuenta cabal de que son papás hasta no ver parir a su pareja y recibir una criatura vital. Es una vivencia que facilita el involucramiento con el bebé. Estos hombres distinguen el llanto de su hijo entre muchos y no sienten desagrado al cargarlos.

Hay papás que no pueden o deciden no presenciar el parto. De ninguna manera quedan por ello incapacitados para desarrollar lazos afectivos, pero es conveniente que mantengan el contacto físico con los pequeños para echar a andar y reforzar esa convivencia cotidiana.

El contacto físico y el intercambio visual involucran. El bebé posee mecanismos que enganchan al adulto. Se cree que muchas de las conductas del recién nacido, como el prestar atención a los rostros, sirven para ese propósito.

El contacto físico también hay que facilitárselo a los abuelos, tíos, hermanos y amigos. Acatando los debidos cuidados de higiene que se requieren, es importante que a los familiares y personas cercanas se les permita tocar al bebé. Esto es un facilitador.

Por un tiempo se consideró como un factor determinante: o se daba ese contacto temprano, o quedaba en riesgo el lazo afectivo. También se consideraba como natural que la mamá se volcara totalmente en el recién nacido y que tuviera una disposición plena para desarrollar el lazo afectivo. Actualmente ha sido criticada esa postura[7]. Si los papás no pueden tener un contacto inmediato con el recién nacido, de ninguna manera queda imposibilitado el desarrollo de lazos afectivos.

Actualmente se sigue reconociendo la importancia de un contacto temprano con el bebé pero como un factor favorable entre muchos otros.

Podemos visualizarlo como una correlación de fuerzas. Hay fuerzas a favor, como el buen acoplamiento de la pareja, la fascinación de ser papás, el deseo de tener al bebé, la predisposición hormonal, el gozo de ver a una criatura viviente, y fuerzas en contra, como la incomodidad física, el agotamiento, la tensión, la ambivalencia ante la paternidad.

De la combinación de estas fuerzas encontradas habrá una resultante. En cada persona y pareja habrá un balance distinto; por ejemplo, una mamá quinceañera, por más que cuide a su bebé inmediatamente después de nacido, y sostenga con él un contacto físico cercano, el alud de preocupaciones y angustias actuarán en contra. El contacto físico ayudará, pero quizá se vea contrarrestado por otras fuerzas.

Por otro lado, es un peso injusto para las mamás exigirles la común expectativa de un amor a primera vista con el bebé. Cuando no lo sienten de inmediato, abrigan sospechas acerca de su propia capacidad para criar, y no es tal. **Se ha reconocido que este enamoramiento es el resultado de una conquista mutua, cotidiana, de buenos y de malos ratos.**

---

7. Conrad, Eva; *"How babies fall in love"*; Revista *Working Mothers*, 1990

Alrededor de los dos meses

A los 2 meses, el bebé se va indistintamente con conocidos y desconocidos y le parecen igual de interesantes las caras de todos; sin embargo las mejores sonrisas son hacia las personas con quienes ha establecido lazos afectivos primarios.

Cuando tiene ante sí a la mamá, se notan signos de anticipación: se le ilumina la cara y relaja el cuerpo. Ante el papá presenta signos de emoción porque se avecinan juegos más enérgicos y, por ejemplo, alza los hombros y levanta las cejas[8].

A estas alturas, un bebé al cual se le platica y se le mira a los ojos con afecto, responderá con un ritmo de intercambio de miradas más vitales y con un mayor interés por los rostros.

Apenas tiene dos meses y a través de estas conductas ya podemos notar si un bebé ha vivido o no en el abandono afectivo.

A los 4 ó 5 meses

A los 4 ó 5 meses, el bebé entra en una etapa cognoscitiva que lo vuelca hacia otras personas, eventos y rutinas. Esta etapa suele desconcertar a las mamás pues, a diferencia de los 2 ó 3 meses, los bebés difícilmente pueden mantener la atención.

Brazelton[9] describe cómo la ven con cortesía, le sonríen brevemente, le vocalizan una vez y luego voltean para otro lado, ignorando sus esfuerzos por mantener su atención. En realidad, este es un signo de seguridad, menciona Brazelton. Cuando el bebé "usa a su mamá como una base" cuenta con la predictibilidad de su conducta y cariño para poder nutrirse de cosas nuevas. Es lamentable que la mamá lo interprete como un signo de que ya es hora de destetarlo o de salir más frecuentemente porque cree que el bebé ya no la nece-

8. Leach, Penélope; *"Babyhood"*
9. Brazelton, Berry; *"On becoming a family"*

sita tanto. En realidad, **lo que necesita es sentir seguro su entorno afectivo para ser capaz de explorar y conocer.**

Brazelton menciona un experimento en el cual se pidió a las mamás que pusieran "cara de palo", rompiendo así la costumbre de la relación. Los bebés esperaban sonrisas e intercambio de cariños y se toparon con una cara seria. Después de un rato de hacer esfuerzos por atraer la atención de la mamá, acabaron entristeciéndose y desilusionándose, mirando el suelo o tratando de dormirse. En estos casos, no se abrieron a conocer lo que les rodeaba, sino que se ensimismaron desilusionados.

Los 6 meses

A los 6 meses, el bebé muestra a los depositarios de sus lazos afectivos primarios, conductas muy especiales reservadas sólo a ellos, como por ejemplo chupar la nariz de la mamá, esconder la cara tras la ropa, hacer cariños. Con el extraño es cortés, no se asusta todavía pero "finge", no despliega sus gracias y lo mira con sospecha.

Este es un preámbulo de las conductas de actitudes selectivas que vendrán posteriormente.

b) Los ocho meses y la edad de transición (12–36 meses)

Etapa crítica de la mamitis. Importancia de los avisos y la consistencia afectiva.

Como mencionamos anteriormente, a los ocho o nueve meses en promedio, se empiezan a manifestar la ansiedad de separación, la mamitis (papitis o abuelitis) y el miedo al extraño. Ya depositó su confianza y cariño en los seres más cercanos a él, y su idea de permanencia de objetos y personas es todavía pobre, de tal manera que cuando sus seres queridos se van, nada le garantiza que regresen.

Al decir ocho o nueve meses nos referimos a edades promedio; en algunas ocasiones esta conducta puede presentarse con anterioridad. En otras, el inicio de la mamitis puede ser posterior.

Esta manifestación va evolucionando. Arranca a esta edad y va en aumento hasta hacer crisis cuando el bebé tiene entre 13 y 20 meses (lo podemos visualizar como una curva normal), luego tiende a ceder entre los 24 y los 36 meses.

No se sugiere con esto que a mayor mamitis, mejores lazos afectivos. Al respecto hay variaciones temperamentales: niños con temperamentos fuertes, que manifiestan con energía su desconcierto, y niños con temperamentos suaves, que lo hacen con menor energía. El mismo niño va pasando también por períodos de distinta intensidad.

La "mamitis" que muestran los bebés a los 8 ó 9 meses, suele tomar por sorpresa a los papás. De tener un bebé sociable, sonriente, fácil de cuidar, pasan a tener de un momento a otro, un pequeño huraño, hostil con los desconocidos y difícil de dejar encargado. Esto genera angustia en los papás y sensación de incompetencia. "Algo estamos haciendo mal".

Los observadores pueden añadir mayor tensión con comentarios como: "Era tan sociable y ahora está tan consentido..." Para colmo, con frecuencia el primer viaje de la pareja después del nacimiento del bebé se planea alrededor de esta fecha. Ya pasó la euforia de tener un bebé recién nacido en casa, y por otro lado parece razonable "despegarse" un poco para que con el tiempo no se vuelva un niño dependiente.

También se decide que la entrada a la guardería o al kinder le va a ayudar a que se le baje la mamitis.

A pesar de que no es imposible realizar un viaje o ingresarlo al kinder en estos momentos, esas acciones no deben de estar motivados por dichas razones. Al contrario. Debe de considerarse la presencia de la mamitis para trabajar con más cuidado la preparación del niño ante la separación y pensar muy bien cómo y con quién se le va a dejar encargado.

Los bebés demuestran preferencia por una persona; es a ésta a quien le lloran más cuando se aleja, a quien siguen gateando o caminando y a quien destinan su mejor sonrisa. A esta persona se le llama lazo afectivo primario y es, en realidad, el resultado de una conquista. Es en esta persona con la que tienen mayor intercambio de respuestas desde el punto de vista afectivo, la que él siente como la más cariñosa, la más sensible a su llanto, a su deseo de jugar. Normalmente es la mamá, aunque también es posible que sea el papá o la abuela. Esto a veces desconcierta a los adultos menos preferidos.

Hay que ver el lado positivo del asunto. El niño tiene varias personas que le sirven de base afectiva y van cambiando levemente de preferencias. A veces pueden preferir al papá, pero cuando se sienten enfermos o solitos es posible que llamen a la mamá. Es un privilegio de los niños de esta época tener papitis o abuelitis.

En esta línea, **Elkind** y **Weiner**[10] reportan una interesante investigación realizada entre los *kibbutz*[11]. En estas comunidades, los niños permanecen gran parte del día con cuidadores alternativos y sólo ven a sus papás en las noches o los fines de semana; sin embargo, sus lazos afectivos primarios estuvieron depositados en sus progenitores a pesar de verlos menos. Y la razón fue que ellos, sus papás, fueron cálidos y respondieron a su llanto y a su deseo de jugar. Los cuidadores alternativos también fueron depositarios de lazos afectivos de importancia, pero los más relevantes para los niños fueron los de sus papás.

De aquí podemos deducir que el lazo afectivo es una conquista. **Si hay una nana cálida, que esté presente y hay una buena correspondencia entre ella y el niño, y en cambio una mamá fría, ausente y deprimida, es lógico que el niño elija a la nana como su lazo afectivo primario.**

---

10. Elkind y Weiner; *"Development of the Child"*

11. Los autores se refieren a organizaciones sociales en Israel en las que los niños son cuidados en granjas familiares con cuidadores alternativos, mientras sus papás están laborando.

c) ¿Cómo y por qué se supera la mamitis?

Evolución mental y verbal del niño. Proceso de individuación-separación.

Cuando el niño llega a la etapa en que es capaz de verbalizar, su mente puede representar y comprender ideas como: *"Mamá se va al súper, luego regresa, te vas a quedar jugando con la abuela"*.

Asimismo, en este período se ve dominado por una fuerza que lo empuja hacia la "individuación"; es decir, hacia el deseo de ser "él mismo", de ser un ente independiente de su mamá, de realizar sus propios proyectos. Este impulso lo lleva a explorar, a rechazar ayuda y órdenes, a gritar que *"¡no!"*.

Desde luego el niño necesita límites claros, gestual y verbalmente; sin embargo, esta actitud en la cual pide independencia es muy sana. Ya ha captado que él y su mamá son entes diferentes y que a veces ella limita su impulso exploratorio.

En realidad, de los 13 a los 36 meses el niño pasa por un período de ambivalencia, a ratos quisiera ser el bebé apapachado, pegado a las faldas de su mamá, y a ratos quisiera ser el investigador independiente. En esta crisis que viven la mamá y el hijo, se promueve su crecimiento.

Cuando el niño resuelve la mamitis, afectivamente se proyecta hacia un buen desarrollo. *"Ya sé que me quieren, que no me abandonan, yo también los quiero y necesito pero yo soy yo. Puedo caerme y levantarme, puedo explorar, me gusta conocer y experimentar"*. Al adulto le toca la difícil tarea de conservar la constancia del ambiente: poner límites y a la vez dejar ir un poco, dejar explorar y no sobreproteger.

En esta etapa, de los 13 a los 36 meses, queda más claro que usa a la mamá como "base" para luego alejarse a explorar. Si la siente segura, tiene apertura para hacerlo.

Leach[12] relata situaciones muy simpáticas en las cuales el bebé persigue a la mamá y le pide que se siente. Ella se sienta, pensando que quiere jugar con ella en el suelo pero en cambio él se va a explo-

---

12. Leach, Penelope; *"Babyhood"*

rar. Lo que quiere es tenerla quieta en un lugar al cual él pueda regresar periódicamente a constatar su presencia y a "cargarse de gasolina" para seguir explorando.

Esta conducta, describen los etólogos, se da igualmente entre los chimpancés, los cuales también experimentan mamitis.

Una implicación de esta edad es la incapacidad del niño para caminar coordinadamente de la mano de la mamá. **Ella es su punto central de referencia y como se le está moviendo, se marea.** La mamá se desconcierta, pues el niño ya es capaz de caminar kilómetros; hay, entonces, regaños y hasta nalgadas pero no es necedad del niño, es una incapacidad topológica, no muscular de sus piernas. Podríamos evitar el pleito cargándolo, llevándolo en carriola o bien dejándolo ir a su propio ritmo.

Otra reacción curiosa, es el desconcierto que demuestra ante cambios de la rutina o de su paisaje visual[13]. En esta etapa, los niños también toman como parámetro los objetos y la decoración de sus casas, por lo que les molestan los cambios. Esta reacción se manifiesta de manera más acentuada en algunos niños que en otros. A veces, si cambiamos de repente la decoración de su cuarto o movemos un mueble se angustian; para ellos es como si amaneciera la ventana de su cuarto del otro lado. Por ello, si hay cambios de casa o de decoración, es importante que el niño participe en estas actividades para que vivencie cómo las cosas pueden moverse de lugar y él puede ayudar físicamente a hacerlo. Esto le dará tranquilidad.

ESTRATEGIAS Y TIPS

a) Etapas previas a la mamitis.

De entrada, es bueno relajarse y permitir que toquen al bebé con la higiene necesaria las personas que normalmente rodearán al bebé y serán importantes afectivamente para él.

---

13. Montessori, Maria; *"El niño. El secreto de la infancia"*

También es aconsejable que antes de que aparezca la mamitis, el bebé tenga la experiencia de ser cuidado por otras personas. Por su bien, por la disponibilidad de sustitutos como solución estratégica en momentos de urgencia, el bebé debe reconocer a su abuela, a sus tías, y demás personas que le brindarán afecto y que estarán más involucradas con él.

También es importante, desde muy pequeños, a los 2, 3, 4, 5 meses, avisarles: *"Bebé, adiós, ya me voy"* y al regresar, decir con énfasis: *"Ya regresé"*. Desde luego el bebé no lo va a entender como un niño grande, sin embargo va asociando signos, sonidos, gestos y eventos. Cuando llegue la etapa de la mamitis, ya tendrá esa alcancía de sensaciones conectadas que le darán sentido al aviso y elementos para predecir nuestro regreso.

b) Durante la mamitis

Una vez que ya se ha manifestado la mamitis, es importante considerar que la angustia que muestran es real.

Puente afectivo

Hay veces que los bebés le lloran a gente cercana, como a sus abuelos o tíos, y esto apena mucho a los papás. Se puede comentar con estas personas lo natural que es esta reacción para que les hablen a distancia en voz baja, se vayan aproximando poco a poco y no traten de cargarlos inmediatamente[14].

También ayuda tener fotos de estas personas para mostrárselas al bebé, a fin de que vaya aceptando la imagen.

Otro consejo de Elkind es la recepción cálida de la mamá a esta persona. Cuando el bebé constata que la mamá sonríe y saluda con gusto a una persona es para él un signo de que "es de fiar" y, eventualmente, podrá demostrar mayor apertura hacia ella.

A veces en esta etapa los niños rechazan a cuidadores rutinarios (nanas, enfermeras, personal de guardería). *"Aunque ya los conozco,*

---

14. Elkind y Weiner; O.Cit.

y quiero un poco, su presencia es presagio de que me separo de mi mamá y yo la prefiero a ella". La mamá puede ayudar al bebé a adaptarse, brindándole seguridad con un gesto seguro, firme y cariñoso: *"Bebé, es por tu bien; vas a estar bien, ya me voy y luego regreso"*, despidiéndose cálidamente del cuidador sustituto.

Hay que avisarles que nos vamos aunque lloren, a menos de que estén con otra persona con quien tengan también lazos afectivos importantes como el papá. **Cuando un bebé experimenta muchas veces la trampa de la escabullida se paraliza y ya no juega, sólo estará vigilando a qué hora se le va a esfumar la mamá.**

Si se llegan a quedar encargados con alguien, debido a hospitalizaciones o viajes breves de los papás, es importante que sea con una persona con quien también tengan un lazo afectivo, a quien ya conozcan y, de preferencia, en entornos que les sean familiares; si puede ser en casa del bebé, mejor; si no, es recomendable que hayan tenido experiencias previas de ese lugar y que se lleven sus cosas, sus juguetes, que les sugiera una rutina conocida.

En ocasiones escuchamos testimonios de algunos papás que salieron de viaje o tuvieron que ausentarse y cuando regresaron, el bebé ya no los conocía o abiertamente los castigaba desviando la mirada y dándole los brazos a su cuidador. A los papás se les rompe el corazón.

Los chimpancés también se angustian pero cuando llega la mamá la festejan; el humano, a pesar de ser tan pequeño como tener apenas 8 meses, castiga. Esta conducta es muy compleja y revela su sufrimiento.

Hay una versión del cuento del genio de Aladino que relata cómo cuando sale de la lámpara mata a su libertador. Al preguntarle los motivos, él dice que se pasó los primeros 5 millones de años con la ilusión de que llegaran a sacarlo, los siguientes 5 millones de años pensando que quizá le daría algún premio a su libertador, pero después decidió que lo mataría por haberse tardado tanto en liberarlo. Esta es una parodia del sentimiento del bebé.

Obviamente el pequeño vuelve a recuperar la confianza al regresar a su rutina y al constatar día con día que es querido y que su ambiente es predecible. Sin embargo, es importante visualizar cómo vamos a dejarlo y durante cuánto tiempo. Spitz[15] señala que tres meses de privación materna en entornos desconocidos resultan dañinos para el desarrollo del niño. Podemos tomar este parámetro como referencia y planear y cuidar con detalle las separaciones.

Llamarles desde donde estemos

Al bebé le alivia mucho y le da seguridad el que le hablemos desde donde estemos, si es que no podemos estar junto a él.

Penelope Leach[16] aconseja que cuando el niño se muestre más angustiado, en lugar de separárnoslo por la fuerza para que se desapegue de nosotros, debemos ceder un poco, ponerle más atención y avisarle que vamos a regresar para que internamente vaya adquiriendo la certeza de que no lo abandonamos.

El álbum de fotos

A partir de los 10 meses, en promedio, los niños se interesan mucho por las fotos. Esto puede ser aprovechado para servir de aviso.

Podemos formar un álbum con fotos de las personas afectivamente más cercanas a él para que vaya identificándolas.

También podemos ilustrar su rutina, con fotos de lo que va ocurriendo durante el día: *María se levanta, se baña, juega, duerme la siesta, sale al jardín, come, se duerme.* Una foto de cada acción visualizada antes de efectuarla le va dando al niño la posibilidad de anticiparla.

Cuando planeamos un viaje y el niño ha tenido experiencia previa de las fotos, podemos hacer un álbum que le transmita la separación y le dé elementos de predictibilidad sobre nuestro regreso:

---

15. Spitz, René; O.Cit.
16. Leach, Penelope; O.Cit.

- *Papá y mamá se van* (foto del papá y la mamá diciendo adiós)
- *María se va a casa de la abuela* (foto de María en la entrada de la casa de la abuela)
- *María va a jugar con el perrito de la abuela* (María jugando con el perro)
- *María va a comer en casa de la abuela* (María comiendo en casa de la abuela)
- *María va a dormir con la abuela* (María dormida en la cuna de casa de la abuela)
- *María va a estar con la abuela* (La abuela cargando a María)
- *Papá y mamá van a regresar y le van a traer a María una pelota* (Papá y mamá fotografiados con una pelota que ya tengan de antemano y que no vea físicamente María antes del reencuentro).

Al hojear el álbum a lo mejor no entiende. Tal vez se desconcierte de momento, pero el mirar las fotos durante la ausencia de sus padres, le va a dar cierta tranquilidad y, sobre todo, el regreso le va a dar sentido a todo. *"Mis papás me avisan, son de fiar, lo que dicen lo cumplen".*

Esta técnica ha sido utilizada varias veces con buenos resultados: cuando los papás regresan no hay "castigo", sino festejo.

También puede utilizarse para su entrada al kinder como aviso de que vamos a regresar por ellos. Algunos niños creen que cuando se les lleva por primera vez a la escuela ya se les abandonó y se van a quedar ahí para siempre.

Otra técnica es la "pantomima recurrente": con muñecos actuamos repetidamente la escena de despedida, de diversas actividades que el niño va a hacer durante nuestra ausencia y el momento del reencuentro. Poco a poco los niños van asimilando la idea.

Un niño que supera victorioso esta etapa ha triunfado sobre la crisis y queda preparado para llevar una vida más plena. Será mucho más activo, tendrá mayor capacidad de exploración y, curiosamente, menos mamitis cuando crezca[17].

Las conductas que favorecen el lazo afectivo son:

- Estar disponibles física y afectivamente
- Demostrar afecto incondicional
- Limitar, ayudar al autocontrol
- Postergar la gratificación, con empatía
- Ir favoreciendo la independencia, evitar hacerles todo nosotros.

Las conductas que entorpecen la formación del lazo afectivo son:

- Estar ausentes física o afectivamente
- Ser inconsistentes en los mensajes afectivos y en los límites que establecemos
- Condicionar el afecto
- La ausencia de reglas y límites
- El exceso de satisfactores
- Hacer todo por ellos, solucionarles los grandes y pequeños problemas, la sobreprotección.

IMPLICACIONES

Los elementos mencionados deberían de ser considerados por las guarderías, los kinders y en las políticas gubernamentales de adopción. A pesar de que siempre es posible encariñarse con los niños independientemente de su edad y ofrecerles afecto y apoyo, es mucho más conveniente adoptar a un bebé pequeño que a uno más grandecito.

Valdría la pena estudiar la viabilidad de los padres candidatos a adopción antes del nacimiento de los niños, así se les podrían entre-

17. Hay ocasiones en las que los papás somos quienes no permitimos la separación. El proceso de separación implica que el niño quiera separarse y que los papás lo permitamos.
Según Michael Schwartzman PH. D y Lisa K. Weiss PH.D: Vale la pena buscar ayuda especializada para uno como padres cuando el tema del apego y el lazo afectivo está cargado de ansiedad o de inseguridad para educar, cuando no nos atrevemos a corregirlos, cuando los hacemos emocionalmente responsables de lo que sentimos, cuando sentimos que no va a estar seguro lejos de nuestra vista, cuando la maternidad está cargada de desilusión o desencanto.

gar cuando son más pequeños. Esto mismo incentivaría a vigilar más estrechamente el cuidado, la constancia y el afecto brindado a los bebitos en instituciones.

BIBLIOGRAFÍA

Boudin, Pierre
"The Nursling.
The feeding and Hygiene of Premature and Full Term Infants"
The Caxton Publishing Co., 1907, London, England.
Más información en HYPERLINK *http://www.neonatology.org*

Bowlby, J.
"Attachment and Loss"
Basic Books, 1969, New York, U.S.A.

Brazelton, Berry
"On Becoming a Family. The Growth of Attachment"
A Merloyd Lawrence Book, Delta-/Seymour Lawrence, 2nd edition, 1982, U.S.A.

Brazelton, Berry y Cramer Bertrand
"The Earliest Relationship.
Parents, Infants, and the Drama of Early Attachment"
A Merloyd Lawrence Book, Addison Wesley, 1st. Edition, 1989, U.S.A.

Brazelton, Berry
"Escuchemos al Niño"
Editorial Plaza Janés, 1era. Edición, 1989, España.

Brazelton, Berry; Bergman, Annie y Simo, Joseph
"El Nacimiento Emocional del Niño"
Instituto de Investigación en Psicología Clínica y Social A.C., 1991, México.

Conrad, Eva
"How Babies Fall in Love"
Working Mothers, December, 1990.

Klaus, Marshall H.; Kenell, John H. y Phyllis, Klaus H.
"Bonding.
Building the Foundations of Secure Attachment and Independence"
Cedar, 1st. Edition, 1996, England.

Leach, Penelope
"Babyhood"
Alfred A. Knopf, 9th printing, 1991, New York, U.S.A.

Montessori, María
"El Niño, el Secreto de la Infancia"
Editorial Diana, 1966, México.

Schwartzman, Michael y Weiss, Lisa K.
"La Conexión Afectiva. Ayudando a su Niño a Sentirse lo Suficientemente Seguro como para Separarse"
Revista Child, Agosto, 1993

Spitz, René
"El Primer Año de Vida del Niño"
Fondo de Cultura Económica, 1ª Edición, 1969, México.

2

El niño en edad de transición
1 a 3 años

2.1 • El niño en edad de transición

¿Qué período abarca la edad de transición?[1]

La edad de transición comprende aproximadamente del año de edad a los dos años y medio o tres, dependiendo de cada niño. Más que una edad cronológica, se refiere a un perfil de desarrollo y a determinadas conductas.

La edad de transición abarca el período que transcurre entre que logra "caminar independiente" (que ocurre más o menos al año dos meses), y la aparición de un lenguaje bien estructurado (entre los dos años y medio y tres).

La entrada y salida de esta edad de transición varía de niño a niño, dependiendo de su madurez.

Con mucha frecuencia, esta edad nos toma por sorpresa.

Ya sabemos cómo cuidar, calmar y relacionarnos con nuestro bebé, y nos sentimos seguros con este conocimiento. Pero de un día para otro el pequeño explota en actividad, emociones e impulsos que no controla; parece de momento otro niño, al que desconocemos.

Vale mucho la pena estar informados acerca del perfil de esta edad, tomar decisiones y acuerdos con respecto a lo que sí se puede y lo que no se puede hacer, prever nuevos peligros y, una vez informados, disfrutarla.

La edad de transición en los pequeños es una edad maravillosa, agotadora, llena de ambivalencias tanto para los cuidadores como para el pequeño mismo.

¿CÓMO ES UN NIÑO EN EDAD DE TRANSICIÓN?

Pennelope Leach lo define como un **pre-adolescente científico**. Preadolescente, porque al igual que en esa edad de cambios del niño a adolescente, el pequeño no sabe si quiere ser bebé o niño grande. A ratos quiere apapachos y contención y a los cinco minutos quiere libertad para explorar. Esta ambivalencia en él genera muchas ambivalencias también en los papás.

Es muy común que aparezca en este período una afición por un osito, una cobija, un chupón, que para ellos simboliza el confort de haber sido bebés y la añoranza de esa etapa, y se refugian en estos objetos simbólicos[2] en momentos difíciles del día, en los que quisieran regresar a ser bebés.

Por otro lado, es un científico en el sentido literal de la palabra. En

1. En inglés existe la palabra *"toddler"* para designar esta edad. En español no tenemos ningún término. La ausencia de un palabra específica denota una ausencia del concepto. Hay familias que consideran al niño en transición como un bebé: hay otras en cambio que lo consideran "niño", especialmente si es el mayor de su casa. Veremos que cuando pasa por la edad de transición no es totalmente ni bebé ni niño, sino que tiene un perfil muy específico.
2. Si existen inquietudes con respecto a estos objetos transicionales se recomienda la lectura del capítulo "El objeto transicional y los niños", en este libro. También se puede consultar la literatura de Berry Brazelton: "El Arte de Escuchar al Niño" y "El Saber del Bebé". El objeto transicional a veces es visto con malos ojos por los padres, sin embargo cumple una función importante en el desarrollo del niño.

el momento en el que se suelta caminando, desecha el miedo a perder el equilibrio y toda su energía la aboca a explorar. Muestra una marcada pasión por descubrir, probar hipótesis, jalar, tirar, sacar.

Piaget[3] asevera que el niño en esta edad "busca y crea novedad". Ya no se conforma con un aprendizaje por azar, sino que ya tiene suficientes imágenes sensoriales que le permiten poner a prueba su ambiente. *¿Qué pasa si jalo el mantel? ¿Cómo suena la taza si la aviento al suelo?*

Aunque es importante marcar límites de conducta, **el niño necesita mucha libertad para tener oportunidad de explorar**, está desarrollando su capacidad de curiosidad y descubrimiento. Se trata de una edad muy trascendente.

Podemos ayudar a adoptar y prolongar esta capacidad para que sus beneficios se conserven también en el futuro, brindándole oportunidades de descubrimiento, permitiéndole jugar con agua, con texturas, con elementos, proporcionándole espacios de exploración y aprendizaje adecuados, o bien, podemos extinguirla, encajonándolo en un ambiente muy pobre y con exceso de restricciones.

El pequeño en edad de transición es una "mente trabajando". A través de su juego y su exploración va creando ideas, conceptos, asociaciones.

Compara tamaños, trata de embonar, apilar, tirar. No hay matemático ni científico en el mundo que no haya pasado por este período exploratorio y de descubrimiento.

El niño le pega al suelo, al agua, a la arena, –dice Leach[4]– y descubre las diferencias. Aprende cosas y aplica su aprendizaje a otras situaciones.

Sus adorables "errores" al hablar, nos revelan que está usando su mente; por lo pronto le dice "gua-gua" a todos los animales. Esto tal

3. Piaget, Jean; *"Seis estudios de Psicología"*
4. Leach, Penelope; *"Your baby and child"*

vez no se lo ha enseñado ningún adulto y, sin embargo, el niño por sí solo lo expresa.

¿Por qué? Porque **agrupa**. En su cabecita, a todos los animales cuadrúpedos peludos, que emiten sonidos, los agrupa en la categoría "gua-gua". Está cometiendo un error, pero de altísima calidad ¿No es cierto? También suele decirle "agua" a todo líquido: a la leche, al jugo, al agua de la tina...

AMBIVALENCIAS Y CONFLICTOS

Ahora bien, este pequeño científico puede resultar agotador.

Normalmente está atravesando por un período de "mamitis", de miedo al extraño, de ansiedad ante la separación[5]. Se desconcierta mucho cuando pierde de vista a su mamá o a su cuidador principal; llora con desconsuelo su partida porque para él nada parece garantizar su regreso.

Para la mamá puede resultar muy cansado atenderlo y tranquilizarlo cada vez. En los momentos más críticos de la mamitis le es hasta imposible ir al baño sola sin que el pequeño suelte el llanto.

Esta dependencia se acompaña también paradójicamente de un rechazo a recibir ayuda y a acatar órdenes. Le decimos "a bañarse" y grita que no; quiere hacer todo solo aun cuando no pueda. Con mucha facilidad estalla en un berrinche.

NEGATIVA A CAMINAR

Con frecuencia, es difícil caminar con el niño en transición de la mano. A la mamá puede parecerle una necedad, porque el niño ya puede caminar. Es muy interesante analizar el origen de esta negativa a caminar de la mano.

---

5. Consultar capítulo 1.7 "Formación del lazo afectivo"

Si nos asomamos al mundo de los chimpancés, veremos que estos animales pasan por procesos muy similares a los de los humanos. Entre las crías de chimpancés se presentan también manifestaciones de mamitis y ansiedad de separación. Cuando la cría y la mamá están en una planicie, la cría juega muy contenta mientras la mamá permanece en un lugar sin moverse. Es como su base o referencia. Pero si la mamá se mueve a otro sitio, la cría corre, se le trepa y se mueven juntas. Otra vez quieta la mamá, vuelve a jugar. En el niño en transición observamos una conducta parecida. No puede caminar si su mamá se le está moviendo de lugar, ya que ella es su punto central de referencia. Es un fenómeno más que de piernas, de orientación en el espacio.

¿Qué hacer al respecto?

La mamá tiene varias alternativas para evitar el berrinche: cargarlo, llevarlo en una carriola o ir a su paso pateando piedritas y distrayéndose con los detalles del camino. Si hay prisa, definitivamente la mejor opción es cargarlo y no pelearse.

Podremos evitar muchos conflictos con el niño en edad de transición, si conocemos a profundidad cómo es, cuál es su conducta normal, qué lo tranquiliza, etc.

MEMORIA CORTA

Un elemento que le da mucha luz a los papás acerca del perfil del niño en transición, es el de su "memoria de corto plazo"[6]. Según Penélope Leach[7], esta memoria es de un minuto, de tal modo que le podemos decir: "no toques el estéreo" y quitará la manita, pero al minuto regresará con renovada energía. La mamá puede interpretar esto como que "le toma la medida", pero realmente lo que ocurre es

---

6. El niño en edad de transición tiene otro tipo de memoria de más largo plazo, con un ingrediente afectivo. Es probable que reconozca la casa de la abuela a dos cuadras de distancia o que siga acordándose de su fiesta meses después. Esta memoria es de largo plazo.
7. Leach, Penelope; *"Babyhood"*

que su memoria tiene un lapso corto. También su autocontrol es muy pobre, se ve dominado por impulsos.

Podemos presenciar escenas como la siguiente. Que se acerca con la manita hacia el estéreo, mirándonos fijamente o hasta diciendo "no, no, no". Esta escena nos revela que está poco a poco interiorizando la orden, y aunque ya sabe que le vamos a decir que "no", su impulso exploratorio es tan intenso y su autocontrol tan pobre, que gana el impulso.

No se trata de maldad ni de maña; es una conducta normal.

Para reforzar la orden (de que el estéreo no se toca), tenemos que ser muy claros, contundentes. El **Dr. Ely Rayek**[8] nos aconseja "usar las piernas"; tomarlo de la manita, establecer contacto visual con él, decirle muy claramente que no y conducirlo a otro lugar adonde no esté expuesto a la tentación. Sin reírnos ni titubear para que sepa que es una regla clara y firme.

No basta hacerlo una vez porque el niño lo va a volver a intentar, pero a base de repetición, haciéndolo "mil quinientas veces", lograremos que lo interiorice. Nuestra claridad y contundencia va a resultar para el pequeñito como una "pared que no se atraviesa".

No hay bebé que insista en pasar a través de una pared, porque el mundo físico da lecciones muy consistentes, en cambio los humanos somos en ocasiones inconsistentes.

Poco a poco, a través de la comunicación verbal, la experiencia, la repetición y la coherencia, el niño va aprendiendo las pequeñas reglas de la casa.

Va aprendiendo qué se puede tocar y qué no, qué pasa si jala el mantel, etc.

Su memoria también va extendiéndose. Al acercarse a los dos años, ya tiene mayor amplitud.

8. El Dr. Ely Rayek en su conferencia "Prácticas de Crianza" impartida a los padres de familia de Proyecto DEI, menciona este concepto.

Es muy conveniente que el papá y la mamá estén de acuerdo con respecto a las reglas que van a establecerse en la casa; deben de ser pocas y claras, considerando el perfil del niño, su natural egocentrismo y bajo autocontrol, para que sean efectivas. No podemos tratarlo como si fuera un niño más grande.

El niño en transición es egocéntrico; no sabe esperar. Es muy exigente e intolerante. Le parece eterno el tiempo que nos tardamos en preparar la comida si tiene hambre, quiere su comida al instante. Esto tiene que ver con su memoria corta.

Los papás podemos ayudarlo a que vaya ejercitando su capacidad de espera. Por ejemplo, si tiene mucha hambre, le podemos describir los pasos para prepararle su comida, al mismo tiempo que lo hacemos: *"Pablo, sé que tienes mucha hambre, fíjate lo que voy a hacer: primero voy a sacar la leche y la voy a servir en tu vasito entrenador. Shhhh* (haciendo el ruido que simula el servir), *después, le ponemos dos cucharadas de chocolate: una y dos, y por último lo revolvemos. Listo, Pablo, a tomar tu chocolate..."*

Esta verbalización, acompañada de gestos y onomatopeyas, y describiendo los pasos en *"primero, después y por último"*, lo van a ayudar mucho a interiorizar la secuencia y a ir ampliando poco a poco el tiempo de espera.

El recurso de la verbalización es muy útil para los momentos en los que quiere hacer todo solo y no puede, por ejemplo: *"Quieres abrir ese frasco y no puedes ¿verdad? Fíjate: da vuelta a la tapa, y suelta, vuelta, suelta (haciendo la mímica) y así lo puedes abrir".*

Su impulso exploratorio, en combinación con su memoria corta, lo orilla a meterse en problemas, sin anticipar el peligro. Los consultorios pediátricos están llenos de niños en esta edad que se bebieron detergentes, se cayeron al treparse a lugares de donde no se podían bajar, se lastimaron porque se les atoró la cabeza en el barandal, etc., etc. No los podemos dejar de vigilar. ¡Y es agotador!

El niño en transición imita todo el tiempo, pero además tiene "sus propias finalidades". Es probable que haya visto a su mamá limpiar la mesa y la imite metiendo la servilleta al chocolate y limpiando con ella la pared. Según él, está haciendo lo mismo que su mamá.

La edad de transición se caracteriza porque además de que el niño se opone a todo, tiene avidez de independencia. Está iniciando un proceso muy sano de individualización. Al mismo tiempo que le da temor separarse de su mamá, se da cuenta de que son personas distintas con intereses diferentes.

OPCIONES

Cuando los pequeños pasan por períodos de mucho negativismo: *"¡No, no, no!"*, es una señal de que se quieren autodefinir. ¡Ánimo, es muy saludable!

En estos casos, es muy útil ofrecerles alternativas que estemos dispuestos a cumplir; que escojan dentro de un margen lógico.

Por ejemplo:

- *¿Con quién te quieres bañar? ¿Con el pato o con los pescaditos?* (No le preguntamos si se quiere bañar)
- *¿Qué quieres comer? ¿Manzana o pera?* (No le preguntamos si prefiere jugar o comer, la respuesta sería obvia)
- *¿Qué ropa te quieres poner, entre estos dos juegos?* (Ponemos sólo dos alternativas lógicas según el clima)

El ejercicio de las opciones le proporciona al niño en transición muchos beneficios. Por un lado, le ayuda a ejercer una buena parte de la fuerza de autodefinición de una manera no conflictiva. El niño siente que tiene control sobre una parte de su vida, lo cual es muy saludable. También evita pleitos, ya que ayuda a que se "gaste" la energía de manera sana. Y poco a poco le vamos permitiendo que viva la experiencia de la elección.

Muchas veces, aun entre personas adultas, vemos que se carece de la capacidad para tomar elecciones. ¿Qué implica tomar una elección?

Una elección implica varias cosas: Primero, el saber qué quiero, segundo, el sacrificar otra alternativa. *Si escojo manzana, no tomo pera.*

Por su corta edad e inmadurez, los niños no saben elegir. Es probable que escojan manzana y se sientan infelices porque más bien querían pera. ¿Qué hacer? Una vez que elijan manzana, desaparecemos de su vista la pera, y lo ayudamos a disfrutar su elección. Nosotros podemos hacer que vivan la experiencia y que poco a poco vayan ejercitando su capacidad de elección.

Habrá elecciones que los dejen muy descontentos como *¿Qué quieres chocolate o pastel? ¿Con quién te vas, con la abuela o con papá?* Situaciones que los tensan porque desearían poder tener al mismo tiempo las dos opciones, por eso es mejor evitarlas. No hay aprendizaje y sí hay angustia. Poco a poco, a medida que vayan madurando, serán capaces de tomar estas decisiones y otras más adecuadas a su edad.

PASIÓN POR EL ORDEN. INCAPACIDAD PARA GUARDAR UN TIRADERO

El niño en edad de transición está pasando por un período sensible al orden[9]. El orden de su entorno le da seguridad; en él deposita su confianza, al mismo tiempo que en los cuidadores principales. No le gustan los cambios en el aspecto de su cuarto o de su casa. Se puede llegar a angustiar si de momento movemos los muebles de lugar o si nos cambiamos de casa.

Esta pasión por el orden puede ser aprovechada para organizar su cuarto. Podemos poner sus juguetes (pocos) a su altura, con etiquetas gráficas a fin de que sepa que ahí van, y realizar una rutina de alzar al acabar de jugar.

"A alzar, a alzar, las pelotas en su lugar..."

Esta pasión por el orden es pasajera; si la desaprovechamos, luego será más difícil que adquiera ese hábito.

---

9. Montessori, Maria; *"El niño. El secreto de la infancia"*

A pesar de que les gusta el orden, cuando hay un gran tiradero de juguetes no tienen la capacidad de alzarlo; no sabrían por dónde empezar. En estos casos, los podemos ayudar iniciando nosotros y dejando que ellos pongan la última pelota o el último cochecito, por ejemplo.

CALIFICATIVOS "NIÑO MALO"

En esta edad, (y en general durante la crianza) es importante evitar calificativos como: *"malo, tonto, cochino, pingo, imposible, inquietísimo, hiperactivo, grosero, tremendo, etc., etc"*. Son palabras que podemos tener en la punta de la lengua, porque para nosotros esos calificativos definen lo que estamos presenciando en los pequeños.

No se nos debe olvidar que el niño no sabe quién es, cómo es, si es o no valioso o digno de cariño. Su autoimagen se está conformando a partir de cómo lo vemos y de cómo lo calificamos. Sin querer, encasillamos a los niños hasta el punto en el que llegan a actuar conforme a sus calificativos. *"Tengo que ser tremendo, si no, no soy nadie"*. Por eso es muy importante evitar todo calificativo negativo.

CUANDO LOS NIÑOS GOLPEAN

Una conducta muy frecuente entre los niños de esta edad es el golpe; se acercan a otro pequeñito y lo tratan como objeto: *"le pego y suena"*. En lugar de decirle: *"Eres un grosero"*, hay que decirle: *"No se pega a los niños porque duele"*; es decir, calificar el acto y no al niño.

Cuando un niño golpea a otro, es importante retirarlo del lugar de juego. El mensaje es: *"Pierdes el derecho a estar jugando en grupo. Cuando te aguantes las ganas de pegar, podrás regresar"*.

Además podemos "castigar" unos segundos la manita; detenérsela unos momentos sin lastimarlo. Así, el niño se sensibiliza a las consecuencias del impulso de esa mano, va interiorizando que perdió el derecho a estar jugando en el grupo de niños, como resultado de su acción. Esta reacción es de mucha más calidad que el golpe, el manazo o el grito.

Cuando el niño pega o se está portando mal, hay que evitar decirle "*¿por qué lo hiciste?*" Realmente no sabe; le "ganaron las ganas". Es inútil hacerle esa pregunta y en el fondo la contestación no nos va a gustar: *"Porque quise"*. Es mejor describir lo que vemos: "*Esto estuvo mal, porque duele.*"

A veces el golpe sí tiene una carga agresiva[10]. Después del recurso de separarlos y castigar la manita, se puede sugerir, **sin forzar**, una enmienda; si ya se serenó el niño, se le puede sugerir un *"tu amigo está triste, pídele perdón"*. Sin embargo es importante que no atropellemos a los niños en sus sentimientos. En ocasiones las mamás les exigen que "den un beso" o "hagan un cariño", cuando ellos siguen furiosos. Esta orden va en contra de lo que el niño siente.

Si los percibimos muy enojados, es mejor separarlos y esperar a que se serenen. Hasta después podemos sugerir la enmienda, y proponerla como algo voluntario, no obligado.

EL GOLPE A LOS PAPÁS

Otro tema frecuente de preocupación es el golpe a los papás. Los niños en edad de transición, como parte de su pérdida de control, en ocasiones le pegan, rasguñan o muerden a sus papás.

Quizá pensamos que no importa porque está chiquito y al cabo somos sus papás, pero no es así; **es muy importante limitar el golpe a los papás**.

Un pequeñito que golpea a sus papás, en el fondo se siente muy atemorizado, porque su razonamiento es el siguiente: *Ellos son mi seguridad, son quienes me cuidan y yo los puedo agredir, yo gano con el golpe; estoy en problemas; ¿ahora quién me cuida a mí?*

---

10. Ver el capítulo "La agresión en los niños"; *"Ayudando a crecer"*, vol. 2.

Por su propia seguridad, hay que limitar el golpe a los papás. *"A mamá no le pegas"*, castigando la manita.

Cuando el niño golpea a sus cuidadores, generalmente hay un sentimiento no manifiesto detrás de la conducta. Vale la pena descubrirlo, analizarlo: *"Estás muy enojado ¿verdad?, porque..."*

La combinación entre inhibir la agresión física al cuidador, junto con el reconocimiento del sentimiento que llevó al niño a agredir, le brinda muchas herramientas de autocontrol y una noción de sus propios sentimientos.

Es importante hacer las dos cosas:

Limitar el golpe y reconocer el sentimiento.

ALTERNATIVAS INOFENSIVAS. UN SÍ DE CADA NO

El buen humor, la creatividad y el ingenio de los padres aportan cosas positivas.

- El niño insiste en jugar con un cuchillo ¿Por qué no darle un cuchillo de plástico que sea inofensivo? Podemos decirle: *"con éste no porque es peligroso, pero éste sí puedes usarlo"*.
- Si insiste en pintar la pared porque le gustan los movimientos amplios del brazo en una pared, podemos pegar en el patio un gran papel y dejar que lo pinte. *"En la pared no, pero en el papel sí"*.
- Si se acercan a un niño con la mano lista para pegarle, le podemos decir: *"Así no, porque duele, mira, así sí, hazle un cariño y dile ¡Hola Paula!"*.

Si está dentro de nuestras posibilidades buscar una salida positiva al impulso, ello va a redundar en una mayor armonía. El impulso conlleva una gran cantidad de energía que busca salida. Hagamos lo posible por que se gaste de manera no conflictiva. No siempre es posible ofrecer una alternativa, y el niño tendrá que entender que hay momentos y lugares en los que sí se pueden hacer ciertas cosas y otros en los que no.

APLAUDIR SUS LOGROS

Un pequeñito de esta edad conquista logros día con día: aprende nuevas palabras, va adquiriendo más habilidad para manejar los objetos, para moverse.

Penélope Leach aconseja aplaudir los logros. Si consigue bajar las escaleras para atrás (que por cierto hay que enseñarle), le podemos dar un cariñoso aplauso. Así, se va a dar cuenta de que en casa se le reconoce cuando consigue un logro y que no todo es *¡No hagas, no toques!*, etc.

QUITARLE CARGA A LOS "NOS"

Para un pequeñito(a) en edad de transición, todo parece ser *"No"*. Se vuelve una constante en el ambiente, y redunda en una enorme carga negativa.

Ahora bien, el **no**, puede también utilizarse como juego y como incentivo para el desarrollo de la lógica. Por ejemplo podemos jugar a que nos ponemos sus zapatos; nos va a mirar con azoro porque ya sabe que eso no corresponde. Jugando podemos decir *"Ahí no van ¿verdad, Natalia?"* O bien nos peinamos con el zapato. Esto convierte al NO en un juego, divierte a los niños y estimula su desarrollo lógico.

¿Tú tienes plumas como el pájaro?

¿El perro tiene plumas?

Estos juegos le ayudan a formar grupos o categorías mentales: "Sí tiene, No tiene..."

EL APRENDIZAJE OPERANTE Y LA DESINCENTIVACIÓN GRADUAL

La lógica del aprendizaje operante, muy frecuente en los niños en edad de transición, es muy simple: *Si me funciona, la adopto como conducta.*

Los adultos también tenemos algunas conductas operantes. Si nos funciona un camino hacia la oficina, esquivando semáforos, lo adoptamos... hasta el día en que nos embotellamos porque resulta una calle elegida para las manifestaciones. En ese momento empezamos a probar otros caminos. Decidimos inhibir la conducta.

En los niños hay conductas como llorar por todo, gritar, hacerse los desentendidos, despertarse en la noche y pasarse a la cama de los papás, los berrinches mismos; conductas que les funcionan y por lo tanto las repiten.

En el caso de la mordida, hay un ingrediente operante: "funciona". Cuando un niño muerde a otro, siente rico: el niño atacado llora, las mamás se agitan. Es un show muy apetecible. *"Hay que conservar el espectáculo y sigo mordiendo".*

Esto es muy frecuente en la crianza. En ocasiones los papás no nos damos cuenta de estas conductas que funcionan, pero los observadores cercanos sí.

Algo maravilloso de la conducta de los niños es que es moldeable. No hay "desahuciados sociales" de pequeñitos. Podemos, con voluntad y determinación, echar marcha atrás y provocar que no les funcione más la conducta inadecuada. Naturalmente el niño se va a resistir, porque no le gustará perder los privilegios que tenía.

Es importante llegar a acuerdos entre los adultos cuidadores, para que la conducta no le funcione más. Cada pareja de papás podemos analizar el caso específico y ver:

- **¿Qué ha ganado?**
- **¿Durante cuánto tiempo?**
- **¿Cómo podemos ir desvaneciendo la conducta?**

El plazo para desvanecer la conducta tiene que ser proporcional al tiempo que lleva de establecida. Por ejemplo, es diferente un pequeñito que estuvo enfermo y ya se alivió, pero se quedó muy llorón (porque aprendió a que llorando se le atendía), a un niño que lleva años ganando las batallas a base de berrinches. En el primer caso, la estrategia va a ser más sencilla y breve, en el segundo va a ser más elaborada y tomará más tiempo.

El mensaje es: *Te queremos mucho, pero así ya no vas a lograr nada.*

Y con mucha firmeza y afecto, cambiamos de actitud. **Sin dar marcha atrás.**

Nos fijamos una meta en el tiempo y trabajamos hacia ella.

Si pedía todo llorando, le decimos que así no, y le hacemos caso una vez que se serene. La conducta no desaparecerá de un día para otro; en ocasiones ya es un hábito de relación y le tenemos que dar tiempo para que se desvanezca.

LOS BERRINCHES

En esta edad aparecen y suelen ser recurrentes los tan temidos berrinches.

Esta conducta angustia mucho a los papás, los deja desconcertados y sin estrategias.

Los berrinches son muy frecuentes en los niños en edad de transición porque es una etapa llena de frustraciones.

Vamos a analizar dos enfoques que se complementan y nos dan una idea de su naturaleza y manejo.

El primero, es el de **María Montessori**, quien ve el origen de los berrinches en la incapacidad del adulto para comprender los intereses y los tiempos de los pequeños de esta edad. El adulto suele atropellar la investigación y la exploración del niño, quien en su desesperación suelta un berrinche. Puede estar interesado, como todo un científico, en jugar con agua, con lodo, con arena, en vaciar cacharritos, en meter pajillas en los orificios. Y el adulto, sin respeto a este interés, interrumpe la actividad y "se lo lleva". El niño no tiene recursos verbales como para decir: *"Mamá, estoy interesado en esta actividad, espérame un poco a que termine"*. Se frustra y se emberrincha.

María Montessori nos invita a observar, respetar y dar tiempo. Si vemos que el niño está muy interesado en una actividad, sería bueno concederle tiempo: *"Pablo, pronto nos vamos a ir, cuando suene la alarma vamos a tener que recoger. Ve diciéndole adiós a las pajillas"*. Es probable que Pablo de todas maneras se enoje, sin embargo, nuestra actitud es más respetuosa. No lo movemos como pieza de ajedrez inerte, sino que lo respetamos. Y poco a poco va a saber que le avisamos y aprenderá a hacer los ajustes para anticipar y colaborar.

No se trata de ser esclavos de los pequeños, sino de tener una actitud de respeto y de evitar el atropello.

Otra pasión que tienen en esta edad, son los objetos pequeñitos; les fascinan. Este interés suele entrar en conflicto con los adultos, porque se comen hormigas, cochinillas o cosas peligrosas. Cuando los atropellamos en este juego, también se desesperan. Vale la pena darles cosas pequeñas no peligrosas como chochitos, migajas, comida cocida muy picadita.

Los intereses de exploración se pueden "gastar" o satisfacer de manera que no sean conflictivos para la relación padre/madre-hijo (a).

Muchas veces el niño tiene un interés y nosotros queremos imponer otra cosa.

Por ejemplo, hemos preparado una actividad para jugar con espuma en el espejo pero Sofía quiere echarse de panza y rodar. Su mamá le dice: "*Sofía ¿quieres rodar?, te ayudo*". Cuando queda satisfecha su iniciativa, Sofía irá con gusto al espejo. Si la mamá de Sofía la hubiera obligado a la otra actividad, la escena habría terminado en un berrinche.

Los niños necesitan completar, dar cierre a sus actividades para dejar satisfechas sus iniciativas

Penelope Leach redondea el fenómeno de los berrinches con su siguiente explicación: El niño en esta edad quiere hacer mucho más de lo que puede y va acumulando frustración. Quisiera trepar, comunicarse, imitar todas las conductas de los adultos o de los hermanos mayores pero no puede. Va, así, acumulando frustración, y como tiene poco autocontrol, llega el momento en que explota.

Los berrinches se van extinguiendo a medida que el niño crece, por varias razones:

- Intenta hacer cosas más apropiadas a lo que es capaz de hacer.
- Dispone del recurso verbal para expresar lo que siente[II].

Ahora bien, si los berrinches funcionan, pueden instalarse como conducta recurrente.

Por eso es muy importante que el berrinche no le funcione, que el niño no logre el objetivo del berrinche, porque en tal caso éste se prolongará y puede permanecer como conducta hasta edades avanzadas.

¿Qué hacer?

Un niño que explota en un berrinche, ha perdido el control de sí mismo y no reconoce qué le pasa; lo domina la explosión, se desorganiza y pierde el punto de referencia. No está consciente durante el berrinche de lo que le está pasando. Es inútil regañarlo, pegarle, gritarle, porque su ansiedad y descontrol van a incrementarse aún más.

Lo recomendable es contenerlo, como diciendo si tú no puedes controlarte, yo te ayudo por el momento. Se le puede abrazar con firmeza para que no se golpee, hasta que el berrinche ceda. Hay pequeños que no toleran esto, que al contenerlos físicamente se desesperan más; en estos casos hay que quitar cosas de su alrededor con las que puedan lastimarse y dejar que pase la crisis; sin hacer contacto visual, sólo esperando a que ceda, a su lado.

En ocasiones, nos parece que la salida más fácil es darles lo que quieren. Si se emberrinchan en el súper porque quieren un dulce, cuando estamos al inicio de las compras y hay testigos oculares incómodos, creemos que es mucho más sencillo darles el dulce y calmarlos de esa manera, pero estamos cayendo en su juego. Como ve que el berrinche funciona, en la siguiente ocasión va a hacer uno mucho más espectacular.

II. Un niño de tres, cuatro, cinco años, va haciendo cada vez menos berrinches. Puede haber un día fatal, con muchísima frustración y que lo deje expuesto a la explosión. Pero será un día esporádico. Cuando vemos a un niño preescolar, escolar (o mayor) que hace berrinches, muy probablemente es que le funcionaron en esta etapa de transición y se instalaron.

Vale la pena resistir los momentos más incómodos: en casa de la suegra, en el restaurante elegante, con amigos que juzgan. *"Disculpe las molestias, estoy educando"* tendría que ser la frase que lleváramos en la frente los padres de pequeños en transición. Incluso en estos casos incómodos, debemos evitar que el niño obtenga ganancias con el berrinche. La mejor opción es retirarnos con él hasta que se serene y entienda que ese no es el modo para conseguir lo que quiere.

Implica sacrificio, pero es una inversión. Una vez que actuemos con mucha contundencia ante el berrinche, que le quede claro que así no logra sus objetivos, que se le grabe el mensaje: así no logra nada.[12]

Tiempo de elaboración del berrinche

Una vez que haya pasado, es recomendable comentarlo con él. *"Estabas muy enojado ¿verdad?..."*

Le podemos dar un tiempo a que se serene y vaya recuperando el control. Cargarlos después del berrinche y platicar, no significa que les haya funcionado, más bien es un reconocimiento de lo desconcertados que estuvieron y un apoyo para reforzar su serenidad.

---

12. Hay berrinches "de colores" blanco, morado... En algunos casos, el niño se priva, se desmaya, deja de respirar. Si esto sucede, hay que informárselo al pediatra. Sin embargo, la actitud materna que se recomienda es la misma: que no le funcione.
Es natural que sea mucho más difícil porque genera mucha ansiedad en los papás ver que el niño se priva. El equipo de sobrevivencia del niño no le va a permitir prolongar mucho este estado. Reaccionan solos si no hacemos contacto ocular y lo dejamos pasar.
Es comprensible que los papás necesiten hacer algo para calmar la ansiedad. Hay algunos recursos de los que pueden echar mano:
- Meter las yemas de los dedos en agua fría y sin mirar a los ojos, echarle unas gotas en la cara.
- Soplarles en la cara.
- Cargarlos y soltarlos repentinamente para volverlos a recuperar.

Hay que preguntarle al pediatra la estrategia que le parezca más indicada y seguir la que nos dé confianza y nos parezca razonable.
Aunque se ponga verde, blanco o morado, no debe de obtener el dulce que quería. Estos casos son los más delicados porque obtienen más beneficios de su alrededor debido al desconcierto que provocan. Otros berrinches extremos, son los de vomitar para llamar la atención.
El mensaje debe ser exactamente el mismo: *"Así no logras nada".*

MEDICINA PREVENTIVA PARA BERRINCHES:

- **Reconocimiento de sentimientos. Salidas para el enojo.**
- **Evitar atropellos. Pausas.**
- **Apapachos**
- **Avisos**
- **Consideración del temperamento del niño.**

El niño en edad de transición se beneficia mucho de que los papás reconozcamos sus sentimientos y le sirvamos de espejo. Todavía no tiene elementos para verbalizar: *"Estoy muy enojado porque no puedo armar el rompecabezas"*. Pero si de manera cotidiana los sentimientos son un tema de conversación, y con empatía tratamos de verbalizar lo que vemos, el pequeño va aprendiendo a dar nombre, a reconocer y, lo más importante, a darse cuenta de que en la casa es válido sentir; no hay que bloquearlos, que se puedan expresar.

Esta recomendación suena sensata y fácil, pero en realidad es sumamente difícil de llevar a cabo, porque los papás no tenemos esta formación. En generaciones anteriores se negaban los sentimientos: *No llores, aguántate, no te enojes.*

Los papás nos sentimos amenazados por las manifestaciones de enojo, frustración, miedo y descontrol. A veces hay un sentimiento de culpa y el temor de que la crianza va por mal camino cuando vemos a los niños tristes o enojados, siendo que los sentimientos son humanos y vitales para la sobrevivencia[13].

Es común decirles: *"Hazle un cariñito al perro, está lindo y no te hace nada"*.

Si el niño es retraído y miedoso, una mejor aproximación sería

13. Es muy recomendable la lectura del libro: *"Cómo hablar para que los niños escuchen y cómo escuchar para que los niños hablen"* Faber y Mazlish Ed. Edamex. Este libro se basa en la filosofía de Ginnot. Es sencillo, claro y permite a los papás entender la importancia de los sentimientos en la crianza. Aunque su aplicación más directa es con niños grandes, hay algunos consejos para niños en transición.

leer en su actitud que tiene temor y decirle: *"No te dan ganas de hacerle un cariño al perrito. ¿verdad? pero qué tal que lo tocas con este dedo, yo te acompaño de la mano..."* [14].

Hay muchas ocasiones en las que podemos hablar de sentimientos[16].

En los cuentos, por ejemplo: *"Está muy contento el oso"*, *"El conejo se enojó"*.

Observando escenas de otros niños: *"¿Te fijas? Ese niño está triste ¿qué le habrá pasado?"*

Mostrándole fotos: *"¿Cómo está este niño de la foto? ¿alegre o triste?"*

Podemos hacer una especie de lotería de sentimientos con fotos de revistas o con fotos del propio niño, mostrando distintos sentimientos.

Nosotros, como adultos, también tenemos que hacer un esfuerzo por verbalizar y demostrar nuestros propios sentimientos. Esto va a ayudarnos a reconocer muchas emociones y a respetar las de los niños, así como a que vean que en la casa tienen libertad para expresarse.

En ocasiones estamos enojados y lo demostramos con nuestra voz, nuestra postura corporal y nuestra actitud pero lo negamos verbalmente: *"¡no estoy enojada!"* gritamos.

El niño se desconcierta porque es muy sensible a nuestras manifestaciones corporales, y lo que ve no concuerda con lo que escucha.

---

14. En este período suelen presentar miedos y fobias a payasos, perros, y hasta a objetos. No vale la pena obligarlos a aceptarlos. Irónicamente un papá que obliga al niño a enfrentar su motivo del miedo, por ejemplo, que lo acerca demasiado al perro y le impone que le haga un cariño, hace que el miedo eche raíces y se instale.
Si el miedo es a algo intrascendente, lo podemos dejar pasar y evitar el contacto, si al contrario, el miedo es hacia algo a lo que la familia va a estar expuesta, lo podemos ayudar a que lo vaya superando.
Vamos a suponer que hay una fiesta familiar cada ocho días con payasos y que el pequeñito está asustadísimo con ellos. Podemos usar diferentes recursos como fotos de payasos que les "regalan" un dulce, jugar a hacer la voz y la risa del payaso lejos de él, y así poco a poco vamos desamarrando el miedo. Quizá no sea el mejor de los ejemplos, pero nos da una idea de cómo trabajar los miedos. Se puede consultar el capítulo "Miedos y temores en el bebé y en el preescolar".

16. Daniel Goleman señala el reconocimiento de los sentimientos, así como la expresión, como un elemento de la Inteligencia Emocional. La expresión de sentimientos se inculca desde la cuna, y la edad de transición es un momento privilegiado para ello.

Cuando vemos venir un berrinche. Salida alternativa del enojo. Cada quién conoce a su niño o niña y percibe cuándo está acumulando ansiedad, y puede anticipar cuándo es muy probable que termine en un berrinche descontrolado. Muchas veces éste puede diluirse, si reconocemos el sentimiento y le ayudamos a darle otra salida. Esta escena es real:

> *José se estaba enojando mucho, estaba jugando con unos eslabones en forma de estrella, y como le costaba zafarlos estaba a punto del berrinche. Le dijimos: "José, estás enojado, qué tal si haces ¡aughhh¡ cada vez que zafas uno, así como yo..." José me miró atentamente y lo hizo como sugerimos. Cada vez que zafaba un eslabón, ponía carita de furia y gritaba ¡aughhh¡ Esto evitó el berrinche.*

De acuerdo con el temperamento del pequeño (y de nosotros mismos), le podemos ofrecer salidas **físicas** alternativas: *"Apriétame duro, duro la mano", "Vamos a dibujar los enojos con rayones fuertes, fuertes".*

El mensaje es: *"Se vale estar enojado, asustado, triste, pero no se vale lastimarte, lastimar a los otros, ni destruir cosas..."*

EVITAR EL ATROPELLO. DAR TIEMPO, APROVECHAR LA PAUSA

El niño en edad de transición tiene su propio programa de actividad y de exploración. En muchas ocasiones el adulto atropella esa actividad, y sin razón justa o aparente pretende que la suspenda. Es recomendable, cuando vemos al niño jugar, imaginarnos un ciclo con un inicio, un clímax y un cierre, y permitir, o bien ayudar, a que se cumpla todo el ciclo. En el juego, el niño tiene una idea y un programa personal; es mejor observar, facilitar y acompañarlo, que estar todo el tiempo proponiéndole juegos.

Cuando le presentamos un material didáctico o juguete, es recomendable dejarlo durante un par de minutos que realice una exploración totalmente libre, e intervenir hasta después.

Kenneth Kaye filmó a muchas mamás con sus bebés, que tenían un juguete llamativo frente a un acrílico. El pequeño tenía que rodear el acrílico para obtener el juguete. Las mamás más exitosas en la retroalimentación fueron las que **dejaron al niño equivocarse**, lo dejaron probar; los niños experimentaron el resultado del error, y cuando trataban de hacer un reajuste a su estrategia (**pausa**), volteando a ver a su mamá o interrumpiendo momentáneamente el intento, la mamá intervenía. No antes ni después.

El adulto es un facilitador del aprendizaje, no tanto un maestro que enseña un programa.

La pausa en la crianza es muy importante, no sólo ahora en la etapa de transición, sino durante toda la niñez y adolescencia.

El niño planea, juega, analiza, generaliza sus conocimientos. A los adultos nos corresponde observar, ampliar la experiencia, contener, retroalimentar, graduar la dificultad y proporcionarle un ambiente estructurado y cálido[15].

El niño en transición tiene una mente brillante, fresca y maravillosa. Es mucho más divertido y estimulante observarlo que imponerle un programa. Hay que aprender a leer sus intenciones.

Con frecuencia se presentan acciones curiosas que escapan a nuestra comprensión, pero que si las analizamos tienen mucho sentido, y lo que parecería un error, en el fondo tiene lógica.

María insistía en clasificar los círculos azules en el grupo de los círculos rojos y los rojos en los espacios azules. Su mamá se empezó a enojar diciéndole: "Está mal, ahí no van", pero María ignoraba a su mamá; lo que ella quería simplemente era imitar la conducta de colocar círculos en

15. Nociones del Método *High Scope*.

un espacio en donde había otros círculos, y le parecía mucho más bonito el contraste. Todavía no le hacía sentido la clasificación por colores; ella estaba en una etapa previa, preclasificatoria. Sí tenía la noción de poner los círculos en un lugar que los contuviera junto con otros círculos pero, le gustaba el contraste y no le interesaba empatar el color.

Si la mamá de María hubiera apreciado la etapa en la que estaba su hija, sin pretender que hiciera las cosas al modo como las veía ella como adulto, disfrutaría mucho más de la actividad y del pensamiento de su pequeña. Podría decir: "Muy bien, pusiste los círculos juntos y ahí se ven muy bonitos" (por el contraste). Qué tal si ahora ponemos juntos todos los azules" (En vez de "está mal").

Esta actitud de observación, de respeto y de facilitar la conclusión de las actividades, permite que exista mayor comunicación con el pequeñito o pequeñita, y que haya menor proclividad a los berrinches porque el niño se siente comprendido.

EL APAPACHO Y LA COMPAÑÍA INCONDICIONAL RESANAN LA RELACIÓN

Hay días muy difíciles, llenos de ambivalencias y de dudas en la crianza.

Si revisamos el día y hubo algún pleito con el chiquito o la chiquita, que provocó desgaste, incomprensión y atropello, lo mejor que podemos hacer es tenernos paciencia como papás, "perdonarnos" y hacer propósitos para el día siguiente. Una acción que siempre da resultado es destinar un buen rato al apapacho, a la cercanía física y a la compañía incondicional; un rato que puede ser media hora o una hora, y dedicárselo como si se tratara de una cita muy importante (descolgando el teléfono para evitar interrupciones). En esa cita vamos a jugar, a echarnos de panza al suelo, a compartir un rato divertido. **Que no sea un tiempo didáctico sino cálido.** Estos momentos resanan la relación, nos suministran gasolina como papás, y le ayudan al pequeño o a la pequeña a sentirse querido, aceptado y a tolerar límites en los momentos en los que son necesarios.

LOS AVISOS Y LAS SECUENCIAS

Un niño en edad de transición puede evolucionar en su idea del tiempo a base de secuencias; aprenderá a predecir su rutina y a saber que no es abandonado, cuando le avisamos acerca de los cambios y le concedemos tiempo suficiente para el ajuste.

Una actividad que recomiendo ampliamente es la secuencia de imágenes que representan acciones. Podemos sacar fotos del niño o de la niña realizando diferentes actividades: comiendo, durmiendo, jugando en el jardín, leyendo un libro, entretenido con juguetes, en compañía del abuelo, etc.

Estas fotografías tienen usos muy útiles y diversos.

1) El niño puede elegir a qué quiere jugar, señalando la foto. Pablo: "*¿Quieres ir al jardín o leer un libro?*" Y mostramos un par de fotografías que representan las actividades.

2) También puede explicarse una secuencia de actividades. *"Mira, Pablo: primero vamos al jardín, luego te bañas 'al agua patos', luego cenas tu leche y por último te vas a la cama"*. Y mostramos una secuencia de fotos que representan las actividades que va a hacer a continuación.

3) Otro uso muy recomendado es mostrarles la secuencia de fotos para cuando los vamos a dejar por un tiempo con cuidadores sustitutos.

La rutina se vuelve predecible; los niños se portan mejor, acceden a los cambios y se ajustan.

De alguna manera, los avisos acompañados de fotografías o de mímica o títeres se convierten en un vehículo de comunicación y evitan frustraciones en la relación.

CONSIDERACIÓN SOBRE EL TEMPERAMENTO DEL NIÑO

El temperamento de cada niño es una variable innata y hereditaria. Su presencia es análoga a algunas características físicas como el color de ojos o de pelo. Con frecuencia podemos rastrear en la familia a algún pariente cercano con rasgos de un temperamento similar.

El temperamento marca una manera de reaccionar ante los estímulos y una tendencia a mantener ciertas actitudes. El temperamento es, en primera instancia, el responsable del nivel de sociabilidad, de irritabilidad, de adaptación a los cambios, etc., de cada persona.

Hay pequeños cuyo temperamento les ayuda a convivir, en cambio hay otros con temperamentos más difíciles: irritables, resistentes al cambio, con tendencias a horarios irregulares, malhumorados, etc.

Es frecuente que un niño con temperamento sensible provoque más ambivalencias en sus cuidadores, porque aparentemente su manera de comportarse parece ser el resultado de un mal manejo. No es el caso; el temperamento es una variable de nacimiento que le da color a la crianza. Si los papás sospechan que tienen un pequeño o pequeña con temperamento difícil vale la pena que lean y se informen sobre los temperamentos y acuerden una estrategia de trato.

Los niños con temperamentos difíciles necesitan que se les eduque con más estructura, pero también con más paciencia y, especialmente, que se les acepte tal como son.

El temperamento puede, mediante una buena estrategia, florecer y evolucionar. Niños tímidos o excesivamente sensibles llegan a ser seres humanos maravillosos, creativos, ingeniosos, observadores[16].

¡Qué importante es esta edad!

---

16. Daniel Goleman en su libro: *"Inteligencia Emocional"* tiene un capítulo especialmente útil para la crianza de niños tímidos. "Temperamento no es destino". Para niños difíciles en general se recomienda el libro del Dr. Turecky *"El niño difícil"*. El doctor tuvo una hija con temperamento difícil y narra la evolución de la chica, que termina en un final feliz y esperanzador.

NECESIDADES EN LA CRIANZA

Un niño necesita, como el alimento, que sus papás:

- **Acepten su perfil**; es decir, tanto su temperamento como la etapa por la que está pasando. Que lo traten y le exijan de acuerdo con su edad.

- **Le brinden afecto incondicional.** Que nunca dude del cariño ni tenga la sensación de que va a ser abandonado. Hay que rodear de afecto tanto a un niño fácil como a uno difícil.
El afecto será el área que rodea, cobija y se adapta al niño de acuerdo con su perfil.

- **Establezcan límites** que lo contengan: coherentes, claros, firmes.

Cuestionario para los papás con niños en transición
Una vez que tu niño o niña se suelte caminando, es muy importante tomar decisiones en pareja para que los límites sean coherentes y predecibles; que tanto el papá como la mamá actúen de manera sincronizada para que el niño sepa a qué atenerse.

Les sugerimos que discutan, analicen y acuerden lo que sigue:

¿Qué se va a permitir que toque el niño o la niña?

¿Qué no se va a permitir que toque?

¿Qué espacios vamos a definir para que explore?

¿Qué reglas habrá a la hora de la comida?

¿Qué reglas habrá a la hora de irse a dormir?

¿Cómo vamos a reaccionar ante un berrinche?

¿Qué medidas de seguridad vamos a tomar en la casa?

¿Cómo vamos a organizar las cosas en su cuarto?

¿Qué reacción vamos a tener cuando pegue?

¿Qué reacción vamos a tener cuando le peguen?

¿Cómo vamos a limitar su conducta?

¿Qué salida le podemos dar a su enojo?

Las reglas y estrategias son dinámicas y deben irse ajustando a medida que los niños van creciendo.

Cada familia, de acuerdo con su estilo, sus valores, su ritmo de vida, definirá esto. No hay fórmulas generales ni recetas. Un niño en transición puede crecer saludable y armónico en un hogar rígido, tanto como en un hogar relajado. Los ingredientes básicos son que haya coherencia y equilibrio. Los papás que tienen un hogar de corte más rígido y que no permiten al pequeño tocar nada de la sala, necesitan acondicionar una zona en la que sí pueda explorar. Los papás de hogares relajados requieren poner límites muy claros de seguridad y delimitar alguna zona en la que el niño no pueda jugar; así aprenderá el significado de un "no" contundente.

En esta estapa, es necesario trabajar:

- El LENGUAJE, con escenas, títeres, canciones, onomatopeyas, movimientos faciales, imágenes, libros y ritmo de lenguaje.
- La MOTRICIDAD GRUESA, buscando que la cabeza mande sobre el cuerpo: con juegos de esquema corporal, rutas, seguimiento de órdenes, reto al equilibrio, trepado, marometas, etc.
- La MOTRICIDAD FINA, favoreciendo la concentración, la habilidad de las dos manitas, la solución de problemas y la planeación a través del juego manual, el seguimiento visual, el uso de instrumentos.
- El ÁREA SENSORIAL, buscando una representación mental de los

sentidos, las secuencias, imágenes, concentración, etc.

• La INTELIGENCIA EMOCIONAL, con ejercicios de secuencias, turnos, capacidad de espera, reconocimiento de sentimientos, tolerancia a la frustración, etc., dentro de un marco de estímulo a las **inteligencias múltiples**, procurando que las mamás reconozcan el perfil de su niño y el modo de aproximación: ya sea musical, verbal, motriz, etc.

BIBLIOGRAFÍA

Berry, Brazelton
"Niños y Padres. Del año a los Tres Años"
Emecé Editores, 1993, Buenos Aires, Argentina.

Corkille Briggs, Dorothy
"Your Child Self Esteem"
Main Street Books, Doubleday, 1975, New York, U.S.A.

France de Bravo, Brandel y Teich, Jessica
"Los Árboles Son el Mejor Juguete"
Editorial Plaza y Janés/Editorial Grijalbo, 2003, México.

Karnes, Merle
"Puericultura, Tú y Tu Pequeña Maravilla"
Ed. Ceac, (3 tomos), 1985, México.

Leach, Penelope
"Su Bebé y Su Niño"
Editorial Argos Vergara, 1985, España.

Lickona, Thomas
"Raising Good Children. From Birth Trough the Teenage Years"
Bantam Books, 1983, New York, U.S.A.

Montessori, María
"El Niño, el Secreto de la Infancia"
Editorial Diana, 1966, México.

Novoa Bodet, José
"Mi Hijo no Quiere Comer"
Editorial Diana, 12ava. Impresión, 1990, México.

Piaget; Jean
"Seis Estudios de Psicología"
Editorial Seix Barral, 3ª edición, 1983, México.

Rayek, Ely
"Prácticas de Crianza"
Conferencia impartida a Proyecto DEI.

Turecki, Stanley y Tonner, Leslie
"El Niño Difícil"
Ediciones Médici, 1ª Reimpresión, 1999, España.

2.2 • El objeto transicional y los niños. (El consuelo que da el osito, la cobija, el dedo, el chupón, la mamila)

El objeto transicional aparece normalmente poco antes de que el niño cumpla el año, y desempeña una función muy importante en el período en el que el pequeño no es bebé ni niño. A esta etapa se le llama "edad de transición".
El objeto transicional es un "algo" amado, que sirve como muleta para enfrentar los momentos difíciles de la vida. Una vez que el niño eligió su objeto, se le debe respetar.
Normalmente, si el hogar invita a crecer, se propicia un ambiente en el cual vale la pena llegar a ser grande. El niño se va preparando para sacrificar el objeto y buscar medios de consuelo más maduros.
Se sugiere que el proceso de dejar el objeto sea paulatino y cuente con la colaboración y el acuerdo del niño, mediante el apoyo del adulto.
Hay algunos objetos que forman hábito y, por lo mismo, resulta más difícil desprenderse de ellos, de manera similar a "dejar el cigarro".
Estos objetos generalmente están vinculados con la succión, como la mamila o el chupón. Si los papás quieren evitar que el niño se aferre a ellos les conviene consultar la información que existe acerca del momento natural del destete.
En general, se recomienda favorecer en el niño objetos que los papás toleren. Cuando el niño ya eligió un objeto y se le arranca, busca sustitutos de consuelo no deseables o puede padecer angustia. Cuando el adulto insiste excesivamente en que se abandone el objeto, es probable que el niño se aferre obsesivamente a él.

¿A QUÉ SE LE LLAMA "OBJETO TRANSICIONAL"?

Se le llama "objeto transicional" a ese "algo" que acompaña a un niño a pasar de ser un bebé de brazos, querido, apapachado, alimentado, a ser un niño independiente. Hay tipos de objetos transicionales tan diversos como el oso, el pañal, la cobija, el chupón, el dedo.

Generalmente se trata de un objeto físico, aunque en algunas ocasiones puede consistir en un hábito, como un canturreo o ronroneo antes de dormirse, al que podríamos definir como intangible, pero el cual cumple una función similar.

En nuestra cultura, ese "objeto" no es visto con buenos ojos. Se le mira como un signo de que el niño está mostrando inseguridad, falta de atención o cariño. A su vez, los papás se sienten amenazados porque asumen que su reputación de "buenos padres" queda en entredicho. *"Mi niño se chupa el dedo; ese es signo de que soy mala educadora"*. Los adultos que rodean al niño prueban distintas estrategias para inhibir el uso del objeto de cariño, pero con frecuencia terminan por provocar lo contrario a lo esperado: que el niño se aferre a él.

T. Berry Brazelton, pediatra norteamericano muy reconocido por su sensibilidad y sabiduría acerca de los niños pequeños y sus necesidades, sostiene una postura muy diferente con respecto a las bondades del objeto de transición y a su carácter normal, no patológico.

Brazelton afirma que tenemos el estigma de un niño desadaptado chupándose el dedo en una esquina, o bien aferrado a su manta, como parte de un cuadro de inseguridad y patología, y eso nos vuelve ciegos a poder valorar la función positiva y normal que puede tener el objeto de transición. Sus narraciones nos ayudan a "limpiar" nuestra actitud y a poder diferenciar los rangos de normalidad, teniendo una noción más clara de cuándo y cómo actuar, así como a identificar qué conductas paternas debemos evitar.

Nos narra lo siguiente:

> *"Cuando fui a visitar a Marc de tres años de edad, lo encontré desdichado y aferrado a su madre; sospeché que tenía dolor de oído. A pesar de que habíamos entablado una amigable relación durante*

la última revisión en mi consultorio, ahora no era el niño plácido que había visto entonces.Cada vez que me acercaba a él o cuando lo miraba, se quejaba con fuerza y se refugiaba en el regazo de su mamá. Me imaginé que la revisión no iba a ser fácil a menos que pudiera ayudarle a superar su recelo. Miré a mi alrededor y encontré un osito de peluche muy sucio y deshilachado; había comenzado a perder su relleno y le faltaba uno de los ojos.

Mientras lo levantaba del suelo, pude ver con el rabillo de mi ojo que Marc me estaba observando atentamente. Comenzó a gritar "¡no, no!", como si este lastimoso juguete fuera una parte de sí mismo a la que me estuviera acercando. Luego de que su madre logró tranquilizarlo, le dije: "Marc: ¿Puedo recoger a tu amigo y traértelo? Se siente tan triste porque estás enfermo que le gustaría aliviarte. ¿Lo quieres sostener?" Marc abrazó al animal con cuidado, y entonces me percaté de que había encontrado el juguete correcto para establecer una comunicación entre nosotros. Mientras su madre lo sostenía, él sujetaba a su osito de juguete para que lo revisara. Primero acerqué mi estetoscopio al osito de peluche, luego lo puse en el pecho de la mamá y por último, con palabras tranquilizadoras, coloqué el estetoscopio sobre el pecho de Marc. Iluminé con mi linterna la garganta del osito y dije "Marc, él no sabe cómo abrir la boca ni sacar la lengua. ¿Por qué no le enseñas tú?" Terminamos la revisión sin una sola lágrima, todo gracias a su querido osito" [1].

En este caso, el oso (o pudo haber sido el chupón, la cobija o el dedo), le permitió a Marc tranquilizarse, organizarse y tolerar una invasión médica; es decir, le sirvió para enfrentar la vida. La presencia del objeto parece más una bendición y un recurso que un problema, como lo ven o lo hemos visto algunos papás.

---

1. Brazelton, Berry; *"Escuchemos al niño"*; Plaza & Janés

¿POR QUÉ APARECE?

Ciclo. Inicio y superación de la necesidad del objeto transicional

El niño en edad de transición, es decir entre el año y los tres años, pasa por un período muy emocionante de descubrimiento, de experimento, de investigación, de análisis. Vive una revolución motriz. Se puede mover a voluntad; ir, venir, investigar. Parece no cansarse nunca.

Su cerebro está generando cientos de nuevas rutas; aprende y descubre, va adoptando los conceptos básicos que formarán parte de su futuro razonamiento.

Sin embargo, no todo es felicidad. Se mete en problemas, se lastima, se encuentra con adultos exhaustos y desesperados y no siempre comprende la razón. En cinco minutos puede gritar ¡No! como diciendo ¡yo solito, no me ayudes! y enseguida perseguir a la mamá con miedo de que se le vaya, aferrándose a su falda.

Experimenta una tormenta afectiva.

Quiere y no puede hacer muchas cosas y aún no puede expresarse. Tiende a hacer berrinches y a desorganizarse, a perder el control. Esta es la historia de todos los días.

El resultado es que no sabe si quiere regresar a ser el bebé cuidado y protegido o el niño grande, independiente.

En medio de esta tormenta, una cobija que le recuerde aquellos tiempos en los que no vivía en conflicto y se sentía seguro, puede reconfortarlo muchísimo y servirle de aliado y como elemento tranquilizador.

Inicio:

Entre los 9 y los 12 meses, el bebé empieza a preferir un "algo" por sobre los demás juguetes u objetos que lo rodean. Día con día ve en este objeto un elemento de consuelo, hasta que nos demuestra claramente su preferencia. Alrededor del año y medio o dos años vamos a notar que busca ese algo con una frecuencia e intensidad proporcional a la dificultad de la etapa por la que pasa. Lo mismo da que sea el chupón, la cobija, el osito o el dedo.

Un pequeño que esté enfermo, cansado, abrumado, va a buscar desesperadamente su consuelo, y el efecto al encontrarlo va a ser el de un alivio paulatino. Cuando lo recupera el niño se refugia, relaja los hombros, suelta los músculos de la cara, regula la respiración y el ritmo cardiaco. Queda listo, organizado y autocontenido para enfrentar una experiencia difícil como ir al doctor, o bien para ir regulando el descenso de actividad y lograr, al fin, conciliar el sueño.

En esta etapa el niño (entre el año y los tres) atraviesa por un período de "mamitis", de ansiedad de separación o miedo al extraño, a quien con frecuencia no ve con buenos ojos.

Pasa de ser muy sociable a una etapa "huraña"; no se va con facilidad con quienes no conoce. A veces llora incluso con adultos conocidos y prefiere francamente irse con su mamá.

La mamá se siente esclava durante las rachas de mamitis porque no puede ausentarse ni un momento sin provocar la angustia del pequeño.

Esto sucede porque por un lado naturalmente el niño ya se encariñó con su mamá. Ya sabe que es de ella de quien recibe cuidado, consuelo, afecto, que de ella depende su seguridad. Y por otro, su mente no es lo suficientemente madura como para predecir con certeza que su mamá regresará. Su idea del espacio y el tiempo es muy pobre y esa incertidumbre le genera angustia.

De muy pequeño, se sentía que era uno con su mamá. Ahora, en esta etapa, descubre que se puede separar físicamente de ella y que no siempre tienen los mismos deseos o ritmos. Se inicia así el sano y doloroso proceso de separación, durante el cual empieza a experimentarse a sí mismo como un ser individual.

De la manera en que supere esta primera crisis de desarrollo, depende mucho su seguridad futura. La mamá o cuidador debe de tomar en cuenta estos aspectos y procurar actuar de manera que no se exacerbe la angustia del niño. En lo posible, ayuda mucho dejarlo con cuidadores que el niño conozca y aunque parezca que no entiende, avisarle de las ausencias. *"Me voy, al rato regreso, te quedas con tu abuelita"*, etc.

Podemos, pues, entender que un niño con crisis de mamitis, expuesto a mucha frustración, que esté enfermo, o acabe de recibir a un hermanito nuevo (que suele llegar cuando el niño está entre los 10 y los 36 meses), requiera de un recurso que lo ayude a contenerse.

Ese recurso suele ser el objeto transicional, que con frecuencia "huele a mamá", huele a algo familiar o lo remonta sensorialmente a aquel paraíso perdido.

El proceso normal es que el niño vaya superando esta etapa de transición. Que día con día sea más capaz de esperar; por ejemplo, de aguardar su turno al subir a la resbaladilla, de saber qué quiere decir: *"mamá se va y al rato regresa"* y, muy especialmente, que vaya siendo capaz de hablar y de encontrar otros medios de expresión, de tal modo que pueda ir dejando consoladores propios de bebés y empiece así a disfrutar de los privilegios de ser un niño grande.

La superación de la necesidad del objeto transicional, se da normalmente entre los 2 y 3 años y medio, dependiendo del proceso del niño.

Por regla general, en aquellos hogares en los que se consiente y procura mucho al niño mientras es bebé, pero cuando crece se le exige, se le regaña y se le deja de abrazar, de tocar, de demostrar físicamente afecto, son aquellos en los que menos lo incentivan a abandonar el objeto transicional. En el interior del niño hay una sensación de *"ni loco lo dejo; es mi último pedacito de placer que encuentro en esta casa."* Por ello es importante revisar nuestros patrones de trato a los niños.

El hogar debe de invitar al niño a crecer. Y ello no implica circunscribirse a la frase *"¡Qué padre que ya eres niño grande!"* sino hay que demostrarlo con actitudes cotidianas en las que se prolongue el afecto, el contacto físico, el disfrutar al niño, aunado a pequeños privilegios como acompañar al papá a arreglar el coche, acostarse un poco más tarde que el bebé, etc. Cada familia tendrá su propio método, pero es importante destacar este punto.

CUANDO SE LE ARRANCA PREMATURAMENTE EL OBJETO TRANSICIONAL

Con frecuencia vemos a adultos que deciden que *ya fue suficiente* chupón, cobija, oso y deciden tirarlos a la basura o simplemente desaparecerlos. Esto sucede generalmente en el momento en el que el oso está hecho un asco, o es un problema acarrear una cobija inmensa y sucia, o nos empieza a doler en el orgullo que el niño traiga chupón. Esto suele ocurrir comúnmente al año o año y medio, cuando sentimos que ha dejado de ser bebé. Pero es justo entonces cuando el arrancarle este objeto resulta más doloroso para el niño.

Lo paradójico es que con frecuencia el niño encuentra un sustituto no deseable. Por ejemplo, si le arrancaron el chupón, puede ser que empiece a comerse las uñas, a morder, o a chuparse el dedo. En caso de no encontrar a la mano un sustituto va a entristecerse y a sufrir, por carecer del recurso de consuelo que tenía.

El hecho de quitarle su objeto transicional al año, año y medio o dos de manera brusca, normalmente no se hace en función de un proceso interno del pequeño, sino en función de la necesidad de los padres, lo cual es un error.

Brazelton aconseja que el proceso sea paulatino y se efectúe bajo convencimiento y persuasión, una vez superada la mamitis, cuando el niño ya habla con soltura, se expresa, y se le puede convencer de que es un niño grande y de que hay ganancias en serlo. Este momento llega alrededor de los tres años. Aunque no es muy conveniente dar recetas por edades porque puede haber niños más maduros que estén listos a los dos años, y otros que no lo estén sino hasta los tres y medio, sí puede servir como referencia para estar alertas. Es probable que su cumpleaños, al llegar a los 3, o la cercanía de la Navidad puedan servir de pretexto para hacer un ritual de desprendimiento y efectuar el intercambio quizá, por otro objeto de cariño.

Posteriormente analizaremos cómo hacer este ritual de desprendimiento y propondremos algunos consejos para su manejo.

TIPOS DE OBJETOS TRANSICIONALES

Hay diferentes tipos de objetos transicionales (o de mañas, hábitos y estrategias) que adoptan los niños para calmarse. A pesar de que en esencia cumplen la misma función, requieren de un análisis diferente porque están sujetos a distintas dinámicas.

Los podemos dividir, a grandes rasgos, en:

a) Los relacionados con la succión (chupón, mamila, dedo).

b) Otros objetos (cobija, oso, pañal) o mañas y hábitos de consuelo.

Al analizar la succión, que implica más aspectos a considerar, iremos entendiendo el proceso de los otros objetos.

La succión

Es muy interesante analizar un poco la succión para facilitar el análisis de los hábitos del chupón y la mamila.

Quizá alguna vez hemos visto tomas intrauterinas en donde se puede apreciar al feto de 5 ó 6 meses de gestación chupándose el dedo. Nadie podría decir que se trata de una criatura malcriada e insegura. A estas alturas, se piensa todo lo contrario. Un bebé en el útero, que es inquieto, que logra atinar a llevarse el dedo a la boca, se tranquiliza, se organiza y contiene, al igual que lo hace un niño más grande. El reflejo de succión, de acuerdo con Brazelton, es muy complejo; involucra muchos músculos faciales y de la cavidad bucal.

Una vez fuera del vientre, implica una coordinación orquestada entre motricidad, respiración y deglución. De este reflejo depende incluso la supervivencia, pues respirar y deglutir son funciones básicas que van más allá de la digestión.

Desafortunadamente, algunos niños no logran madurar bien esta función; es decir, no presentan el reflejo de succión, y su sobrevivencia se ve comprometida. O bien no logran encontrarse la boca con la mano para tranquilizarse. Esto ocurre con bebés hipersensibles, irritables y poco organizados. En estos casos, Brazelton aconseja que la mamá lo ayude a descubrir su mano y a tranquilizarse, para que con el tiempo lo pueda hacer solo. Un padre con una marcada animadversión hacia los "chupadedos" considerará este intento como una locura y, sin embargo, la mamá en cuestión lo encontrará como una bendición.

Esto significa que la succión bien establecida, y el circuito de encontrarse la mano para tranquilizarse, es signo de madurez neurológica y de habilidad para autocontenerse.

Esto no quiere decir que el que se chupa la mano sea organizado, y el que no lo hace no lo sea.

No es válido invertir la ecuación.

Los bebés maduros recurren neurológicamente a distintas estrategias para tranquilizarse: algunos lo hacen a través del sentido de la vista; por ejemplo, hay bebés que si están llorando y les mostramos un objeto llamativo como una pelota roja, harán la lucha por mirarla y poco a poco irán inhibiendo el llanto.

Otros bebés bloquean el exceso de estímulos cuando están irritables; evitan ver colores intensos, desvían la mirada de las tías gritonas, y así se contienen. Es como si bajaran una cortina y ellos solos limitaran la entrada de estímulos que los rebasan.

De esta manera, llegamos a la conclusión de que la estrategia para autorregularse es única y personal. Podemos especular que hay cierta proclividad genética a abocarse a una u otra estrategia. Un bebé que desde el útero se chupa el dedo, es muy probable que tenga bien ensayado el circuito, y nos lo encontremos durante la primera semana de haber nacido con la mano en la boca plácidamente.

Esta proclividad se observa también en lo referente a hábitos o mañas como enredar el pelo, oler la cobija, etc., costumbres que tenían sus padres, y que los hijos repiten sin que jamás hayan visto a sus papás hacerlo.

Podemos afirmar que hay un porcentaje de niños sanos y robustos desde el punto de vista de la madurez neurológica, que se inclinan por la succión, y que este tipo de bebés es muy probable que elijan como objeto transicional algún objeto de succión (dependiendo de lo que tengan a su alrededor).

Momento natural del destete

Resulta interesante y útil analizar los elementos que tenemos a la mano en el "momento natural del destete", porque esto nos permitirá intervenir a tiempo para poner alrededor del bebé objetos transicionales que no se relacionen con la succión, disponibles para que elija alguno.

Según **Penelope Leach**, alrededor de los 9 meses el bebé pasa por un período natural en el que se le puede destetar; es decir, quitar de su alcance toda fuente de succión (léase mamila, pecho, chupón). Al hacerlo en el momento oportuno, el bebé cede a la succión sin sufrir. Es capaz de beber de una taza e inhibir el reflejo de succión; podríamos decir que lo olvida en lo que al objeto se refiere.

Para que el destete se efectúe de la mejor manera posible, tenemos que comenzar desde los 7 meses a ofrecer la taza y a entrenarlo para que se alimente de ella. Al mismo tiempo que vamos disminuyendo y cercando las tomas de succión, vamos aumentando los alimentos que pudieran en un momento dado sustituir a la leche. Para ello requerimos el apoyo del pediatra.

Es posible que surjan dudas y preguntas:

¿De verdad puede dejar la mamila tan pronto?

¿Por qué a los nueve meses?

A ciencia cierta no se sabe aún por qué se presenta este momento ideal para el destete alrededor de los nueve meses, pero hay información intercultural que lo define como no conflictivo.

Hay culturas que destetan al niño mucho antes de los 9 meses, como los indios Yurok en Estados Unidos. Según **Erick Erickson**[2] estos indígenas destetan en cuanto comienza la salida del primer diente. Entre ellos, es muy frecuente la costumbre de masticar tabaco o de morder correas, por ejemplo, como una compensación del tiempo de succión que les faltó. Otro ejemplo contrastante son los Sioux, quienes posponen el destete hasta los tres años o incluso en caso de enfermedad amamantan al niño hasta los ocho años. Entre ellos hay también compensaciones orales, porque ya se generó un hábito.

En cambio cuando se le desteta alrededor de los 9 meses, el proceso es relativamente más suave, se da sin sufrimiento y sin compensaciones orales. Esto nos permite suponer que se trata de un momento oportuno. Vale la pena mencionar que no tiene que ser justo a los 9 meses, sino alrededor de esa edad. Puede ser antes del año, o cuando todavía no se ha creado una asociación ni se ha generado dependencia afectiva del objeto.

Un modo indirecto de saber si el niño está pasando por esta etapa, es cuando **da** o **suelta** un objeto a propósito, aunque él lo haga como un experimento para observar cómo cae. Esto se puede interpretar como una coincidencia neurológica (así como suele coincidir el gateo con el agarre de pinza), o bien, cuando el niño empieza a captar que él y su mamá son personas distintas. Esta conclusión es realmente una mera interpretación.

Ahora bien, la siguiente información puede orientar mucho a los padres de familia.

Por ejemplo:

---

2. Erikson, Erick; *"Childhood and Society"*

Mamilas

Como mencionamos anteriormente, si queremos disminuir el uso de la mamila, hay que ir disminuyendo la exposición del niño a ella, y aumentando el uso del vasito antes de los 9 meses. Así, **entre los 9 y 10 meses desaparecerán las mamilas.**

Ahora bien, **si ya se nos pasó este momento y el niño ya cumplió un año o un año y medio, ya no es justo arrancársela**, salvo que tenga otro objeto preferido y la mamila no sea "su máximo", porque en ese caso, como dijimos, va a haber sufrimiento y se desatarán otras conductas orales no deseables, como comerse las uñas o morder.

Chupón

Es importante que el chupón se use con moderación (si es que se elige en el primer año de vida del niño como tranquilizador). Un bebé va adquiriendo conocimientos a base de meterse las cosas a la boca. Resulta deplorable que un bebé alerta y contento se la pase con un chupón enchufado en la boca; esto inhibe muchísimo su exploración bucal y favorece la probabilidad de que se convierta en hábito.

La recomendación es que el chupón se utilice únicamente cuando el niño esté muy irritable, y necesite un recurso para contenerse (ya que en ese momento de todas maneras no iba a aprender nada de los objetos ni de su entorno), pero es conveniente que el niño descubra cómo ponérselo solo, y no sea la mamá quien administre y "apague" al niño a placer.

Al igual que con la mamila, podemos ir desvaneciendo su necesidad del chupón hasta que a los 9 meses desaparezca, e ir supliendo su función con abrazos y juegos durante el día, y con un ritual agradable para irse a la cama por la noche.

Es importante tratar de que no se asocie el conciliar el sueño con el chupón, porque llegará un momento en el que el niño no se dormirá sin él, que ya haya creado una asociación/condición de sueño. *"Tengo chupón, me hago masaje interno, concilio el sueño; no tengo chupón, no me puedo dormir"* [3] **(Dr. Ferber)**.

En caso de que esta conducta se presente, tenemos que ayudarle a que se desacostumbre, por ejemplo dándole un masaje y poniéndole música.

Al igual que con la mamila, no se vale arrancarle el chupón al año y medio si fuimos nosotros quienes dejamos que se aferrara a él. Habrá entonces que esperar, planear, disuadirlo y convencerlo de que lo deje. Posteriormente mencionaremos algunas sugerencias de cómo hacer esto.

Dedo

La cuestión con chuparse el dedo a diferencia del chupón, es que está "pegado" al niño y se lo puede meter a la boca a voluntad. Está disponible para cuando siente la necesidad. Un bebé que desde muy temprano se descubre la manita, tiene probabilidades de depender de la succión para tranquilizarse y de finalmente elegir el dedo como objeto transicional.

Brazelton no ve con malos ojos al dedo, pareciera preferirlo al chupón, posiblemente por tratarse de un recurso personal que se usa con independencia. De cualquier manera, trataremos de analizar algunas estrategias, aprovechando la información que existe acerca de ese período sensible.

Si vemos que un bebé empieza a mostrar una clara preferencia por el dedo para dormirse, lo que generalmente sucede alrededor de los 5 meses, podemos sustituirlo suavemente, sacarle el dedito, ponerle música tranquila y hacerle un masaje. (La succión es, de hecho, un masaje interno y lo suplimos por un masaje afectuoso externo). Vale la pena mencionar que ello no es garantía de que el niño lo sustituya, y que esto debe hacerse con muchísima delicadeza.

Podemos también elegir de antemano un objeto transicional que sea

---

3. Dr. Ferber, Richard; *"Solve your child's sleep problems"*

más de nuestro agrado; por ejemplo, un animalito que se pueda lavar.

Se espera que la succión se incremente antes del gateo porque el bebé pasa por momentos de cierta tensión. Ya quiere moverse y todavía no tiene la fuerza o habilidad para hacerlo. El favorecer el gateo inhibe el uso del dedo porque la mano está ocupada, con la palma abierta en el suelo.

Alrededor de los 8 ó 9 meses, que es cuando el bebé está a punto de elegir el objeto transicional y el momento natural del destete, hay una coincidencia de desarrollo importante que puede ayudar.

Entretener manitas

El bebé presenta en esta etapa un marcado interés por coger cosas pequeñas y metérselas a la boca. Podemos ofrecerle en su silla de comer chochitos o migajitas para que los tome con la mano y se los lleve a la boca, de modo que la mano esté entretenida y a la vez obtenga una sensación placentera al comerse el chochito.

También en esta etapa existe una pasión por los botes o contenedores. Si le ofrecemos (de uno por uno) distintos botes (de lámina, de plástico, grandes, chicos) y bolsas transparentes o de tela, con sorpresas, le va a gustar explorar y sacar lo que contienen, va a estar muy entretenido.

Otra manera de mantener ocupadas sus manos es el darle objetos grandes como pelotas para que las tome con ambas manos y luego ponerlas a rodar para que el niño las persiga. Esto lo va a tener ocupado y feliz por largos ratos y lo distraerá de chuparse el dedo.

De esta manera, favorecer el gateo y entretener las manos es un recurso que inhibe el uso del dedo y baja la probabilidad de que sea éste el elegido como objeto transicional.

Hay que enfatizar que estos recursos no son una garantía de sustitución, y que la insistencia obsesiva en sacarle el dedo de la boca se convierte en una actitud también obsesiva por parte del niño en no hacerlo. Si éste finalmente se acaba chupando el dedo, sería conveniente dejarlo en paz y, posteriormente, utilizar alguna estrategia más apropiada para niños mayorcitos.

Otros objetos transicionales

Cuando el objeto transicional del niño es un osito ya deteriorado, una cobija vieja, o un objeto no relacionado con la succión, podemos comunicarle que *llegará un día en el que no necesitará de ellos* y poco a poco, cuando vemos que empieza a superar la mamitis, vamos reduciendo el uso o contacto con esos objetos a un periodo y dentro de un espacio determinado de la casa, hasta hacer un ritual de despedida. Brazelton aconseja conseguir un nuevo objeto con el que se encariñe, algo que podamos tolerar y que durante algún tiempo le recuerde el objeto anterior para que asocie los sentimientos positivos con el nuevo objeto y acopie energía para sacrificar el que tenía de bebé. Se pretende que al menos no necesite traerlo consigo todo el tiempo. Para estimularlo a ello hay que manifestarle nuestro orgullo como padres y vivenciar los privilegios de ser grande.

¿Y LOS NIÑOS MAYORES CON HÁBITOS?

Este tema es de sumo interés para los papás de los niños de 4 y 5 años que aún se chupan el dedo o se niegan a dejar la manta o el osito porque en el fondo su preocupación es: *"Mi niño ya pasó la edad de la mamitis y el apego al objeto se ha convertido en un hábito. ¿Que hago?"*

En realidad, podemos considerar que el hábito se inicia pasando el período natural del destete; es decir, a partir de los 12 meses. Un hábito va echando raíces, y mientras más tiempo transcurre, hay mayor dificultad para erradicarlo.

Tenemos que considerar la dificultad que ello representa para el niño. Es como dejar el cigarro, algún vicio, o romper alguna dependencia que hayamos adquirido.

Es de esperar que la familia ya haya recurrido a varias estrategias para inhibir el dedo, el uso del chupón o el apego a la cobija: desde sesiones de convencimiento, chantajes, tableros de estrellas para incentivarlo y que nada haya tenido un resultado afectivo. Hay que interpretar estos intentos como técnicas "quemadas" y probar un nuevo enfoque.

Revisemos los siguientes puntos:

¿En esta casa vale la pena crecer? ¿Fuimos muy consentidores con los bebés y el niño grande perdió cercanía y calor?

¿De quién es el problema? ¿Del niño? ¿De los papás que están proyectando una mala imagen?

¿De quién es la decisión? ¿En manos de quién está?

La verdad es que se trata de una decisión del niño; finalmente el problema es de él. Por supuesto que con la comprensión y el apoyo de los papás, que saben lo difícil que es dejar un hábito.

¿Qué podemos hacer?

1) Transmitirle al niño que el dedo, el chupón, la cobija, son consoladores de bebés y niños chiquitos, que estaremos muy orgullosos de él cuando logre sacrificar estos consoladores y encuentre otros más maduros, como abrazar, platicar, dibujar, etc.

Esto hay que propiciarlo sin hacerlo sentir mal, porque sin duda sabe que chuparse el dedo es de bebés y, sin embargo, siente una gran necesidad y dependencia de él, que no vaya a llegar a pensar que hay algo malo dentro de sí mismo y a sentirse culpable por seguirlo deseando.

Le podemos decir: *"Yo sé que te cuesta trabajo, que se te antoja mucho, no es fácil, pero va a ser muy bueno cuando lo logres"*. Siempre centrándonos en que el problema es del niño, no de nosotros.

2) Ir desvaneciendo su uso. Irlo circunscribiendo a ciertas horas y lugares. Por ejemplo, que no esté permitido andar con el objeto cariñoso por toda la casa ni salir con él a la calle, que sólo pueda tenerlo cuando se va a dormir, cuando esté muy cansado o viendo la tele.

Hay que ir poco a poco: primero el objeto cariñoso no sale a la calle, luego el objeto cariñoso no anda por toda la casa. Paulatinamente.

Si el objeto cariñoso es la mamila, **que no se duerma con ella cuando tiene leche porque se le puede deteriorar la dentadura**; hay que llenarla de agua.

Esto hay que empezarlo a hacer después de que cumpla los 2 años o cuando el niño ya habla y sospechamos que ha superado la mamitis. Siempre hay que vigilar que el niño lo vaya tolerando, que no busque sustitutos, por ejemplo, que no se muerda las uñas o se angustie. Ello sería señal de que todavía necesita de su consolador para tranquilizarse.

Hay una técnica que puede ayudar al niño a desvanecer el uso y la necesidad. Esta consiste en conseguirse otro objeto, por ejemplo un conejo de peluche y ahí colgarle el chupón; ofrecérselo diciendo que va a ser su nuevo amigo. Dejarlo varios días hasta que se note que el niño le empieza a cobrar afecto y entonces desaparecer el chupón o la cobija. De esta manera, el apego al nuevo objeto se va a llevar a cabo con menos dependencia y con mayor aceptación por parte de los papás.

3) Hacer un ritual de desprendimiento.

A veces al niño le ayuda el ritual. Esto puede hacerse, por ejemplo, en ocasión de que cumpla años. Para los niños los cumpleaños son mágicos; literalmente sienten que al soplarle al pastel están creciendo físicamente. Con su consentimiento, en un cumpleaños podemos envolver y regalar el objeto transicional a un bebé cercano, o dejarlo en la noche para que el "duende del crecimiento" lo recoja. Algo así.

Tiene que ser algo que al niño le dé fuerza para aguantarse después y dé sentido a su pérdida. Siempre debe haber algún sustituto, como otro muñequito, así como comprensión y paciencia por parte del adulto para que escuche al niño de 3 años cuando un día esté desolado por la pérdida.

La Navidad también es un buen momento para efectuar rituales de desprendimiento.

4) El dentista.

Con algunos niños funciona que el dentista, como persona ajena, pueda jugar un papel muy importante para persuadirlo; con él no media el involucramiento afectivo que tienen los padres y, por lo mismo, puede resultar más efectivo.

El dentista le puede explicar a un niño mayor de 3 años el problema que le provocará que se chupe el dedo o que siga con el chupón o con la mamila. El mismo puede ser parte del ritual de desprendimiento y recibir en ofrenda el chupón, a cambio de una felicitación orgullosa.

En realidad, las medidas aquí expuestas no son recetas; cada quién conoce a su hijo y sabrá cuál es la mejor técnica y el mensaje adecuado. Lo que es esencial es el afecto, la comprensión ante la dificultad, el apoyo, la consistencia. **No hay que dar marcha atrás pero siempre consolar.** Hay que destacar que vale la pena crecer.

Lo que es muy conveniente es pensar y generar un plan adaptado al estilo de la familia y a la manera de ser del niño; sobre todo, comunicárselo.

Sea el niño de cualquier edad, pequeño o grande, la insistencia incesante de *"no te chupes el dedo"* genera una conducta obsesiva de chupárselo. **No importa la edad, el problema es del niño y la labor de los papás es de facilitadores para erradicar el hábito, no focalizando la atención en él.**

¿Y si el niño ya es muy grande y lo vemos sufrir porque no puede controlar el impulso?

A veces con niños grandes se puede negociar, con su consentimiento, el uso de trampas dentales. *"Esta es una ayuda para que logres dejar de chuparte el dedo. ¿Estás de acuerdo?"*

No importa la edad, el niño necesita de recursos de expresión: hablar.

Que en la casa se escuche la expresión de sentimientos negativos, que son muy humanos y a veces evitamos o reprimimos.

Hay que encontrar otros vehículos de expresión, como el dibujo, el teatro, la construcción, la escenificación.

¿Cuándo preocuparnos?

Cuando el niño ya preescolar manifieste una conducta obsesiva en chuparse el dedo o en encerrarse en el cuarto para confortarse con la cobija, deje de jugar, no socialice y permanezca aislado. En estos casos, su comportamiento puede ser un síntoma de que requiere un tratamiento especial.

Aun en estos casos, **debemos actuar alrededor del dedo, no contra el dedo** para que no se acentúe todavía más el aislarse en su refugio.

Más que la conducta misma, es de preocupar lo que la está provocando.

Habríamos de analizar:

1) *¿Está pasando el niño por alguna crisis? ¿En la casa, con los papás, con los hermanos, en la escuela?*

2) *¿Está recibiendo atención y afecto?*

Habríamos de analizar si en la casa está recibiendo ratos de atención incondicional. A veces estamos aparentemente con él sin realmente estarlo. Debemos acercarnos a él con la misma calidad de atención con la que platicamos con un amigo: estableciendo contacto visual y con una atención concentrada (Norma Alonso). Desde luego no se trata de que esto sea todo el día; eso, por el contrario, les hace mal, sino que durante ratos del día o de la semana, el niño sepa que no contestamos el teléfono ni atendemos otros asuntos sino que estamos con él como en una cita importante.

3) ¿La casa tiene normas claras?

¿El niño tiene una buena rutina de sueño y alimento?. ¿Las reglas son coherentes, sabe a qué atenerse cuando las rompe, se cumplen consecuencias lógicas?

4) ¿El niño tiene oportunidad de expresar lo que siente?

Es probable que necesitemos buscar ayuda profesional
A los papás nos da mucho miedo llegar al punto de requerir una consulta profesional, cuando la verdad es que puede significar una bendición y hasta una solución que alguien ajeno a la familia, con objetividad y buen entrenamiento, ayude al niño a sacar y a expresar lo que le está molestando a tal grado que a su edad mantenga un uso esclavizante del dedo.

La vida de los preescolares no es fácil; es un mito que la infancia es un paraíso.

El niño atraviesa por crisis que lo ayudan a crecer. Le puede angustiar la llegada de un hermanito, la presión que le provoca un hermano mayor, el cambio de maestra, el cambio de escuela o de casa, el que la mamá empiece a trabajar, la ambivalencia que siente hacia su papá, etc. Todos estos son problemas normales del crecimiento pero a veces rebasan la capacidad organizadora del niño para enfrentarlos.

Debemos sobreponernos al prejuicio de solicitar ayuda, no con la finalidad de que el niño deje de chuparse el dedo, sino buscando ayudarlo a superar la crisis que lo ata a esta conducta de uso excesivo del dedo. A fin de cuentas, nos debe de mover su bienestar y felicidad, más que la imagen que proyectamos como padres ante otras personas.

IDEAS PRINCIPALES

- El niño elige un objeto transicional entre los 9 y 12 meses.
- Hay un uso intensivo de este objeto transicional durante la edad de transición, cuando el niño tiene mamitis y no es ni bebé ni niño grande, ya que le ayuda a organizarse y a enfrentar los retos de la vida.
- Asimismo es signo de salud afectiva.
- A veces el objeto es intangible, como un canturreo.

• **Antes del año, podemos:**
a) Pensar en un objeto con el que el niño se encariñe, el cual podamos tolerar, ponérselo a su alcance y fomentar su uso. Una vez que el niño lo haya elegido, hay que respetarlo (estar atentos antes de los 9 meses).
b) Si no queremos que dependa de la succión, aprovechar la información del momento natural del destete.
c) Favorecer el masaje y la música, así como buenos hábitos de sueño sin dependencias de objetos para evitar un hábito futuro.
• **Alrededor de los dos o tres años:**
a) Si queremos cambiar, por ejemplo, la mamila, el chupón o la cobija por otro objeto más maduro, hay que empezar a hablarle al niño de esto. *"Algún día, te va a acompañar el osito a la cama, en lugar de la mamila"*. Y atar el nuevo juguete al chupón o mamila para que se transmita a él lo que siente por el biberón.
b) Debemos de recordar que el sustituir o desprenderse del objeto transicional es problema del niño.
c) Hacer un ritual de desprendimiento.
d) Ir limitando su uso en tiempo y lugar. La mamila no debe pasearse por toda la casa ni salir de ella.
e) Tolerar su uso en momentos o etapas de crisis (por supuesto, antes de haberlo desaparecido totalmente).
f) No obsesionarnos.
g) Ayudarnos del dentista, si el objeto es de succión.
• **Niños mayores**:
Las mismas acciones que tomaríamos si el niño tuviera entre dos y tres años, mencionadas anteriormente, además:
a) Reconocer la dificultad para desprenderse, porque ya se ha formado un hábito.
b) Asimilar y transmitirle al niño que es su problema, no el nuestro, pero que tiene nuestro apoyo.
c) Buscar medios de expresión de los sentimientos negativos.
d) Vigilar la tensión por la que pasa.

e) Demostrar orgullo por que muestre conductas de niño grande. Asegurarnos de que en esta casa vale la pena crecer.
f) No obsesionarnos ni focalizar la atención en el objeto; no herir, ni ofender.
g) Buscar ayuda si el niño deja de ejecutar o participar en actividades comunes a su edad por estar con el objeto.

BIBLIOGRAFÍA

Brazelton, Berry
"Escuchemos al Niño"
Editorial Plaza Janés, 1era. Edición, 1989, España.

Brazelton, Berry
y J. Nugent, Kevin
"Escala para la Evaluación del Comportamiento Neonatal"
Evaluación Psicológica no. 69, Editorial Paidós, 1era. edición, 1997, España.

Erickson, Eric H.
"Childhood and Society"
Norton & Company, 2nd. Edition, 1963, New York, U.S.A.

Ferber, Richard
"Solve your Child's Sleep Problems"
A Fireside Book, Simon & Schuster Inc., 1985, New York, U.S.A.

Leach, Penelope
"Babyhood"
Alfred A. Knopf, 9th printing, 1991, New York, U.S.A.

Serrano, Ana
"Lactancia y Destete"
Folletos de Educación Inicial, SEP, Conafe ProDEI, 1995, México.

Alonso, Norma
Conferencista de Proyecto DEI
Directora del Instituto IDEHT
www.ideht.com

2.3 • Aprendiendo a compartir

Desear que los niños aprendan a compartir está relacionado con la postura filosófica y los valores que tenga la familia. El adquirirlos no se da de la noche a la mañana; cada etapa de desarrollo nos marcará las experiencias y aprendizajes adecuados, así como las limitaciones. No podemos obligar a los niños a compartir. No es una conducta que se presenta espontáneamente, ni por decreto paterno ni por medio de castigos, sino que es el resultado de un proceso interno e individual de la mente afectiva. Los padres podemos ayudar poniendo el ejemplo, conociendo las particularidades de cada etapa, respetando sus sentimientos y ofreciendo experiencias significativas.

CLARIFICACIÓN DE NUESTRA POSTURA COMO PADRES

Antes de adentrarnos en el tema, sería muy interesante que nos preguntáramos

- *¿Por qué me interesa que el niño (o la niña) aprenda a compartir?*
- *¿Qué siento cuando no quiere compartir?*
- *¿Qué me gustaría que compartiera y en qué medida? ¿Todo? ¿Qué?*
- *En casa: ¿Qué tanto se vive la experiencia de compartir entre los miembros de la familia? ¿Hacia amigos y familiares? ¿Hacia la comunidad?*

Si hacemos este ejercicio con seriedad, tendremos más claridad acerca de lo que esperamos de nuestros hijos.

DATOS DEL DESARROLLO: EGOCENTRISMO MENTAL Y EGOCENTRISMO AFECTIVO

Es muy útil como padres saber cómo va evolucionando un niño y qué le podemos pedir en cada etapa. En muchas ocasiones vemos al papá de un pequeño de año y medio obligándolo a prestar "su camión", con lamentables resultados y la consecuente frustración de todos. Los niños de uno y dos años tienen muchas dificultades para prestar sus juguetes favoritos porque los sienten como una extensión de ellos mismos y creen que los van a perder para siempre.

No se trata de abandonar la idea de enseñarlos a compartir desde pequeñitos, sino de pedirles respuestas adecuadas a su edad.

Ayuda mucho saber qué esperar del niño en cada etapa.

Quizá el período más conflictivo sea el que transcurre precisamente del año a los dos años y medio. En esta etapa, el niño es egocéntrico; puede arrebatar un juguete si le gusta y asombrarse de que el otro niño llore; puede pegar, morder, exigir.

Este egocentrismo es muy evidente en los bebés más pequeños. Echarle un vistazo a la evolución nos puede ayudar a entender mejor lo que pasa.

Al principio, el bebé siente que es el centro del universo, que todo gira alrededor de él. No diferencia entre él y su mamá, no tiene capacidad de espera, demanda que sus necesidades sean satisfechas al instante.

Sus necesidades son lo más urgente. Poco a poco, con la experiencia cotidiana, va adquiriendo lecciones de espera[1], que son muy importantes en la crianza.

A los dos años, el niño sigue siendo egocéntrico; por ejemplo: se puede tapar los ojos y preguntarnos inocentemente *"¿En dónde estoy?"* Como él no ve a nadie, cree que todo él desapareció. Este egocentrismo mental coincide con un egocentrismo afectivo; por ejemplo, pegar a alguien sin tener una noción clara de que su golpe duele.

No saben, ni mental ni afectivamente, ponerse en el lugar de otra persona.

---

1. No obstante, un bebé ya tiene en sí mismo la capacidad de desarrollar actitudes empáticas. Si llora otro bebé se contagia, sin distinguir el origen del llanto. Daniel Goleman en su libro *"Emotional Intelligence"*, le llama a esto el germen de la empatía, que puede ser alimentado por la atención y el afecto de la mamá.

Un niño pequeño puede decirle a la abuela por teléfono: *"Mira abuelita mi playera nueva"*. O bien comentar con toda inocencia: *"¡Qué bueno que te enfermaste, porque así no me vas a llevar a la escuela!"* [2]

Poco a poco, este egocentrismo mental va cediendo el paso a una visión más objetiva.

El hermano grande, por ejemplo, se puede reír del chico diciendo: *"Tonto, mi abuelita no ve por teléfono tu playera"*, pues ya sabe ponerse en la perspectiva de la abuelita del otro lado de la línea, ya sabe "ponerse en los zapatos" de quien está del otro lado del teléfono.

Como parte de la actividad mental, la experiencia cotidiana le va dando al niño la noción de que no es el centro del universo y va creciendo en él la capacidad de adquirir otros puntos de vista.

Seguramente coincidiremos en que el niño que dice: *"Qué bueno que te enfermaste porque así no me vas a llevar a la escuela"* no es un cruel malvado, simplemente es un niño egocéntrico que se alegra de tener algún beneficio, sin darse mucha cuenta de que nos sentimos mal. No se puede poner en nuestros zapatos para contrarrestar su alegría.

El niño generalmente evoluciona mentalmente por la vida misma. Su pensamiento es cada vez más objetivo; sin embargo, podemos encontrar casos en el que el niño haya evolucionado mentalmente y no obstante sea afectivamente egocéntrico.

Este es el caso de muchos adolescentes inteligentes y objetivos en su pensamiento, pero con una gran incapacidad para considerar a los demás.

La evolución afectiva, la capacidad de pensar en los sentimientos de los demás, de ponerse en sus zapatos, depende en buena medida de los estímulos familiares.

¿Qué estímulos familiares facilitan esta evolución? Vamos a hacer un recorrido desde que son pequeñitos.

---

2. Ver capítulo "El niño en edad preescolar"; *"Ayudando a crecer"*, vol. 2.

SEMILLA PARA COMPARTIR: EXPERIENCIAS AFECTIVAS EN EL BEBÉ. LAZO AFECTIVO

Un bebé que ha recibido afecto, posee la materia prima para poder, a su vez, expresar afecto. Ha tenido una vivencia primaria que lo capacita para demostrar sentimientos de cariño.

Estos conceptos no son nuevos para la pedagogía, pero últimamente, con la tesis de Daniel Goleman sobre la "Inteligencia Emocional", han recibido un nuevo matiz. Un bebé querido, que recibe afecto, que lo va reconociendo y aprendiendo a responder a él (reflejados de regreso), va desarrollando un enramado neurológico a nivel cerebral que le permitirá registrar y luego expresar afecto. Lo que antes se consideraba una de las premisas básicas de la crianza: un niño querido sabrá querer y compartir; ahora se fundamenta en la neurofisiología del cerebro afectivo.

El cerebro de un bebé querido es diferente al cerebro de un bebé que ha crecido en el abandono y la negligencia.

El **Dr. Thomas Lickona** menciona un reporte de William Golbarb, quien investigó el desarrollo de 70 niños criados durante tres años en instituciones donde había muy poca interacción social. Los comparó con otros 70 niños que fueron adoptados, que recibieron atención y afecto. El doctor encontró una diferencia significativa entre ambos grupos:

Los niños que habían vivido en instituciones (a diferencia de los adoptados) parecían incapaces de controlar sus impulsos y demostraron una incomprensible crueldad hacia otros niños y animales.

Lickona menciona otro estudio que nos ayuda a redondear la idea:

Waters y Wippman estudiaron el grado de apego y la calidad del lazo afectivo en un grupo de niños de 15 meses[3].

Aquellos niños con un fuerte lazo afectivo (mamitis aguda), pero que lograban superarla, resultaron en el kinder los niños con mayor grado de actividad, los más contentos y los más aptos para empatizar y acercarse a los compañeritos tristes. En otras palabras: una mamitis bien superada abre las posibilidades de pensar en los demás.

Con esto, va perfilándose un primer punto:

La enseñanza de compartir empieza en la cuna y establece sus cimientos mediante la evolución del lazo afectivo y la solución de la ansiedad de separación. Un niño que confía en el cariño y la predictibilidad de sus cuidadores, prepara la tierra para poder sembrar la semilla del "dar".

Un niño querido, puede dar.

Cabe destacar que hasta este momento no hemos hecho alusión al mandato "presta" o "comparte".

EDADES Y ESTRATEGIAS: UNO A DOS AÑOS Y MEDIO

Como mencionamos anteriormente, la etapa más problemática para compartir es la de uno a dos años y medio. Estas edades nos brindan numerosas escenas de pleito por un juguete y de negativas rotundas a compartir. *"¡Mío!"* Suele ser de las primeras expresiones de los niños.

¿Qué podemos hacer?

Nunca debemos obligar al niño a compartir, y menos a esta edad. La obligación resulta contraproducente, pues cuando los dejamos de ver o supervisar guardarán afanosamente todo para sí.

El niño chiquito es muy celoso de su espacio vital o "territoriali-

---

3. La mamitis y la ansiedad de separación, son manifestaciones de que el niño ya formó un lazo afectivo con su cuidador o cuidadores. El niño entre 8 meses y 2 años y medio o tres, se angustia mucho cuando el objeto de su lazo afectivo se va. Todavía no ha desarrollado los recursos mentales como para predecir su regreso. Este es un fenómeno normal y tiene un aspecto positivo: el niño ya depositó su carga afectiva en alguien, es capaz de querer. Cuando se resuelve bien la ansiedad de separación, no sólo es capaz de querer sino también de confiar en quien quiere, elementos básicos para su salud mental y afectiva. Si el niño no resuelve la mamitis, se queda atorado en el temor y la desconfianza.

dad". Se siente agredido si otros niños se aproximan demasiado. La respuesta es similar a la de los animales; es una reacción primaria de defensa.

Esta reacción es normal y tiene un ingrediente muy saludable: el germen del respeto a sí mismo, y de no permitir que otros abusen de él como persona.

Sin embargo, como papás, no es muy grato ver a nuestro niño de dos años defendiendo su espacio y arrebatando sus juguetes sin piedad.

Es muy difícil prestar "el juguete preferido".

El pequeño siente que sus cosas queridas son una extensión de él y le resulta muy doloroso prestarlas. No sabe predecir que aunque las preste las seguirá conservando.

"¡Qué tal que no me las regresan!..."

El niño chiquito necesita experimentar que compartir no significa perder las cosas para siempre, pero esta es una vivencia que no ocurre de la noche a la mañana.

El adulto puede prever la convivencia. Si van a estar dos o más niños de la misma edad, es conveniente elaborar un plan y hacer acopio de materiales que se puedan compartir, como pelotitas, masita, pinturas de agua y objetos con los cuales el niño experimente sin angustia el placer de un juego en el que todos participen, como aventar pelotas a una tina.

Sirve mucho preparar al niño con anticipación, avisarle para que se mentalice a que por ejemplo van a venir sus primos, darle tiempo para que se haga a la idea.

Un problema frecuente con los niños chiquitos es que si ven algo que les gusta creen que lo merecen y simplemente lo toman; pueden arrebatar un juguete y al mismo tiempo asombrarse porque el otro niño llora.

Desde muy temprana edad podemos instituir la regla de: "No se vale arrebatar".

Cuando hay dos niños y un maravilloso juguete de por medio, se puede sugerir el juego de cedérselo por turnos, mediante un indicador muy obvio del tiempo; por ejemplo, el timer del microondas, de tal manera que sea parte del juego.

Kathy Hendelson[4] sugiere apoyar a los niños para que vayan evolucionando en su capacidad de aprender a esperar turnos e inhibir el arrebatar las cosas que les gustan.

Cuando un niño arrebata, podemos limitarlo y decir: "*No se arrebata, pide permiso, dí ¿me lo prestas?*".

1) Al principio, los niños simplemente arrebatan.

2) Posteriormente, y con nuestra insistencia, aprenden a decir "*¿Me lo prestas?*" y no esperan la contestación, lo toman. Aunque parezca poca cosa, esto ya es un avance, van edificando el autocontrol.

3) Con el tiempo y nuestra consistencia dirán "*¿Me lo prestas?*" y podrán esperar.

Desde los dos años pueden empezar a escuchar historias y cuentos acerca de lo bien que se siente uno cuando comparte algo.

Desde muy pequeños podemos enseñarles a agradecer, resaltando sus demostraciones de empatía y sus primeros impulsos por convidar, procurando que se vuelva un hábito en la casa el pedir permiso, esperar turnos, dar las gracias, compartir golosinas, espacios, etc. Estas vivencias van modelando al niño.

DEL PREESCOLAR EN ADELANTE

A los 3, 4 y 5 años –afirma Kathy Hendelson– los niños pueden compartir, si se les ayuda. Entre los 6 y 7 años el niño, desde el punto de vista evolutivo, ya puede empezar a entender el punto de vista de otras personas y "ponerse en los zapatos" de los otros. Su idea sobre la justicia va evolucionando.

---

4. Hendelson, Kathy; *"Sharing"*; Revista *Working Mothers*, marzo de 1991

Es hasta la adolescencia cuando su pensamiento se vuelve más abstracto y entonces puede tener pensamientos más elaborados de justicia social, altruismo y entrega. Esto aflora sólo cuando tales ideas han sido sembradas a tiempo, cuando han sido cultivadas desde que es pequeño.

Aunque hay todo un sustrato filosófico detrás del deseo de que los niños aprendan a compartir, podemos mencionar varios consejos prácticos y cotidianos que nos permitirán ir cultivando ese valor y animando tal conducta en los pequeños.

CONSEJOS PRÁCTICOS PARA TODAS LAS EDADES

Ejemplo

Quizá el que uno ponga el ejemplo de las actitudes y conductas cotidianas, junto con el afecto que el niño recibe, sea lo que más influye en modelar su conducta generosa. Es muy importante clarificar como papás estos valores y hacer un poco de introspección. ¿Damos realmente un buen ejemplo? El ejemplo influye en cualquier edad.

Conductas como:

- Convidar la mitad de la última galleta,
- Prestar nuestro coche a un vecino ante una emergencia,
- Visitar a un familiar enfermo,
- Esperar nuestro turno en la casa: para servirnos la comida, para hablar, etc.
- Hacer proyectos en equipo, etc.

El aprendizaje de compartir no sólo se refiere a prestar cosas sino también a ceder tiempo.

Si el niño vive cotidianamente en un hogar en donde no se da un buen trato al personal de servicio, en donde hay una propiedad privada intocable, no se comparte y no hay espacios en común, no tendrá elementos para modelar su conducta.

Debemos buscar la coherencia. Si pretendemos que nuestro niño preste su juguete favorito a su amigo, tendremos que poner el ejemplo. Un niño que desde la cuna es testigo de actos sencillos en que perciba que nos ocupamos de los demás, que nos interesamos por su bienestar, por ceder tiempos y compartir bienes, comida, espacios, tendrá una base para aprender a compartir.

A los niños pequeños (bebés y preescolares) –comenta **Stacy Colino**[5]– les ayuda recibir una breve explicación de lo que hacemos para que les quede más claro. *"Te convido un pedacito de mi galleta, ¿sale?"*

• Facilitar el juego compartido

Especialmente con los más pequeños y con los preescolares en tiempo de crisis, podemos anticipar y prever una posible pelea si los instamos a compartir. Como decíamos anteriormente, esto puede solventarse haciendo acopio de juguetes fáciles de compartir y organizando un juego de grupo. Como por ejemplo:

- Bloques
- Una casetera
- Disfraces
- Títeres
- Pelotas
- Masita
- Pintura de dedos

Si son pequeños, podemos planear un juego como acarrear pelotas con una palita y llevarlas a una cubeta con agua. Planear con anticipación muchas veces toma tan sólo unos minutos y sin embargo se capitalizan en toda una tarde armónica. Sobre todo, puede favorecer la vivencia de que compartir es placentero.

De ser posible, es conveniente que el invitado traiga un juguete

5. Colino, Stacy; *"Mine"*; Revista *Working Mothers*, junio de 1999

para compartir: esto le permite a nuestro niño experimentar la reciprocidad y acumular más energía para compartir sus juguetes. A veces puede resultar agotador el pasar toda una tarde con un amigo querido pero que toca, prueba y mueve todos los juguetes.

• **Leer libros con imágenes ilustrativas sobre la generosidad**
Hay muchos libros diseñados de acuerdo con la edad de los niños, que ilustran como mensaje el valor de compartir: la idea de que al prestar las cosas no se pierden para siempre, de que nos sentimos bien cuando hacemos sentir bien a los demás, de que es interesante ponernos en los zapatos de los demás. Hay libros para pequeñitos con historias de animales tipo fábulas, o de niños con los que se pueden identificar. Hay también libros para preescolares y para escolares y adolescentes. La maravilla del libro es que el niño puede cobrar distancia: los que comparten son otros niños o los animales y, a través de esa experiencia virtual, aprende la lección.

También se pueden aprovechar programas de televisión y situaciones cotidianas en los que el niño no está involucrado. "*¿Te fijas cómo ese niño hizo sentir feliz al viejito al convidarle de su comida?*" "*¡Qué orgulloso se debe de sentir ahora!*".

• **Enseñarle a acatar reglas**
Muchas veces un conflicto se puede negociar optando por un acuerdo: *"no se vale arrebatar y vamos a esperar nuestro turno para montar el caballito: primero va Juanito, luego tú y después Carlos".*

• **Asumir las consecuencias lógicas**
No es recomendable castigar a un niño por no prestar sus cosas, pero sí podemos estructurar una experiencia de modo tal que el niño pueda reflexionar acerca de las consecuencias sociales de no compartir; por ejemplo, si nuestra niña invitó a una amiguita y no le prestó nada durante la tarde, puede perder el derecho de volverla a invitar. En esta situación, podemos:

• **Enfatizar el sentimiento del otro**
"María no se divirtió nada en el casa porque no le prestaste tus cosas: le dio tristeza y no estuvo contenta. ¿A ti te gustaría ir a su casa y que no te prestara juguetes?".

• **Ayudarlo a entender su propio sentimiento**
Como hemos mencionado, muchas veces un niño triste, celoso, desconcertado, no está en condiciones de prestar sus cosas. Atraviesa por pequeñas o grandes crisis que lo dejan en una posición frágil. Colino sugiere que los ayudemos a explorar sus propios sentimientos. Si el niño logra identificar los sentimientos que le impiden prestar sus cosas, podrá entender más su propia conducta y estar en mejores condiciones para compartir. Poco a poco podrá ir incorporando a su vocabulario palabras como: frustración, enojo, celos, ambivalencia o "dos sentimientos"[6].

• **No insistir en que compartan en tiempo de crisis**
El niño necesita un reconocimiento de que está pasando por una etapa difícil y hay que concederle tiempo para que pase la crisis. Su energía debe de dirigirse hacia otro lado.

• **No insistir en que comparta todo**
El niño debe de pensar qué cosas está listo para compartir y cuáles no. Antes de una invitación, podemos preguntarle qué desea compartir; si hay algún juguete que corre el riesgo de romperse o que él decida que no lo quiere prestar, es importante respetarlo.

• **Mencionar las ventajas de compartir**

---

6. Faber y Mazlish recomiendan enseñarles a los niños el concepto de ambivalencia, presente en el ser humano desde pequeño, como *"dos sentimientos"*. Con mucha frecuencia lo sienten hacia sus hermanos, que a ratos les gustan y a ratos les disgustan. Decirles: *"A veces uno tiene dos sentimientos"*. Así, los niños tienen mayor posibilidad de entender la idea de ambos sentimientos y de recordarla cuando experimenten sentimientos ambivalentes hacia amigos o familiares.

• Darle tiempo a su proceso interno
"Tú me avisas cuando estés listo para convidar". Esta frase reconoce que compartir debe de nacer del interior del niño y no ser impuesto por el adulto. De esta manera lo hacemos sentir dueño de la decisión.

• Otorgarle la responsabilidad de pensar y negociar
"Chicos, traemos un solo bote de burbujas para todos ¿cómo creen que le podemos hacer para que se pasen un buen rato divertido?". O bien: *"Los dos quieren el coche. ¿Cómo le podemos hacer para que ambos queden contentos?"*

• Reconocer sus esfuerzos

• Participar en algún servicio a la comunidad
La capacidad sincera de compartir está relacionada con la inteligencia emocional y con una mayor probabilidad de vivir una vida social plena.

Si tenemos el sueño de que nuestros niños vivan una vida feliz, hay que trabajar por ello, tratando de que al compartir lo hagan con sentimientos legítimos y que disfruten de la satisfacción y de ser aceptados, al estar rodeados por un grupo social cálido y significativo.

REFLEXIÓN FINAL

a) ¿Quién es feliz?
En la revista *Psychology Today*, mencionan una investigación que nos parece oportuno comentar. En un estudio realizado se encontró que la gente que consideraba al prójimo tenía una vida plena y feliz, presentaba los siguientes rasgos como común denominador:

- Sostener una cercanía afectiva con sus seres queridos. (Familiares y amigos).
- Trabajar intensamente en lo que les gusta.
- Ayudar. Hacer el bien refuerza la autoestima y además alivia la tensión mental y física.

- Hacer de la felicidad una meta.
- Energetizarse.
- Organizarse pero sin rigidez.
- Conservar la calma ante los problemas.

b) Preguntas del inicio

Sería muy interesante ahora, al final de la lectura, volver a responder con toda sinceridad las preguntas del inicio.

- *¿Por qué me interesa que el niño (o la niña) aprenda a compartir?*
- *¿Qué siento cuando no quiere compartir?*
- *¿Qué me gustaría que compartiera y en qué medida? ¿Todo? ¿Qué?*
- *En casa: ¿Qué tanto se vive la experiencia de compartir entre los miembros de la familia? ¿Hacia los amigos también o sólo con los familiares? ¿Hacia la comunidad?*

c) Ideas básicas

• El afecto que recibe el bebé o el niño pequeño le da la posibilidad de demostrar afecto a medida que va creciendo.
• Un bebé que resuelve la mamitis siente la seguridad del afecto y lo podrá demostrar.
• La etapa de uno a dos años y medio es la más difícil.
• El ejemplo es primordial para que el niño comparta.
• Compartir no puede enseñarse mediante el castigo, es el resultado de un proceso interno que se facilita:

- Adaptándonos a su edad evolutiva. No exigiendo de más.
- Dejándolos pensar, ayudándolos a negociar.
- Respetándolos. En tiempo de crisis no presionarlos a compatir.
- Dándoles su tiempo.
- Ayudándolos a que se pongan en los zapatos de otras personas.
- Leyendo libros, analizando programas, haciendo comentarios.

BIBLIOGRAFÍA

Burton, Albert y Axeman, Lois
"Mine, yours, ours.
Self-starter book"
Albert Whitman and Co., 1977, U.S.A.

Coles, Robert
"La Inteligencia Moral de los Niños.
Cómo Criar Niños con Valores Morales"
Editorial Norma, 1998, Colombia.

Colino, Stacy
"Mine. Easy Way to Encourage Sharing at Any Age"
Working Mother, June 1999.

Faber, Adele y Mazlish, Elaine
"Siblings without Rivalry.
How to Help your Children Live Together so You Can Live Too"
Avon Books, Childcare, trade paperback 1998, U.S.A.

Filliozat, Isabel
"El Corazón Tiene sus Razones. Conocer el Lenguaje de las Emociones"
Editorial Urano, 1ª. Edición en español, 1998, Barcelona, España.

Goleman, Daniel
"Emotional Intelligence.
Why It Can Matter More Than IQ"
Bantam Books, 1995, U.S.A.

Hayward, Linda
"Mine! A Sesame Street Book About Sharing"
Children's Television Workshop, Classic Board Books.

Henderson, Kathy
"Sharing"
Working Mother, March 1991.

Lickona, Thomas
"Raising Good Children. From Birth Trough the Teenage Years"
Bantam Books, 1983, New York, U.S.A.

Piaget, Jean
"The Moral Judgment of the Child"
The Free Press paperback edition, a division of Macmillan Publishing Co., Inc., 1965, New York, U.S.A.

Shapiro, Lawrence E.
"La Inteligencia Emocional de los Niños. Una Guía para Padres y Maestros"
Editorial Vergara, 1ª. Impresión, 1997, México.

Swanbrow, Diane
"The Paradox of Happiness"
Psychology Today. July/Aug 1989.

Young, Miriam
Cuentos Para Niños Sobre el Tema de Compartir. "5 monedas para gastar"
Editorial Trillas, Colección de Libros de Oro. 1990, México.

2.4 • Entrenamiento para ir al baño (control de esfínteres).

El entrenamiento para ir al baño tiene que ocurrir en función de la madurez del niño o niña. Hay que fijarnos en tres factores:
1) Que tenga una idea clara de lo que se espera de él,
2) Que esté listo desde el punto de vista afectivo y
3) Que esté maduro neuromuscularmente.
Llevar a cabo el proceso antes de que esté preparado implica entrenamientos largos y penosos que pueden traer consecuencias en su vida emocional.
Vale la pena que la familia se prepare para ello, elaborando una estrategia "a la medida" para llevarla a cabo en el momento oportuno.

EL ENTRENAMIENTO PARA IR AL BAÑO

El entrenamiento para ir al baño, en la historia de la vida de un niño, es un evento importante que puede ayudarlo a crecer, a sentirse seguro, a adquirir el control sobre sí mismo, o bien, puede dejar una huella dolorosa.

Vale la pena que nos enteremos como papás de lo que esto implica, que asumamos nuestro papel en la crianza de los niños y nos preparemos para que el proceso se lleve a cabo de la mejor manera posible para todos.

¿QUÉ SE NECESITA PARA QUE EL NIÑO AVISE?

Un niño para avisar que quiere ir al baño, necesita estar maduro. La madurez se alcanza en distinto momento según cada niño o niña; eso nos obliga a observar el proceso personal de nuestro hijo o hija. Es posible que el hermano grande haya controlado esfínteres más tarde (por ejemplo, a los dos años ocho meses) y el menor lo haya logrado antes (por ejemplo a los dos años dos meses.)

La madurez implica tres ingredientes:

- INFORMATIVO CONCEPTUAL
- AFECTIVO
- NEUROMUSCULAR

Vamos a desarrollar cada punto a continuación.

INGREDIENTE INFORMATIVO CONCEPTUAL

El niño se va formando en su mente una idea sobre el tema. Mira a sus papás, hermanos (si los tiene) y a otros niños; va asociando lo que ocurre en el baño, sabe adónde está, cuál es el escusado y que ahí se deposita la "pipí" y la "popó".

Para ayudar al niño a adquirir una idea de lo que se trata, podemos hacer varias cosas:

Leer con él libros que describen el proceso, o ver imágenes y fotos en las revistas. Hay material muy bien presentado que le podrá ayudar a tener una idea de lo que sucede y de lo que se espera de él o de ella[1].

Dejarlo entrar al baño con papá y mamá (si no nos resulta muy incómodo)[2]. Vale la pena dejarlo entrar al baño con nosotros; así se dará cuenta de todo el proceso. El o ella podrán ser los encargados de jalarle al escusado; también irá aprendiendo así, a que ir al baño y todo lo que tiene que ver con hacer pipí y popó es algo natural.

Dejarlo sin ropa en el jardín o en el patio en cuanto las condiciones del clima lo permitan. Esto va a facilitar que "se dé cuenta", de qué está haciendo y conecte la sensación con el acto.

---

1. El libro de los Muppets: *"Adiós a mi pañal"*, *"Kolo Bear's new potty"* de Vicky Lansky, *"Once upon a potty"* de Alona Frankel, entre otros.

2. Si resulta muy incómodo hacer esto, es preferible evitarlo, porque el niño lo va a percibir y va a asociar una idea de incomodidad o de algo no natural. Hay muchas otras maneras para ayudar al niño a entender el proceso.

Jugar con un muñequito, haciendo la escenificación de que va al baño.

Describir, jugando y con naturalidad, la sensación en el cuerpo, los sonidos. Si somos creativos, también podríamos inventar una canción.

Podemos también mostrarle el pañal antes de desecharlo, y encargarle a él o a ella que lo tire en el basurero. Otra alternativa es que cuando el pañal tiene popó, vaciar la parte más sucia al escusado y decirle "adiós". Tanto el tirar el pañal como el vaciar el contenido al escusado, van preparándolo.

Observar a animalitos en el momento en el que hacen pipí o popó.

El niño poco a poco va formándose una idea o concepto de todo el proceso.

La información que le proporcionemos puede iniciarse con más anticipación que el entrenamiento en sí. Desde pequeñito podemos irle platicando al respecto y preparando el terreno para que eventualmente controle sus esfínteres.

INGREDIENTE AFECTIVO

A nivel afectivo, el niño tiene que estar listo para "dejar ir" una parte suya. Este aspecto de madurez es un poco difícil de entender para un adulto; sin embargo, vamos a tratar de explorar algunos detalles desde la óptica del pequeño.

El niño siente que una parte de él o de ella "se ha desprendido"; por algunos momentos no quisiera dejarlo ir. ¿Quién le garantiza que no perderá otra parte de su cuerpo? ¿Una mano? ¿Un pie?

O aún peor. ¿"A su mamá"?

Entre los 8 y los 24 ó 36 meses, el niño pasa por un período en el cual se angustia ante las separaciones, especialmente la de su mamá[3]. Dicha angustia se manifiesta en la sensación de que alguien

3. Consultar el capítulo 1.7 "Formación del lazo afectivo".

importante se va y probablemente no regrese. Es una ansiedad muy primaria. El niño se siente amenazado ante una pérdida desarticuladora de su entorno y de sí mismo.[4]

De algún modo al hacer popó, se desprende de algo que no va a recuperar. Puede asociar "si se va mi mamá tampoco la voy a recuperar". Puede generarse una ansiedad que se llegue a enlazar y potenciar en algunos niños.

Cuando el pequeño experimenta muchas veces que hace pipi y popó y que a él no le pasa nada, va percibiendo y diferenciando lo que es permanente en su cuerpo y lo que es pasajero.

También, poco a poco va entendiendo que su mamá se va, dice *"regreso al rato"*, y regresa, cumpliendo con su palabra.

Mental y afectivamente, va quedando listo para "dejar ir" sin temor.

La posibilidad de angustia en los niños nos invita a tener mucha paciencia y sutileza para jalarle al baño. Si lo notamos inquieto, podremos distraerlo y jalarle al escusado en su ausencia. O bien hacer una especie de ritual de despedida diciendo: *"adiós popó"*.

Otro miedo común en el niño es que cree "que cabe" por el orificio del escusado. Al sentarse en la taza, no siente un buen sostén: ve un hoyo que succiona lo que flota, mediante un ruido amenazador. Siente que por ahí se puede ir.

Si este fuera el caso, sería importante empezar por enseñarle en un escusadito o bien diciéndole que nosotros lo detenemos para que no sienta el vacío (y hacerlo con mano firme).

No faltará la mamá que diga: *"A mi niño no le pasó nada de eso"*. En efecto, hay niños que no presentan estos miedos. Es posible que en estos casos el entrenamiento se haya dado en el momento oportuno y de manera armónica; sin embargo, vale la pena mencionar que podemos toparnos con esta problemática, a fin de disponer de más recursos y no afectar al niño.

---

4. No todos los niños presentan este temor.

Juego paralelo

Los niños, antes, durante y después del entrenamiento, suelen interesarse mucho por un juego ritualizado de verter, meter, sacar, empujar, vaciar. Si pudieran (no lo recomendamos por la escasez de agua), se pasarían mucho tiempo jalándole al escusado y contemplando cómo se van las cosas. "Este interés se vuelve un laboratorio para probar la separación y la integridad, el ir y el recuperar"[5]. Un juego que no daña a la ecología es el de desparramar y recoger: les fascina ver caer muchas pelotas o piedras de un camión de volteo de juguete para recolectarlas después y volverlas a desparramar.

El niño también se interesa por jugar con agua: con goteros, esponjas, vasitos, coladeras, así como con texturas: con lodo, arena, plastilina, y si es de colores "horribles", aún mejor.

Suele pasar que se interese por la textura, el olor, la apariencia y que sorprenda a su mamá jugando con sus propios desechos, como si fueran plastilina. Al adulto le cuesta mucho entender este deseo de jugar con ellos, porque está socializado a no poner mucha atención en el proceso y a sentir disgusto por el tema.

Una manera de ofrecer un juego paralelo a un niño interesado en la textura y apariencia de sus excrementos, es la oportunidad de jugar y de hacerlo de forma ritualizada, con barro, masita, plastilina, que podrían reemplazar ese interés y que son higiénicos.

Este juego paralelo es muy útil: libera ansiedad, la va purgando y permitiéndole que entienda el proceso. Una viborita hecha de masita, puede romperse y reintegrarse a voluntad, por ejemplo.

Sobra decir que no debemos mencionarle el paralelismo entre el juego y el proceso de entrenamiento, no hay que hacerle notar el parecido, pero es algo que sí le sirve, va a ayudarle a establecer la conexión a nivel inconsciente.

Si ha sido conflictivo el proceso de entrenamiento, vale la pena

---

5. Roiphe, Herman

destinar un buen rato al juego grato y afectuoso, acompañándolo, proporcionándole elementos para ello y disfrutando con él el manejo de texturas y la mecánica de fluidos: barquitos, compresas, chisguetes, etc.

El juego paralelo es muy atinado porque se convierte en un divertido ejercicio de motricidad fina y de sensibilidad sensorial, así como de descubrimiento conceptual. Se le puede enseñar lo siguiente por ejemplo: cabe más agua en un vaso grande que en uno chico, hay que verter con cuidado. Si hay un hoyo, el agua se cae, etc.

Es un juego apropiado para la edad. En caso de que no sea útil para el control de esfínteres, sí lo será para su desarrollo motriz y conceptual.

Vale la pena evitar el pleito durante el entrenamiento. Nos ha tocado ver a mamás desesperadas con un niño al que le cuesta aprender a controlar sus esfínteres y se hace en todos lados; lo regañan con calificativos como "cochino" "malo" o "sucio", incluso a veces lo golpean. El entrenamiento forzado o intentado mediante pleitos, es muy negativo por las siguientes razones:

1) Deterioro de la relación y de la autoestima del niño

El niño se sentirá lastimado y herido y con menos disposición a colaborar en el proceso de disciplina. Si ha sido muy penoso el entrenamiento, le quedará la sensación de que "no se le acepta" y de que es además "malo" y "sucio". Su autoimagen se verá afectada.

Es, por lo tanto, muy importante, no calificarlo por los accidentes. Cuando se presenten, hay que pensar que en ellos hay una enseñanza. El niño tendrá una oportunidad de asociar lo que siente antes de orinar o evacuar, y el resultado una vez que lo ha hecho.

Es mucho más efectivo pasarles la estafeta y que experimenten las consecuencias lógicas: *"Ayúdame a cambiarte, pon aquí tu ropa sucia, ahora vamos a lavarte las manos y a echar la ropa en la lavadora, etc."* Todo esto podrá sonar divertido, pero en el fondo implica sacrificar tiempo de juego.

Otro problema que suele acompañar a un entrenamiento rudo, es la lucha de poderes. "A ver quién gana..." El resultado es que gana el niño. Podemos obligarlo a comer (no es deseable), a subirse al coche a la fuerza, pero nunca podremos obligarlo a que coopere para ir al baño.

2) Estreñimiento

En ocasiones, cuando hay mucha tensión alrededor del tema, el niño simplemente se estriñe; piensa: "es tan problemático ir al baño, que mejor no voy", lo que redunda en las consecuencias que conocemos, de incomodidad y de dolor[6].

3) Actitudes ante la vida. Dificultades sexuales, dificultades para compartir, limpieza exacerbada.
Existen otros argumentos sobre la relevancia del proceso de entrenamiento para ir al baño, ya que puede afectar la actitud del niño en su vida sexual y social.

¿Por qué?

La zona de esfínteres está próxima a la zona genital y enervada por la misma musculatura, de modo que si el niño genera mucha ansiedad y tensión, ésta se quedará focalizada en esa zona y puede llevarlo a ser un adulto con dificultades de comunicación sexual plena y sana.

Por otro lado, un entrenamiento muy forzado le generará la sensación de que se le arrancó algo propio y, por lo tanto, en el futuro puede desarrollar una defensa irracional de sus bienes. Todos conocemos a personas avaras y tacañas, sin que medie una explicación aparente. En algunas ocasiones esta actitud tiene su origen en un entrenamiento de esfínteres mal llevado.

---

6. No es recomendable el uso de supositorios en estos casos, porque pueden ser muy invasivos. Sería mejor que el pediatra recetara un laxante suave, muchos líquidos y masaje abdominal.

Otra conducta frecuente de las mamás resultante de un entrenamiento doloroso, es la obsesión por la limpieza. Desde luego que la limpieza es una virtud; sin embargo, puede tornarse en una esclavitud tal, que le impide a las personas estar a gusto en cualquier lado y las lleva a encargarse de las labores de limpieza a niveles desmedidos. Tal parece que necesitan decirle al mundo y en especial demostrarse a sí mismo *"no soy sucio"*.

Quizá todos conocemos a alguien avaro o a alguien excesivamente limpio.

Es posible que estas actitudes no le hagan daño a nadie pero sí le estorben a esa persona para ser feliz.

Es muy importante mencionar que un día de pleito con el niño, un poco de conflicto al entrenar, no va a generar efectos tan dramáticos como los que acabamos de mencionar. Las huellas afectivas se marcan por conductas recurrentes y sistemáticas, no por un mal día.

INGREDIENTE NEUROMUSCULAR

El niño ha de tener la capacidad de sentir, anticipar y contraer los músculos de la zona de esfínteres para ser entrenable. Este es un requisito esencial.

Esta capacidad de sentir, anticipar y contraer y relajar a voluntad, coincide con el momento en que ocurre la mielinización de esta zona. Este es un proceso que se inicia desde el bebé pequeñito, en línea descendente, de la cabeza a los pies: primero controla el cuello, luego el pecho y la espalda, después la cadera. Poco a poco se van recubriendo las terminales nerviosas de una proteína grasa blanca llamada mielina. Esta sustancia permite la comunicación sensorial con el cerebro y el mando muscular desde él. La mielinización y el consecuente control, ocurre en el niño al final del desarrollo de su etapa como bebé, después de que logra la locomoción; de tal manera que entrenar a un niño antes de tiempo, resulta una aventura poco prometedora.

Hay mamás que entrenan "con éxito" a su hijo a los 7 meses o al año, pero más que un entrenamiento es un caso de regularidad privilegiada en el movimiento intestinal y de mamás con buen tino. Son niños regulares, cuyas mamás saben bien a qué horas el niño defeca y literalmente "cachan" el producto. Esto es diferente al entrenamiento para el control de esfínteres.

La tendencia actual del entrenamiento recomienda esperar a más tarde, al momento en que el niño realmente tiene la madurez neurológica para poder controlar, sin ser presionado[7].

1) Observar signos de madurez. Cada niño o niña es diferente. Revisa esta tabla antes de iniciar el entrenamiento para el control de esfínteres.

	• *Tiene una idea clara de qué se trata y se interesa en el tema.*
	• *No tiene crisis de mamitis.* • *No coincide con eventos trascendentes como: nacimiento del hermanito, cambio de casa, divorcio.* • *No está pasando por una crisis en la relación con su mamá.* • *Está motivado(a).*
	• *Anticipa y es consciente de su anticipación (pipí).* • *Está muy molesto(a), "hecho(a)".* • *Amanece o despierta de las siestas seco (a).* • *Tiene la habilidad de ir al baño y de bajarse los pantalones.* • *Brinca.* • *Vacía de un vasito al otro.*

7. Vale la pena señalar que el control nocturno varía muchísimo. Con mucha frecuencia ocurre meses (o incluso años) después del control diurno.

Promedio: ***Niñas: de 20 a 24 meses*** ***Niños: de 24 a 36 meses***
Estos promedios pueden variar debido a modas pediátricas y costumbres culturales.

2) Planear el período de entrenamiento
Vale mucho la pena elaborar un plan y "hacerse a la idea" de las incomodidades que el entrenamiento del niño (o niña) van a implicar. Podemos imaginar el "peor escenario" y anticipar una solución. ¿Qué es lo peor que podría pasar? ¿Cómo evitarlo? Una recomendación es seguir portando la bolsa pañalera, con diferente contenido: mudas completas dentro de bolsas de plástico, toallitas húmedas, el nuevo jabón que no necesita agua y un jabón (útil para desmanchar). Esta bolsa va a ser nuestra mejor aliada y nos va a ayudar a tomar las cosas con calma. ¿El niño se hizo en la tienda? Vamos a los sanitarios, lo cambiamos, enjuagamos el calzón con agua fría y el jabón, y guardamos la ropa húmeda en la bolsa cerrada con un nudo. ¿Cuál es el problema? De preferencia se enjuaga la ropa: si esto no es posible, se hace un buen nudo a la bolsa para que selle el olor.
3) ¿Estoy lista yo?
Como mamá hay que cerciorarnos de si estamos listas o no; esto es tan importante como checar los puntos de madurez del niño. Si el tema me produce un increíble rechazo, si me da mucha flojera, si me provoca impaciencia, etc. y no lo reconozco, es muy probable que al primer accidente (que habrá muchos, por cierto) pierda la paciencia y entre en conflicto con el niño(a) y conmigo misma. La flojera es natural, pero si le damos un tiempo de elaboración al tema, pensamos en su trascendencia, y disponemos de elementos para afrontarlo, vamos a poder superar lo que sentimos y a lograr que no nos estorbe en el proceso de entrenamiento.
4) Informarle y familiarizarlo.
Como dijimos al inicio del tema, la información que proporcionemos

al niño puede empezar desde muy temprano. Cuando llegue el momento, le ayudamos a que participe en el proceso de manera activa.

a) Hacemos un **ritual de compra**. En donde el niño (a) vaya a comprar los calzones entrenadores, el escusadito, etc.

b) Efectuamos un **ritual de acomodo** en el cuarto: ponemos un basurero con bolsas de plástico para la ropa mojada, un estante a su altura con ropa cómoda y fácil de ponerse.

c) Le presentamos una **escena de teatro** con un muñequito.

d) Le decimos (y nos decimos a nosotras mismas) *"Tu pipí y tu popó tienen que salir y tú les tienes que ayudar"*. Esto es de vital importancia, porque en ocasiones el niño siente que todo el asunto es por interés y problema nuestro, con actitudes obsesivas como la mamá que le dice: *"Me avisas , me avisas, si tienes ganas de ir al baño me avisas, no se te olvide que me avisas y yo te llevo al baño, en el momento en el que sientas ganas yo te llevo, me avisas..."* En este caso, con las frases y especialmente con la actitud corporal que las acompaña, la mamá le está diciendo: *"El problema es mío, no tuyo"*.

e) El primer día del entrenamiento hay que llevarlo al baño cada media hora pero sin forzarlo. Podemos ayudarnos con un timer a modo de recordatorio (por ejemplo, el del horno de microondas). Si el niño se resiste, no hay que obligarlo; debemos procurar que sea algo emocionante y divertido para él. Si logra hacer, le aplaudimos, evitando calificativos. Si se hace, no lo calificamos tampoco, sino que le damos ánimos, retomando la frase. *"Yo creo que la próxima vez sí lo vas a lograr, échale ganas para que tu pipí salga y caiga adentro del escusadito, ayúdale"*. No conviene dejarlos mojados o sucios como reprimenda, de esa manera no hay un aprendizaje positivo.

f) El entrenamiento, dependiendo de la madurez, puede durar de una semana a un mes. Va a haber días en los que se mezcle el recordatorio de la mamá con el aviso del propio niño, hasta que llegue el momento en el que el niño avise sin necesidad de recordatorios. Ese día será el momento para abandonar totalmente los recordatorios. El niño ya es capaz de controlar, y el exceso de recordatorios generalmente minan su independencia; esto no quiere decir que no habrá accidentes, los cuales son al principio muy, muy frecuentes y hasta se pueden prolongar incluso entre preescolares que ya han demostrado tener control de esfínteres, cuando están jugando muy concentrados.

5) ¿Qué hacer frente a los accidentes?

Una vez que el niño ya está entrenado y que decidimos no hacerle recordatorios, sino acompañarlo y estimularlo en el proceso, la única técnica que se recomienda ante los accidentes es la de las consecuencias lógicas. Ayudarle a cambiarse sin regaños, calificativos, dramas o discursos. La muda de ropa implica pérdida de tiempo de juego y, dependiendo de la madurez del niño, también puede enseñársele a lavar su calzón. Vale la pena mencionar que no lo dejan muy limpio (luego hay que echarlo a la lavadora) pero es posible que les guste participar en esta labor de limpieza. En ocasiones, esto se interpreta como una medida intrascendente o inútil. No lo es; es la forma de enseñarles a limpiar y reparar. Si además se divierten, qué bueno, y es muy probable que se diviertan la primera vez, pero que a la décima repelen y se resistan; sin embargo, cada vez que se hagan, hay que repetir la frase en que les decimos y nos decimos "este es tu problema".

Puede haber días buenos en que el niño avise y días malos, con muchos accidentes. Esto es normal. Cada vez que el niño se haga, le servirá como una especie de "lección": va a asociar la sensación anterior con la consecuencia y va a adquirir más elementos de control. Cualquier evento, positivo o negativo que altere emocionalmente al niño, puede ser motivo de accidentes: ¿Vino la abuela y la adora? ¿Fueron al parque y le fascina? ¿La mamá está empezando a trabajar? Todo puede influir.

Tenemos la certeza de que si los papás están bien informados, conocen los pormenores del proceso y disponen de recursos para actuar, disminuye mucho su ansiedad y "carga la pila" de su paciencia.

Si hay algún período con muchos accidentes, es de mucha ayuda el juego paralelo, pero siempre y cuando la mamá no haga mención alguna de la relación entre el barro, los goteros, los chisguetes y el proceso del niño, y que especialmente pase un rato cálido, amoroso y divertido con él. **El juego ayuda muchísimo y resana los corazones.**

PROBLEMAS COMUNES

Regresiones

Las regresiones, como mencionamos anteriormente, son muy comunes. Una regresión no justifica el regreso al pañal, porque echa para atrás todo el proceso.

Ahora bien, hay de regresión a regresión: si el niño tiene pánico, si está muy estreñido, si está muy angustiado con el tema, definitivamente se justifica el regreso al pañal. Cada quien conoce a su niño o niña; si está pasando por una racha difícil, se está haciendo en todos lados pero no se angustia, simplemente hay que seguir adelante y continuar con las consecuencias lógicas.

Miedos

Hay veces, como mencionamos anteriormente, en que el niño tiene miedo al escusado. Si es así no hay que forzarlo, puede ser que tema ser "tragado" por él. En estos casos podemos recurrir al pañal como transición, pero con la idea de que va a ser un paso hacia la meta y que posteriormente lo quitaremos. Le decimos: *"Si no quieres hacer en el escusado, mientras puedes hacer en el pañal; me lo pides cuando tengas ganas"*. Podemos poner en el pañal una toalla previamente rociada con alcohol húmeda pero a la que ya se le haya evaporado el alcohol, con el objeto de que la parte más sucia quede depositada en la toalla y pueda vaciarse luego en el escusado.

A veces el niño se esconde tras las cortinas o debajo de la mesa para orinar o defecar; no hay que interferir. Cuando haya acabado, le decimos que vamos al escusado a decirle adiós a su popó, volteamos el pañal y dejamos caer el producto. Aunque parezca inútil, estos pasos alivian la ansiedad en el niño; de algún modo hay control y anticipación, aunque persista el miedo. A la vez le inspiramos confianza en que va a llegar un día en el que pueda y quiera depositar su popó en el escusado, como lo hacen papá y mamá. El juego paralelo y el teatro con muñecos también ayuda en estos casos.

Manipulación

Hay ocasiones en las que el niño o la niña están abiertamente manipulando la situación: frases como *"o me haces caso o me hago aquí"* lo revelan con mucha claridad. En estos casos es muy importante una doble actuación de los papás. En el momento, no hay que permitir que el niño manipule, no hay que hacerle caso y debemos acompañarlo a cumplir con las consecuencias: limpiar, cambiarse, lavar, etc, sin exagerar nuestras reacciones, porque eso es justo lo que busca.

Y lo fundamental: en otro momento (horas después) proporcionarle un rato muy cálido de atención concentrada. Ustedes se preguntarán *"¿Es premio?"* No, el niño o la niña ha aprendido que por las malas puede llamar la atención y le vamos a cambiar la jugada: *"puedes estar conmigo, con mi atención, calidez y cariño, sin necesidad de recurrir a esas conductas indeseables"*. Es importante que transcurra un tiempo después del incidente para que el niño o la niña no hagan la asociación.

Esta doble actitud, de ayudar a asumir las consecuencias lógicas de sus actos, junto con recibir atención cálida, derrota las actitudes de manipulación.

Control nocturno

El control nocturno es un punto ligeramente controvertido entre los diversos autores que abordan el tema. Las fechas, los modos, las técnicas varían mucho de un autor a otro; sin embargo, hay consenso en cuanto a algunos puntos:

a) Generalmente el control nocturno es posterior al diurno

b) Cada niño tiene su momento de madurez personal

c) Hay una gran población (normal, con familias funcionales, sin problemas afectivos graves), que logran el control de esfínteres tardíamente. En general esta población tiene antecedentes familiares de personas cercanas que a su vez controlaron de manera tardía.

d) El niño o la niña que se hace, no se da cuenta; no es una acción consciente, por lo que son inútiles los regaños y castigos.

Entrenamiento Nocturno

Población normal sin control nocturno

60%	3 años
40%	4 años
20%	5 años
10%	6 años
7%	8 años
3%	12 años
1%	18 años

Esta población "normal" tiene como común denominador lo que se llama "vejiga pequeña"; es decir, que no retiene la suficiente cantidad de orina que se genera durante la noche y, además, la señal que la vejiga envía al cerebro no es lo suficientemente enérgica como para despertar a la persona.

Si lo creemos conveniente, podemos hacer una encuesta entre la familia más cercana (papá, mamá, tíos, abuelos) y casi siempre descubriremos que hay algún pariente que pasó por lo mismo.

¿Qué hacer?

Paciencia

- Ayudar al niño o niña a entender que no es su culpa, que no es un bebé por hacerse en la noche y que el Tío Tomás, quien es un campeón del futbol, se hizo hasta los x años.
- Prolongar un tiempo el pañal por razones prácticas, hasta que el niño lo rechace abiertamente.
- Evitar que tome muchos líquidos en la noche.
- Evitar de noche el chocolate con leche, ya que contiene una sustancia que genera más orina.
- Acostumbrar al niño a hacer pipí antes de dormirse.
- Procurar que el niño sea autosuficiente para cambiarse en la noche. Se puede poner una toalla junto a la cama y otra pijama, o bien un doble juego de sábanas para que el niño jale el que llegue a mojarse.

Sólo cuando el niño lo pida

Ejercicios

Hay ejercicios que ayudan al niño a aumentar el tamaño de la vejiga: por ejemplo, tomar mucho agua durante el día y cuando tenga muchas ganas, hacer una escenificación como si se tratara de la noche. Se acuesta, cerramos las cortinas y le decimos: *"Alerta, tienes ganas de ir al baño"*. Enseñarle a levantarse descalzo(a) y a ir al baño.

Otro ejercicio que contribuye a la madurez, es el de abrir y cerrar el esfínter: dejar caer unas gotas y luego contener, dejar caer y cerrar.

Una precaución que debemos tomar con los preescolares es cuidar su ánimo. Un preescolar cree que con una vez que haga los ejercicios va a resultar que ya puede contenerse porque su mente así lo cree, pero puede descorazonarse mucho si a pesar de esforzarse durante varios días, se termina haciendo. Le tenemos que transmitir claramente la idea de que es una ayuda, pero que es posible que tarde en lograrlo.

Uso de alarmas

Existen en el mercado unas alarmas que pueden ayudar al control nocturno. En el momento en el que el niño lo solicite, la alarma que detecta humedad puede ser muy práctica, porque le ayuda a condicionar el cerebro a despertarse ante la sensación de humedad (ver refencia en la bibliografía).

¿Cuándo debemos considerar la ausencia de control nocturno (enuresis) como una "bandera roja" o signo de alerta?

1) Si el niño o niña ya controlaba de noche durante un período razonable, y de momento, debido a algún problema reciente, deja de controlar. Está comprobado que los niños con problemas de orden afectivo lo reflejan mojando la cama. En estos casos, tampoco hay que regañar, castigar, calificar o ridiculizar; es necesario tomar el evento como un síntoma, no como un problema a atacar y más bien buscar las causas, solicitando ayuda profesional.

2) Flujo por goteo o ardor. En estos casos, debemos consultar al pediatra.

Como hemos analizado, el proceso de entrenamiento para ir al baño o logro de control de esfínteres es un hecho de mucha relevancia en la vida del niño, en el que los papás desempeñamos un papel trascendente. Vale la pena enfrentar el asunto, planearlo, acallar angustias y reconocer que es un proceso humano y natural.

BIBLIOGRAFÍA

Cole, Joanna
"Parents Book of Toilet Teaching"
Ballantine, Childcare, 15th. Printing, 1991, U.S.A.

Eisenberg, Arlene; Murkoff, Heidi y Hathaway, Sandee
"What to Expect the Toddler Years"
Workman Publishing, 1st. Printing, 1994, New York, U.S.A.

Corkille Briggs, Dorothy
"Your Child Self Esteem"
Main Street Books, Doubleday, 1975, New York, U.S.A.

Frankel, Alona
"Once Upon a Potty"
Barron's Educational Series, Inc., 1st. Edition, 1984, Italy

Holzwarth, Werner y Erlbruch, Wolf
"Del Topito Birolo y de Todo lo que Pudo Haberle Caído en la Cabeza"
Petra Ediciones, Libros del Rincón SEP, 1era. Reimpresión, 1992, México.

Prebanna, David
"I Can Go Potty"
Golden Books, Muppet Babies Big Steps Book, 1997, U.S.A.

Roiphe, Herman y Roiphe, Ann
"Your Child's Mind. The Complete Guide to Infant and Child Emotional Well-Being"
St Martin's Press, 1st. Edition, 1985, New York, U.S.A.

Alarmas nocturnas:

Nite Trainer
Koregon Enterprises Inc
9735 S.W. Sunshine Ct. Suite
Braverton, Oregon 97005

2.5 • La llegada de un nuevo hermanito

La llegada de un bebé, es un evento muy importante para la vida afectiva de cada uno de los integrantes de la familia. Incorporar al bebé afectuosamente al grupo y al mismo tiempo cobijar al o a los hermanitos mayores, es una tarea ardua a la que nos enfrentamos los papás.
Cansados y con poca paciencia por el nacimiento del bebé, descubrimos que los hermanos mayores no están tan felices y aprovechan cada momento para demostrarlo.
Es recomendable preparar a los hermanos mayores, quienes no comparten nuestro entusiasmo ante la llegada del nuevo miembro a la familia.
Sienten mucha ambivalencia e inseguridad.
Los celos entre los hermanos son normales. Si estamos informados, podremos tener un mejor manejo, libre de culpas.
Es importante anticiparles lo que van a vivir, considerando su temperamento y edad. Será diferente la estrategia para preparar a un niño en edad de transición, que a un preescolar o escolar.

ESTAMOS ESPERANDO UN BEBÉ

Al esperar a un nuevo bebé, los papás tenemos la ilusión de que todo será fácil y armónico, y que el (o los) hermanos mayores compartirán nuestro entusiasmo. Sin embargo la realidad es otra: el hermanito mayor[1] no va a mostrar la misma expectación y alegría que suponemos.

Su percepción es otra: él no necesitaba a ningún hermanito; él estaba muy bien con sus papás, en un equilibrio que no tenía por qué romperse.

Así, generalmente hablamos idiomas diferentes. Cuando le comentamos: *"Vas a jugar con él, te va a acompañar y lo vas a querer..."* lo decimos con la mejor de las intenciones, pero el niño lo interpreta desde su mundo. *"Vas a jugar con él"* se imaginan a un niño de su tamaño con el que van a correr y a subirse a los columpios, no un bulto rojo, llorón, que no habla, no juega y encima de todo "se come a su mamá".

Es muy común que se lleven una primera desilusión al ver a ese bebé que no hace nada parecido a lo que ellos creían.

Cuando nace un hermanito, el niño resiente un cambio en el ambiente. La llegada del bebé a casa implica un ajuste en el tiempo, la convivencia y la atención a los diferentes miembros de la familia. El pequeño observa los cambios y piensa *"ya nadie me quiere"*.

Los niños presentan un tipo de razonamiento en el que asocian eventos simultáneos, pensando que uno es causa del otro[2]. *"Me hacen menos caso a partir de que llegó este bebé, eso significa que ya no me quieren y a él sí". "El es el culpable"*.

La actitud de los papás ante esta situación puede hacer la diferencia. Podemos ayudar a que la llegada del hermanito se enfrente como una crisis que ayude al niño a crecer y a madurar. O cuando hay un mal manejo, podemos contribuir a una eterna rivalidad y amargura.

Vale la pena prepararnos y preparar al niño para que a largo plazo prevalezca la convivencia familiar.

¿Qué nos ofrece un hermanito?

Un hermanito nos puede enseñar cosas importantes para la vida:

- Que no somos el centro del universo
- Que es importante compartir
- Que podemos postergar la gratificación

Esta penosa pero importante lección se va aprendiendo día con día y contribuye al desarrollo de la inteligencia emocional. Los papás de

1. Cuando se habla de "hermanito" cada lector podrá hacer la traducción a su caso: a "la hermanita" o a "los hermanitos", si es que son más de uno.
2. Pensamiento trasductivo. Ver capítulo "El niño en edad preescolar"; *"Ayudando a Crecer"*, vol. 2.

hijos únicos necesitan redoblar esfuerzos para que los niños reciban estas lecciones que son tan comunes entre los niños con hermanitos.

PREPARACIÓN PARA LA LLEGADA

Necesitamos prepararnos y preparar al niño para la llegada del bebé. No importa que sea un hijo mucho más grande o que lo hayamos tenido en un matrimonio previo o con nuestra pareja anterior. De igual manera hay un sentimiento de desplazamiento que hay que atender.

Visitas al ginécologo, a cuneros y a familias cercanas

La información y la participación en los preparativos, proporciona al niño elementos de anticipación y, por lo tanto, de posibilidad de ajuste. Le va a permitir anticipar lo que va a vivir y hacerse a la idea.

Dependiendo de la edad, el niño puede acompañarnos a la visita al ginecólogo para escuchar el corazón del bebé, a leer libros y a mirar imágenes sobre el embarazo. Puede resultarle una experiencia muy interesante para recibir, incluso, una cálida lección de educación sexual.

La visita al cunero de un hospital es útil, porque los niños pueden visualizar el aspecto de un recién nacido y acallar la fantasía de que va a jugar a la pelota desde el primer día.

Si tenemos a alguna amiga o pariente cercana que acaba de tener un bebé, es una oportunidad maravillosa para visitarla y que vean el proceso y la atención que requiere el recién nacido, incluyendo el guardar silencio, el lavarse las manos para acercarse a él y, en general, todo el ambiente que se genera.

Preparativos del espacio

El niño puede ayudarnos a acomodar las cosas como parte de los preparativos del espacio que se le va a asignar al hermanito. Esto puede realizarse como un ritual de bienvenida que le va a permitir hacerse a la idea del cambio que se avecina.

Libros e imágenes

Hay libros muy accesibles con imágenes acerca de la llegada de los bebés, los cuales describen las escenas típicas del arribo a la casa, las tareas de cuidados, el ambiente, etc. Pueden ayudar mucho a que los niños empiecen a anticipar y a hacerse a la idea[3]. Una alternativa interesante es "hacerle nosotros su libro" con recortes de revistas de bebés o bien con fotos de la familia.

Juego simbólico. El cuidado de *mi* bebé

Independientemente que quien va a recibir un hermanito sea niño o niña, podemos darle un muñeco bebé o un animalito de peluche, con elementos de la rutina del bebé: pañales, mamilas, etc. Le mencionamos que él o ella va a cuidar al muñeco para acompañarnos mientras atendemos al bebé, quien llorará y no sabrá esperar. Esto le va a ayudar mucho a escenificar lo que va a vivir o está viviendo; o sea, podemos jugarlo con él antes del parto y desde luego puede acompañarnos con su muñeco durante los cuidados y la rutina que realizamos una vez que ha nacido el bebé.

Comunicación con el bebé antes de nacer. Estimulación en el útero

Actualmente se sabe que el bebé, desde que está en el útero siente, ve, oye, reacciona ante la voz, etc. Estos conocimientos se pueden interpretar como una oportunidad para que los hermanitos se involucren afectivamente con el bebé antes de nacer, al sentir la respuesta a su estímulo.

Desde antes del nacimiento, conviene anticiparles que **no hay que sobreestimular al bebé**; ni antes de nacido ni después; que el es-

---

3. Una alternativa es la colección Jugar y Aprender. De ediciones Altea. El libro: *"La salud y los alimentos"* de Peter Herriot y Sara Meadows, tiene escenas del nacimiento del bebé con las que se puede identificar el hermanito mayor: La visita al doctor, el hospital, escenas típicas de la casa recién llegado el bebé, etc. Otra alternativa es recortar de revistas de bebés las imágenes para ayudarle a anticipar lo que va a vivir cuando nazca el hermanito.

tímulo es como "la comida": comemos una cierta cantidad y ya, para que nos aproveche.

Les podemos anunciar que probablemente la hora en la que el bebé estará despierto y responderá mejor será entre las 8 y las 12 de la noche[4], por lo que tendremos un rato breve, alrededor de las 8, para jugar con él.

También podemos involucrarlo a jugar con el bebé que está por nacer:

a) Respuesta a las pataditas. Colocamos sus manitas como calentando la panza de la mamá. Cuando el bebé se mueve y patea, le enseñamos a contestarle dando golpecitos suaves en el mismo lugar
b) Llevar el ritmo de la música con la barriga
c) Darle masaje de abajo a arriba, siguiendo la línea de la espalda
d) Enfocar una lucecita y sentir cómo se mueve
e) Platicarle, cantarle
f) Bailar y de pronto detener la música

Preparación para el momento del nacimiento

Es importante dejarles bien claro qué va a pasar cuando el bebé nazca:

- Que mamá se va a ir al hospital y se van a quedar con el papá, la nana, los abuelos, la tía.
- Que es probable que pasen "dos dormidas" antes de que mamá regrese.
- Que van a poder (o que no van a poder) ir al hospital a visitarla.

Mientras más datos sensoriales les ofrezcamos, se van a sentir con mayor fortaleza para sobrellevar la separación.

Es diferente la preparación de un bebé de 12 meses, a la de un niño en edad preescolar, de 5 años, o aún mayor. En todos los casos les tenemos que decir esencialmente qué esperar; sin embargo varía un poco la estrategia según su edad.

---

4. Susan Luddington en su libro: *"How to have a smarter baby"* hace una revisión bibliográfica de las investigaciones que hay alrededor de las respuestas del bebé en útero.

Con el niño en edad de transición. De 12 a 30 meses.
Es el tiempo promedio que se llevan entre sí los niños cuando se les tiene muy seguidos. Esta edad es un poco complicada debido a que el niño está pasando por un período normal de "ansiedad de separación", de "mamitis" y de miedo a los extraños. Se angustian mucho cuando su mamá (o papá) se va y sienten que ya no va a regresar. Esto sucede porque su idea de permanencia es muy pobre; piensan que si se va, nada les garantiza que regrese.

En estas edades es muy importante poner especial cuidado en las condiciones en las que se quedan mientras la mamá está en el hospital.

Cuidadores cálidos y conocidos
Idealmente deben de permanecer con cuidadores conocidos y cálidos, como pueden ser la abuela, el papá, la tía. **Pero que no sea la primera vez que se quedan con ellos, porque podría duplicarse su angustia.**

Avisos

Calendario gráfico con fotos
Es muy importante el aviso: *"Me voy a ir, te vas a quedar con la abuela, vas a jugar con ella, vas a comer, a dormir, y luego va a venir mamá y te va a dar un fuerte abrazo. Ya va a traer al bebé".*

Se recomienda el uso de fotografías ilustrando toda la secuencia para ayudarle a los niños a visualizar y a anticipar lo que van a vivir, con el énfasis en el regreso de la mamá.

Pantomima con muñequitos
También se puede hacer un teatro con muñecos, adaptando una historia como la siguiente a nuestra propia manera de ser y de hablar.

Por ejemplo:

El oso Pimpolín tiene una mamá gorda con un bebé en la panza y se tiene que ir unos días al hospital. A Pimpolín le da un poco de tristeza que se vaya su mamá pero se queda con la abuelita: una osa muy cariñosa que lo abraza y lo consiente mucho. Duerme con ella, se baña con ella, y también juegan juntos y hacen galletitas, hasta que regresa la mamá de Pimpolín con un osito chiquitito bebé. Todos están contentos y le traen un regalo a Pimpolín, por ser el hermano mayor.

Cuando Pimpolín se siente un poco triste, le hace una seña a su mamá y ella lo abraza diciéndole "Eres mi Pimpolín y te quiero hasta el cielo".

Si se escenifica recurrentemente una escena semejante, el niño va asimilando el contenido[5].

Esta edad es complicada, porque de algún modo siguen siendo bebés y les cuesta mucho trabajo compartir a SU mamá. Quieren que sea de ellos y nada más que de ellos.

El tener otro hijo no tan distante del primero tiene la ventaja de que van creciendo juntos y pasando por etapas semejantes, además de que ayuda a que el tiempo de reinado del primero sea breve.

El niño en edad preescolar. De 3 a 6 años

En estos casos, hay una mayor distancia entre un hermano y el siguiente. La ventaja de los niños en esta edad es que entienden mucho mejor el calendario gráfico para avisos[6]; es decir, las fotos y los dibujos que los preparan para el momento de la separación, que anticipan con quién se van a quedar durante la estancia de su mamá en el hospital y están enterados de su regreso.

Asimismo hay una mejor comprensión de la información previa al nacimiento del bebé; captan mejor las imágenes de los libros, etc.

---

5. No debemos sorprendernos si el pequeño rechaza la historia, pues puede sentirse demasiado aludido. Con afecto debemos de buscar el momento oportuno.
6. Consultar el capítulo "El niño en edad preescolar"; *"Ayudando a Crecer"*, vol. 2.

Los niños en edad preescolar pueden participar de una manera más activa en la rutina de cuidados del bebé.

También el juego simbólico es mejor asimilado. Saben jugar a "las mentiritas" y proyectan mucho de lo que traen en el alma a través del juego.

La desventaja de esta distancia es la conciencia de los celos. Es probable que añoren la época en la que todo era más bonito para ellos y no había nacido el hermanito; reinaron durante más tiempo[7].

EL AJUSTE. LOS PRIMEROS MESES

La llegada con el bebé a la casa suele ser difícil. Estamos nerviosos, cansados, emocionados y tenemos el reto de reorganizar nuestro tiempo y espacio.

La casa suele ser un caos mientras nos ajustamos y frecuentemente el niño no ayuda. De pronto lo vemos enorme junto al bebé; es sólo nuestra percepción porque él está igual, y para colmo, lo que nos caía en gracia días antes, ahora lo toleramos menos.

El papá puede hacer "el quite"

Muchas veces el papá puede ayudar durante el trance del ajuste. Sacar al niño a tomar un helado, a pasear al perro, va a ser reconfortante y a evitar, si la mamá así lo prefiere, que sea testigo ocular del proceso de amamantamiento[8].

---

7. Nuria González, una escritora mexicana de gran sensibilidad, tiene un cuento maravilloso en la colección de *"Libros del Rincón"* de la SEP. Se llama *"Y Rafa se hizo invisible"*. Se trata de un niño que, cuando llega su nueva hermanita, se va poco a poco volviendo invisible. Piensa que la niña es mágica porque tiene el poder de desaparecerlo. Al principio está feliz de ser invisible haciendo travesuras pero luego le da tristeza y le pregunta a su papá qué hacer. Él le dice "Rafa de mi corazón" y éstas resultan ser las palabras mágicas que le ayudan a regresar y a dejar de ser invisible.

8. No tiene nada de malo que lo vean, es ilustrativo e interesante, pero suelen sentirse muy mal y desplazados aunque les digamos que a ellos también les tocó.

En ocasiones piden ser también amamantados. Podemos decirles con naturalidad que esa es leche sólo para bebés pero que nos podemos sacar unas gotitas para darle a probar.

Ratos de atención concentrada en el grande

Así como concertamos citas de trabajo o con el médico, y durante ese tiempo no estamos contestando el teléfono ni leyendo el periódico, podemos tener una cita con alguien muy importante: nuestro niño grande. Hay que estar, simplemente estar, sin jugar a nada educativo, abrazándolo, siguiéndole la corriente, riéndonos juntos, sin prisa.

Estos ratos pueden ser anticipados, programados y deben ser respetados.

Kit de juego y estimulación para el grande

Podemos prepararle un paquete con elementos para que él estimule al bebé (bajo nuestra vigilancia).

Por ejemplo:

- 1 móvil
- 1 fotografía de él mismo, tomada de frente con marco rojo o azul
- 1 mascada roja traslúcida
- 1 cinta o CD de música
- Aceite para dar masaje

Desde el principio, hay que informarle que el bebé necesita poca estimulación y que hay que dársela sólo cuando "tiene hambre de ella", cuando está alerta, sin llorar, muy contento y responde a la voz.

Le podemos transmitir la información que conocemos acerca de la respuesta del recién nacido de cómo acepta el estímulo de manera dosificada, de cómo el bebé tiene capacidades visuales.

La cara del hermano

Sugerimos decirle algo así: *¿Sabías que el bebé ve desde que salió de mi panza? Ve, enfoca como de aquí a acá (a 20 cm) de sus ojitos. Lo que más le gusta ver es tu cara, por eso vamos a enseñarle tu foto. También te puedes poner tú ahí para que te vea".*

También: *"A los bebés les gusta que los mires a los ojos y ellos te mi-*

ran de regreso. ¿Te fijas cómo le gustas? Tú eres capaz de tranquilizarlo[9]. *Tu voz le encanta".*

El móvil

"Vamos a hacerle un móvil a tú bebé y a decorarlo. Fíjate cómo le gusta la mascada. Puedes jugar a que te escondes y a que luego apareces.

Vamos a hacerle masaje entre los dos. Yo te lo hago a ti, tú lo sientes y luego se lo haces (vigilando la fuerza del toque).

Háblale desde debajo de la cuna y fíjate cómo reacciona. Tú bebé es muy listo y le gustas".

Esto va ayudando a que el hermano se llene de orgullo por los logros del bebé y hasta lo presuma. *"¡Mi bebé ya me conoce!"* o *"¡Mi bebé ya camina"!*

Contacto físico. Que lo toque, lo cargue y participe en su rutina de cuidados.

En muchas ocasiones impedimos que el niño mayor toque al bebé por miedo a que lo lastime o a que lo haga con manos sucias. Esto es un error. El lazo afectivo con un nuevo miembro de la familia se desarrolla, en parte, por el contacto físico. Está demostrado que cuando se toca a un bebé recién nacido se favorece la formación del vínculo. No impidamos que los niños se beneficien de este contacto temprano. Desde luego hay que establecer las condiciones para que el contacto sea seguro y que no se vayan a lastimar al bebé, siempre vigilando cómo lo tocan.

La lógica de la regresión

Cuando el niño mayor tiene una regresión es muy desesperante. Si ya controlaba esfínteres (avisaba para ir al baño) se empieza a hacer pipí y popó, a despertarse en la noche, a querer tomar en mamila, a

---

9. Penelope Leach en su libro *"Your baby and child"* en la sección en la que trata el nacimiento del hermanito.

gatear o a hablar como bebé. Van a querer llamar la atención o a pedir ayuda innecesaria para hacer las cosas.

Todo esto desagradable, es "chocante" y solemos cuestionarnos si es normal o si estamos haciendo algo mal. Sí es normal y, además, lógico.

El niño razona de la siguiente manera: "Si éste que es chiquito, no camina, no avisa, no habla, lo cuidan con tanta ternura, eso es lo que me conviene hacer: ser chiquito otra vez".

En cualquier época de desarrollo nos sentimos más seguros en etapas previas que ya conocemos que en nuevas. Cuando ingresamos a un nuevo trabajo, el primer día quisiéramos regresar al antiguo que conocíamos tan bien. Esto sucede con los niños de cualquier edad que presentan una regresión. Es una búsqueda de seguridad, un regreso en una etapa de comodidad; por lo tanto su comportamiento es lógico y natural.

Ante las regresiones, lo que necesitamos es paciencia. Con el niño y con nosotros mismos también.

Hay que tolerar y ceder, haciendo acopio de buen humor y por momentos tratarlo a él como a un bebé: *"A ver mi bebé, lo voy a mecer y a abrazar un ratito"*.

Le tenemos que demostrar que no ha perdido sus privilegios y que vale la pena crecer, que también tiene sus ventajas ser un niño mayor.

Posteriormente hay que enfrentarlo con la realidad. *"Oye, jugábamos a que eras bebé y los bebés no van a tomar helado con papá"*, de tal manera que ellos mismos se percaten del beneficio de crecer.

No nos debemos de alarmar por pequeñas regresiones; son naturales.

Los berrinches

Ante la llegada del bebé suele haber un repunte de berrinches.

El berrinche es una explosión afectiva, una pérdida de control, una saturación del alma que necesita desfogarse. Aunque es desconcertante para los papás, es aún más desagradable para el niño. Se siente perdido.

La verdad es que los berrinches son normales y es natural que repunten con el nacimiento y los primeros meses de vida del nuevo hermanito.

El manejo adecuado es tratarlo con comprensión y contención: *"Estás enojado, desesperado. Te abrazo, te acompaño y luego platicamos"*. **Es importante que se sienta contenido pero que no logre el objetivo del berrinche.**

El niño no sabe realmente lo que quiere y pierde los estribos. Los berrinches son frecuentes en épocas de crisis, y la llegada de un hermanito significa una crisis en la casa.

La "medicina preventiva" que disminuye la aparición de los berrinches es el manejo de sentimientos: *"Te siento enojado, ¿me lo quieres dibujar aquí? Estás triste y no sabes por qué. Te voy a abrazar un rato. A veces a mí también me pasa"*[10].

No caer en la trampa. El bebé también nos necesita

En ocasiones el hermano mayor está tan desconsolado y demandante que nos quita todo el tiempo, la energía y la atención y terminamos por desatender al bebé. No es necesario llegar a esos extremos ni tampoco es sano. El nuevo bebé (y nosotros) necesitamos compartir tiempo de calidad para conocernos y reconocernos, para vincularnos.

Quizá analizando la rutina del día siguiente, podamos planear los tiempos, de tal manera que estemos ratos de calidad con cada uno de los miembros de la casa ¡incluyendo al papá! que a veces es el más marginado en toda esta dinámica.

Hay que aceptar la ayuda de nuestra gente cercana y organizarnos sin tantas exigencias. Incluso, si es necesario, es preferible dosificar y postergar las visitas sociales.

---

10. Consultar el capítulo 2.1 "El niño en edad de transición" y "El niño en edad preescolar", manejo de sentimientos, en *"Ayudando a Crecer"*, vol. 2.

Los álbumes de fotos

Las películas y los álbumes de fotos de cuando nació el mayor, suelen ayudarlo a ubicarse como importante "cuando fue bebé".

EL SENTIMIENTO DE CELOS ENTRE LOS HERMANOS

Hay una metáfora muy socorrida en los libros y documentos sobre la crianza para representar lo que el niño grande siente:

El ejercicio es para las mamás[11]:

¿Qué sentirías si llegara tu marido y te dijera: *"Me gustas tanto y te quiero tanto, que voy a traer a la casa a otra como tú. Vas a prestarle tu ropa, tus pinturas, tus libros y tus trastes de cocina. La vas a tener que querer y cuidar?"*.

¿Qué sentirías si tus amigos llegaran enternecidos a saludarla ignorándote?

¿Qué sentirías si engordaras mientras ella se pusiera sexy y guapa y le pasaran tu ropa que ya no te quedara?

¿Qué sentirías si te la encontraras jugando con tu marido en la cama?

¿Qué harías si te la encargaran un rato?

Los esposos no están exentos del ejercicio. ¿Qué sentirías si llegara tu mujer y te dijera: *"Viejo, necesito a otro como tú aquí en la casa. Va a ser por el bien de todos. Necesitamos más dinero, y otro sueldo no nos caería nada mal. Le vas a prestar tu televisión, tu equipo de futbol y tus herramientas, etc, etc."*

El ejemplo también aplica en el mundo del trabajo. ¿Qué sentirías si llega un individuo 10 años más joven, que habla varios idiomas, maneja la computadora a la perfección, carismático y encantador y mucho más actualizado que tú en lo que concierne a **tu** puesto? La verdad es

---

11. Faber & Mazlish; *"Siblings without rivalry"*. Este libro es una fuente excelente de consulta. Es sencillo y divertido, muy claro y orientador. Las autoras son consideradas como "expertas internacionales" en el tema de la rivalidad entre hermanos.

que aunque la compañía salga ganando, el sentimiento es *"¡pero yo no!"*.

Podemos sentir en carne propia la sensación de inseguridad, de desplazamiento, de tristeza; en pocas palabras, de celos, en cuanto percibimos que nuestro sitio está en peligro y hay otra persona de aparentemente "más valía" que lo puede ocupar.

Los celos son reales; no son una fantasía y son tan antiguos y tan humanos como la historia del hombre mismo.

No debemos hacer sentir culpables a nuestros hijos por experimentar celos

Un hermanito es un evento muy importante en la vida de los niños. A largo plazo y mediante un buen manejo, pueden llegar a vivenciar las delicias de tener un compañero, de poder jugar, de hacer alianzas y de contar con alguien cercano en la vida.

Lo que hace sentir en terreno seguro al hijo mayor es la convicción de que es único e irremplazable, con sus características, su manera de ser, y de que se le quiere de manera incondicional con sus cualidades y sus defectos. Este mensaje no lo asimilan cuando simplemente lo decimos de dientes para afuera o lo mencionamos una sola vez. Se lo tenemos que expresar de manera sincera y cotidiana para que los niños lo sientan.

Los celos son caprichosos y siguen una dinámica poco predecible. Generalmente nos toman por sorpresa. Suben y bajan por períodos. La lógica de los celos es: Siento celos en la medida en la que percibo que el otro me hace sombra. Varía por épocas.

Cuando el hermanito está recién nacido puede haber algún grado de descontrol. Luego, cuando se dan cuenta de que es inofensivo y no sabe hacer nada más que comer y dormir, entonces puede bajar la intensidad de los celos. Pero cuando el bebé empieza a hacer gracias, a gatear, a aplaudir, generalmente se sentirá muy infeliz, como alguien destronado. Y así consecutivamente.

Hay algunas circunstancias que colocan a los niños en un terreno más delicado; por ejemplo: Entre dos niños varones muy seguidos, hay una mayor probabilidad de que aparezcan celos porque están poco diferenciados uno del otro: ambos son varones y de una edad semejante. Van a tener que luchar mucho por distinguirse y conquistar un lugar en la familia. En cambio, entre niño y niña, o cuando media una mayor distancia, es probable que haya menos celos porque al menos cada uno de ellos será "el único niño" o "la única niña", "el grande" o "el chico".

Tiene una gran influencia en los celos el valor que la familia asigne a cada género y a las cualidades de cada quién; por ejemplo, si las niñas son muy valoradas porque hay pocas en la familia y hay algo que hace sentir una especial inclinación por el género femenino, el niño va a estar en desventaja y a tener un motivo extra para sentir celos. Si la familia es "futbolera" y nace un niño con grandes habilidades para el futbol, la inclinación familiar va a influir en la posición del niño en la familia y, por lo tanto, en los celos de los demás hijos. El favoritismo por un niño o niña, por una u otra cualidad o habilidad, puede ser un factor determinante en los sentimientos de los niños.

A veces la vida misma nos plantea retos importantes: cuando un hermanito tiene características físicas muy contrastantes con el otro: pestañas, color de ojos, pelo, facciones, complexión, etc., las personas les reflejan cotidianamente el contraste: *"¡qué bonito!"*, y esto indudablemente influye en la percepción que tiene de sí mismo el menos favorecido.

Ante las características físicas no podemos hacer nada más que aceptarlas y recordar que quienes más influimos en la manera como los niños se ven a sí mismos, somos los papás. Lo que sí podemos hacer es que se reflejen en nuestros ojos como niños queridos y únicos; esta imagen puede ser una coraza contra comentarios impropios de conocidos y familiares[12].

---

12. No se trata de decirles mentiras al describirlos físicamente. No vamos a mencionar *"qué bonito tu pelo rizado"* cuando es lacio. Esto, a la larga, los hace sentir engañados.

¿Qué hacer ante los celos?[13]

Por un lado, aceptarlos, darles cabida y permitir que se expresen y, por otro, evitar a toda costa que hagan daño al hermanito, a nosotros sus padres o a sí mismos. Esta situación no es nada fácil porque hay quienes no tenemos el hábito de reconocer y permitir que se ventilen los sentimientos de enojo, ambivalencia, tristeza.

Cuando nos sorprenden con frases como: "*¡Regresa a ese bebé al hospital! ¡Regálaselo al señor de la basura! ¡Mételelo en la panza y que se ahogue!*" nos horrorizamos; sin embargo, hay que recordar el ejercicio de la nueva esposa ¿No era algo así lo que deseábamos hacer? quizá de manera más adulta, pero el deseo era de que se "esfumara" de una vez para siempre.

Lo que **Faber** y **Mazlish** aconsejan es reconocer el sentimiento, sin permitir que lo ejecuten mediante una acción física dañina y contestarles con el idioma del sentimiento, no de la razón. En lugar de decirles *"¡Cómo se te ocurre que lo regresemos, o que lo tiremos!"* Hay que empatizar con ellos y decirles: *"Veo que te está costando trabajo tener un hermanito. ¿Quieres que estemos juntos y abrazados un rato?"* También: *"A veces te sientes raro cuando las visitas saludan a tu hermanito con tanto entusiasmo. Si te da tristeza, hazme una seña y te daré un abrazo especial"*[14].

Al mismo tiempo, dejar muy clara la regla de: "En esta casa no se vale pegar, morder, arañar. Si me quieres decir algo me lo dices con la boca, no con golpes."

Sin importar que sean chiquitos, también podemos hacer el ejercicio familiar de prohibir los motes y los calificativos e invitar a todos los miembros de la casa a que se expresen desde sus sentimientos. Es decir, no se valen los calificativos como *"Eres un niño malo y envidioso"*, sino hablar de los sentimientos propios. *"Me siento muy enojado cuando..." "Me da tristeza cuando..."*[15]

---

13. Leer el capítulo "Hermanos sin rivalidad"; *"Ayudando a Crecer"*, vol. 2.
14. Sugerencia de Haim Ginott; *"Between Parent and Children"*
15. Es decir: El lenguaje **yo** en lugar del calificativo y el juicio de los otros

Los celos suelen tener una trayectoria diferente según la personalidad del niño:

1) Pueden agredir al hermanito (porque él es el culpable directo de su desgracia). Es importante tener cuidado y nunca dejarlos solos. Si un niño deja ir la mano y lastima al bebé, se va a sentir muy culpable y en el fondo, aunque haya sacado su coraje, infeliz e inseguro. Protegemos a ambos cuando no los dejamos solos y vigilamos la interacción: *"Puedes cargar al bebé un momentito, aquí sentado en el sillón, mientras estamos juntos".*

2) Otra posibilidad es que sean muy buenos con el hermanito pero que agredan a la mamá, al papá o a ambos (porque deducen que son ellos quienes traicionaron su cariño, los culpan de su desgracia).

3) O bien pueden agredirse a sí mismos. Los niños demasiado buenos, que no se atreven a sacar el sentimiento de manera sana, se agraden a sí mismos de manera inconsciente con dolores de estómago o de cabeza, pesadillas, dermatitis, etc.

Por ello es mucho más saludable darles la oportunidad de que se expresen y escenifiquen los celos (sin lastimar a nadie) para que los saquen, en lugar de reprimirlos y que a la larga afecte su relación fraternal.

Las historias y los cuentos

A los pequeños en edad de transición les resulta muy interesante escuchar cuentos de animalitos o de personajes que están pasando por situaciones similares a las suyas. Escuchan el cuento con cierta distancia y se divierten, a la vez se sienten identificados. *"El oso Pimpolín, quería a su mamá sólo para él y se pasó un día muy contento en el parque..."*

Si no encontramos cuentos sencillos ya impresos, podemos inventarlos.

Para los niños en edad preescolar existe un recurso interesante: la narración de cuentos fantásticos y de historias en las que el protagonista pasa por algún evento en el que se siente desplazado y celoso. Generalmente los niños se identifican con los personajes principales de los cuentos y, por lo mismo, pueden proyectar su sentimiento en la historia[16].

LAS REGLAS Y LA RUTINA

También debemos procurar que las reglas y la rutina sigan iguales en la casa, evitando la sobreprotección y el desorden, porque de ser así terminarán más descontrolados.

Es típico encontrar que los papás permiten que el niño haga lo que se le venga en gana por lástima: *"pobre, déjalo, está sufriendo mucho con su hermanito"*. En el fondo, les provocan mayor descontrol. Los niños sienten, de hecho, que el mundo se les ha venido abajo con la llegada del hermanito y encima puedo hacer lo que se me da la gana; qué bueno por un lado, pero qué horror porque ya no le importo a nadie, ni me cuidan, ni me limitan".

---

16. El cuento les ayuda a entender y a elaborar los sentimientos, además de que es una oportunidad de "purgarlos " y de distanciarse. Es muy importante aclarar que **no debemos explicarles o hacer obvia la asociación**; o sea, no hay que aclarar *"sientes celos de tu hermano como en el cuento"*. Esta frase echaría todo a perder. La proyección es inconsciente y la elaboración también.
Los niños en edad preescolar proyectan sus miedos, ambivalencias, deseos en la dinámica de lucha de los cuentos. Odian a las brujas, a los monstruos y a los malos. La lógica de la narración los lleva a eso y a la hora en que se mueren "los malos", purgan sus sentimientos.
No debemos de pensar que estamos inculcándoles ideas nocivas. Todo se desenvuelve en un mundo fantástico y metafórico "de mentiritas". Después de la narración, quedan listos para enfrentar la vida cotidiana.
Los cuentos narrados en familia son una oportunidad maravillosa de convivencia y de compartir espacios cálidos, así como una forma de purgar sentimientos negativos. Puede ser que después de escuchar varias veces una narración que encierre estos sentimientos queden listos para lidiar con el hermanito de carne y hueso. Bruno Bettelheim en su libro: "Psicoanálisis de los Cuentos de Hadas" explica esta teoría: escuchar cuentos que representan los sentimientos más frecuentes de los preescolares, no es echar leña al fuego, sino que purgan y equilibran al niño.

RESUMEN	Edad de transición (12 a 30 meses)	Edad preescolar (3 a 6 años)
Información previa	Fotos, imágenes, libros (adecuados a la edad), visitas a cuneros, que sepan qué esperar del hermanito. Afectivamente anticipar lo que van a sentir.	
Juego simbólico	Muñeco o animalito que va ser "su bebé" para a acompañarnos en la rutina.	
Preparación del espacio	Que participen en el acomodo de las cosas.	
Estimulación en útero	Información mínima. Actividad conducida.	Kit de estimulación en el útero
Avisos	Calendario de fotos. Teatro con muñecos (adaptado a la edad)	
Regalito	Los papás les damos un regalo (de parte del bebé) al hermano mayor.	
Presencia de papá	Privilegios de ser grande.	
Regresiones	Paciencia.	
Reglas	Mantener las reglas y la rutina.	
Atención concentrada	*En este ratito, tengo una cita con alguien muy importante para mí.*	
Contacto	Que lo puedan tocar siendo vigilados.	Que lo pueden tocar y jugar con él, vigilados
Manejo de sentimientos	Expresión	
Historias y cuentos	Pequeñas historias sencillas en las que el protagonista o los animalitos pasan por situaciones similares	Cuentos fantásticos

PREGUNTAS FRECUENTES

¿Conviene que el niño ingrese al kinder cuando nace un hermanito?

No; es un grave error si los eventos son simultáneos. El niño se va a sentir desplazado y va a hacer una asociación muy negativa con la escuela. Se quedará muy inquieto pensando ¿qué harán solos en la casa?

Para que entre al kinder es importante observar los signos de madurez del niño y asegurarnos de que esté realmente preparado. Esto ocurre cuando el niño ya superó el período más crítico de la mamitis; no se angustia cuando se separa, sabe qué quiere decir *"voy a regresar por ti"*. Esto acontece generalmente después de los 2 años y medio.

Conviene meterlo al kinder antes de que nazca el hermanito o después, pero no simultáneamente.

¿Conviene empezar el entrenamiento para ir al baño al mismo tiempo que nace un hermanito?

No; va a ser mucho más difícil. También hay que observar los signos de madurez y empezar antes, tolerando regresiones.

¿Y quitarle el chupón y la mamila?

Tampoco es conveniente. El chupón y la mamila pueden ser sus "objetos transicionales" y no conviene arrancárselos de tajo. Tienen que prepararse y estar listos para dejarlos ir. El chupón y la mamila representan el confort y los cuidados que recibían de su mamá cuando eran bebés; por lo mismo, hay que manejar con mucha delicadeza el que se desprendan de ellos. Si se les retiran a los nueve meses suele ser más fácil, pero cuando ya se acostumbraron a ellos hay que esperar a que estén listos y ayudarlos a dejarlos ir mediante un ritual de despedida.

¿Podemos dejarlo que use su cuna?

Conviene hacer la transición del grande a la cama, antes de que se le ceda la cuna al bebé para que no se sienta aún más desplazado. Vale la pena que nos enteremos como papás de lo que esto implica, que asumamos nuestro papel en la crianza de los niños y nos preparemos para que el proceso se lleve a cabo de la mejor manera posible para todos.

BIBLIOGRAFÍA

Bettelheim, Bruno
"Psicoanálisis de los Cuentos de Hadas"
Grijalbo, Editorial Crítica, Serie General "Las Ideas", 1988, México.

Corkille Briggs, Dorothy
"El Niño Feliz. Su Clave Psicológica"
Editorial Gedisa, 3ª Edición, 1980, Barcelona, España.

Faber, Adele y Mazlish, Elaine
"Siblings without Rivalry. How to Help your Children Live Together so You Can Live Too"
Avon Books, Childcare, 1998, U.S.A.

Faber, Adele y Mazlish, Elaine
"Cómo Hablar para que los Niños Escuchen y Cómo Escuchar para que los Niños Hablen"
Edivisión Compañía Editorial S. A., 8a Impresión, 1995, México.

France de Bravo, Brandel y Teich, Jessica
"Los Árboles Son el Mejor Juguete"
Editorial Plaza y Janés/Editorial Grijalbo, 2003, México.

Ginott, Haim
"Between Parent And Child"
Avon Childcare Books, 1969, New York, U.S.A.

González, Nuria
"Y Rafa se Hizo Invisible"
Cuentos del Rincón SEP, 1a Edición, 1986, México

Herriot, Peter; Meadows, Sara y Dixon, Peter
"La Enciclopedia del Preescolar".
"Jugar y Aprender".
"La Salud y los Alimentos"
Ediciones Altea, 1983, España.

Leach, Penelope
"Su Bebé y Su Niño"
Editorial Argos Vergara, 1985, España.

Ludington, Susan
"How to Have a Smarter Baby"
Bantam Books, 1987, Toronto, Canada.

Serrano Ana
"Un Nuevo Hermanito"
María Luisa Ruiz de Alvarez
G. Oria de Q.
Editorial Trillas, publicado en "Buenos días mamá", 1995, México.

2.6 • Entrada al kinder o primer centro escolar

La entrada al kinder es un paso muy significativo para la familia, en la que el niño inicia un reto de independencia. "La entrada al kinder es mucho más que cargar una lonchera nueva....."

De ser posible, es recomendable esperar a que el niño esté maduro para meterlo al kinder. La mejor edad, pensando en su bienestar afectivo, es cuando se supera la ansiedad de separación o el miedo al extraño. Entre los dos años y medio o los tres años. En este momento entiende la frase; "Mamá se va y va a regresar al rato por ti...." No te abandono.

Hay ocasiones en las que se justifica plenamente una entrada precoz por circunstancias familiares. En estas circunstancias, se puede preparar al niño para la entrada a la escuela de modo que anticipe lo que va a vivir y no se sienta abandonado. Procurando que no coincida con eventos como el nacimiento de un hermanito u otras crisis familiares.

Independientemente del momento en el que decidimos meterlo al kinder o guardería, los papás tenemos que llegar a términos con la decisión, para que el niño se sienta seguro. Por eso es tan importante la preparación anímica tanto de los papás, como del niño. De lo contrario, le transmitiremos nuestras ambivalencias, y el proceso se vuelve muy difícil. No hay escuelas "buenas" en neutro. Hay escuelas buenas para el niño y para la familia. Tenemos que hacer una valoración de los centros, en función de nuestras preferencias y del perfil del niño.

El primer centro escolar debe de ser una "extensión cálida de casa", no un centro académico. Un bebé o niño en edad de transición no se retrasa académicamente si se queda en casa o si es de los mayores del grupo.

"ME DIJERON QUE ESA ESCUELA ERA BUENÍSIMA..."

Entrar al kinder es mucho más que cargar la lonchera. Representa para el niño el primer desprendimiento de su entorno más cálido: su hogar.

"Me dijeron que esa escuela era buenísima..." "Mi sobrino se adaptó rapidísimo..." "Me dijo adiós y se metió..." Son frases que influyen en nuestras actitudes acerca de la entrada de nuestro(s) hijo(s) al primer centro escolar. Como papás, a veces carecemos de elementos para decidir el momento oportuno y el modo de preparación para que ingrese(n), y nos guiamos por una plática de café, sin hacer un análisis de las alternativas ni preparamos seria y realmente.

El objetivo de este tema es presentar algunos puntos para reflexionar, a fin de que cada pareja prepare su propia estrategia en función de sus alternativas, estilos, y de la madurez y manera de ser del niño.

Está de más decir que no vamos a dar recetas, y que cualquier decisión que tome cada pareja es respetable.

PREPARACIÓN DE LOS PAPÁS

Brazelton[1] afirma que la preparación de los papás para que el niño entre a la escuela y la "madurez" de sentimientos y actitudes, pueden ser tan importantes como lo preparación y la madurez del propio niño.

Decidir si debe o no entrar ya a la escuela es un paso muy difícil. Todos los papás nos preguntamos en un momento dado:

¿Está listo(a)?
¿Qué van a ver en él (ella)?
¿Se van a dar cuenta lo listo(a) que es o sólo verán sus defectos?
¿Lo(a) van a cuidar bien? ¿Será un buen lugar?
¿Qué tipo de "rufianes" le van a tocar de compañeros, si para colmo va a estar sin mi presencia?

Estas preguntas son reflejo de la ansiedad natural de los papás al compartir el cuidado de su pequeño. Como padres, y sobre todo con el

---

1. Brazelton, Berry; *"Touchpoints"*

primer hijo, se vive una pérdida; es el final de una época de intimidad, y un símbolo de que el niño ya está creciendo y nos necesita menos.

En el fondo, hay un cierto sentimiento de competencia con la(s) maestra(s) o cuidadora(s). Ya no bastamos.

Por otro lado, e independientemente de la edad del pequeño, aparecen sentimientos de culpa por abandonarlo, los cuales se acentúan o incrementan al ver o anticipar su tristeza.

Los papás necesitamos resolver esto antes de su ingreso al centro escolar para realmente ayudar al niño. Tenemos que transmitirle de manera verbal, pero sobre todo no verbal: *"Esta escuela (o centro) es la mejor del mundo, vas a estar muy bien, no hay peligro, estás a salvo, tal vez al principio te cueste trabajo pero después te va a gustar; yo te acompaño en esta transición. Te vas a quedar y luego regreso por ti pero antes te voy a dar un besito".* (El mensaje variará según la manera de ser y de hablar de cada familia).

Si estamos ansiosos, con dudas acerca de los compañeros, de la maestra a quien consideramos "poco calificada", con culpa por abandonarlo, por más que le digamos: *"Vas a estar bien"*, nos delatará nuestra cara de angustia; implícitamente le estaremos diciendo: *"Estás en problemas".*

Tenemos que darnos tiempo para analizar las alternativas y para trabajar nuestros sentimientos. Cuando se ha hecho un análisis lo más racional posible de las alternativas, y por otro lado verbalizamos y compartimos las dudas y las culpas, estaremos en mejores condiciones de apuntalar la decisión y de apoyar al niño, de ayudarlo a crecer.

ANÁLISIS DE LAS ALTERNATIVAS, LOS PROS Y LOS CONTRAS

Como papás, tenemos que hacer un análisis racional de alternativas y poner en la balanza pros y contras.

Considerando nuestras circunstancias, debemos preguntarnos:

¿Meterlo(a) ahora o después?

¿Está listo(a)?

¿Hay otras alternativas de cuidado?
¿Cuál es el centro que nos ofrece más beneficios?
¿Cuándo debe entrar?

De cada alternativa, debemos analizar pros y contras.

Ante la pregunta de ¿Cuándo es el mejor momento? Si es posible, es conveniente que el niño haya resuelto la mamitis o ansiedad de separación (aproximadamente a los dos años y meses). Un niño que habla, entiende de manera más cabal el mensaje de "me voy y después regreso por ti". Además puede representar con más facilidad en su mente lo que le platiquemos de la rutina escolar.

Hay que tomar en cuenta que, si tenemos alternativas de cuidadoras cálidas, como la abuela o una "supernana" en la casa, no hay prisa para la escolarización.

Curiosamente, y contrarrestando la tendencia actual de inscribir a los niños cada vez en edad más temprana, Penelope Leach ha generado una controversia en Estados Unidos con su polémico libro *Children First,* en el cual aconseja la búsqueda de cuidadores(as) cálidos(as), en vez de instituciones, procurando aplazar el momento de entrada a un centro de desarrollo o kinder.

Ahora bien, hay veces que las circunstancias familiares indican que lo más deseable es una entrada más temprana. De nuevo hay que valorar las alternativas, los pros y los contras. Si hay una necesidad imperiosa de que la mamá trabaje, y el bebé no va a recibir una rutina estable de cuidado, puede ser mejor que ingrese a una guardería o centro escolar.

Si prevalece el sentimiento de "como mamá ya no funciono, no te disfruto, estoy muy tensa y esto está minando nuestra relación", es mejor que el niño entre antes al kinder. Si la alternativa real es traerlo de un lado al otro, carente de rutina y de cuidados, se justifica su entrada al kinder.

Cada núcleo familiar constituido por papá, mamá y niño, está enmarcado en distintos contextos: económico, de tiempo, de valores, de temperamentos, de número de integrantes de la familia. Muy probablemente, la mejor alternativa para una familia no lo sea para otra en cuanto a la edad más apropiada para entrar, a la elección del centro educativo, etc.

ACLARAR SENTIMIENTOS.

Independientemente de la edad del niño, sobre todo con el primero, duele la separación. Vale la pena escribir y escribir o platicar y platicar todos los sentimientos que nos provoca este ingreso al kinder: desilusión, sensación de pérdida, de desplazamiento, pérdida de intimidad, culpa de la mamá que abandona, dudas, etc.

En la medida en que tengamos claros nuestros sentimientos, podremos manejarlos y por lo mismo nos "harán menos ruido" a la hora de ayudar al chiquito en el proceso de iniciación al kinder o centro de cuidados.

Podremos transmitirle al niño, de manera verbal y no verbal, con nuestra actitud, el mensaje de "*Estas seguro en este lugar, estás en buenas manos y nos va a hacer mucho bien a ti y a mí esta experiencia...*"

PREPARAR AL NIÑO

Preparar al niño, independientemente de su edad, puede hacer muchísima diferencia en su proceso de adaptación a la escuela.

La preparación varía según la edad. Vamos a presentar distintas etapas y sus estrategias de preparación.

a) Bebés hasta los 7 meses:

Si nuestra opción, después de analizar el panorama de alternativas, es dejarlo en una guardería cuando el bebé es pequeñito: este periodo, hasta antes de los 7 meses, suele no ser muy conflictivo, pues todavía no se presenta la mamitis. Desde luego es importantísimo que el centro sea un buen lugar; donde se trate a los niños con calidez, limpio y con cuidadores calificados y bien supervisados.

El pequeño necesita adaptarse y es conveniente que su entrada sea paulatina para que vaya ajustándose al cambio.

La rutina de las guarderías ayuda a los niños. Les da mucha seguridad y les permite anticipar experiencias y acostumbrarse. Conviene equiparlo con artículos que le recuerden su casa, que huelan a su ambiente, y comunicarles a los cuidadores los pormenores de su cuidado.

Poco a poco, el pequeño va adoptando los horarios de alimento y sueño que rigen en la institución, pero es importante que los cuidadores tengan, sobre todo durante los primeros días, la sensibilidad para facilitar la transición.

No importa lo pequeño que sea; hay que platicarle, recorrer con él el lugar y decirle: *"Me voy, te vas a quedar en muy buenas manos y luego voy a regresar por ti; cuando venga te voy a dar un fuerte abrazo y nos vamos a ir juntos a la casa".*

b) Bebés de 8 a 12 meses:

Si es posible, es mejor que los niños no ingresen a la guardería en esta etapa, pues la mamitis ya suele estar presente y hay una resistencia muy acentuada a que nos ausentemos. Aunque en caso de necesidad, acaban adaptándose, hay que estar conscientes de que es una etapa conflictiva y que los tenemos que apoyar y ayudar por más tiempo con avisos, procurando que su entrada sea paulatina y brindándole mucho afecto.

c) Pequeños de 12 a 18 meses o más:

Esta edad suele ser engañosa; muchos papás los meten al kinder porque "están muy pegados a la mamá", con la esperanza de que se sociabilicen. Esto simplemente no ocurre y sólo se expone al niño a sufrir. Más vale que no sea ésta la razón para meterlo al centro escolar porque todos salen perdiendo.

Un niño entre los 8 y los 18 meses o más, suele estar muy apegado a su mamá o a su cuidador más cercano. Esto desconcierta mucho a sus papás, pues el pequeño pasa, de ser muy sociable, a volverse huraño, temeroso y apegado. Es un fenómeno normal, humano y predecible, que se conoce como "mamitis", ansiedad de separación o miedo al extraño. El niño ya depositó su confianza en unos cuidadores y teme constantemente que se le esfumen. Presenta crisis en las cuales no deja ir a la mamá ni al baño y está al pendiente todo el tiempo de que no se le deje solo.

Este fenómeno, en la práctica, es "una lata", pero significa mucho en el crecimiento emocional del niño. Ya estableció un lazo afectivo, y esto le va a servir para toda la vida. El lazo afectivo le va a dar gasolina para explorar, involucrarse y, si resuelve bien esta pequeña crisis normal del desarrollo, entablar en el futuro otros lazos afectivos.

Las vivencias de que mamá se va pero regresa y está presente en los momentos importantes, le van permitiendo confiar e independizarse, resolver ese miedo al extraño, esa ansiedad de separarse y convertirse en una personita más libre para experimentar en el mundo.

Desde luego, hay diferencias de temperamento y estilos para adaptarse a las nuevas circunstancias, pero en general los niños que han sido cuidados "solo por la mamá", muestran mayores dificultades para tolerar cuidadores alternativos, a diferencia de los niños con los cuales se ha compartido el cuidado, a quienes es más fácil relegar con sustitutos afectuosos.

Cuando los pequeños están atravesando por esa crisis, hay una gran tendencia a "lanzarlos" al kinder o a la guardería para que se despeguen. Paradójicamente, como asevera Penélope Leach, el niño requiere lo contrario. Necesita tiempo. Es importante que ya cuente con los recursos para irse despegando, después de constatar repetidamente que su mamá va y regresa, que no hay por qué temer y que él es lo suficientemente fuerte para estar en un ambiente desconocido, que es capaz de esperar a salvo. Por ello, cuando el niño tiene mamitis aguda, lo mejor es dedicarle tiempo, brindarle compañía y siempre avisarle que nos vamos a desprender de él un rato. **Elkind**[2] señala que los niños con una mamitis muy intensa que resuelven bien esta crisis de desarrollo, cuando llegan a los tres años son ya muy independientes.

Si es indispensable que entren al kinder en esta etapa, la preparación debe de ser mucho más cuidadosa y paulatina.

d) Para cualquier edad, durante la mamitis o una vez resuelta:
Es muy importante avisarle al niño lo que puede esperar del centro escolar, a qué se va a enfrentar, que visite su salón y a la maestra. Si es posible, apunta Brazelton[3], conviene que conozca a uno o a dos compañeros y que planeen paseos juntos, así como que se lleve algo especial de su casa a la escuela.

Tomar fotos del entorno y mostrárselas ayuda muchísimo para que el niño anticipe visualmente las escenas y las actividades que tendrá a distintas horas del día.

"Esta es la entrada de la escuelita, contamos tres escalones para subir, uno, dos, tres.
Aquí está Rosy con su delantal.
Estas son las mesas con los materiales.
Estos son tus compañeritos.
Aquí están las mamás a la salida, recogiendo a sus niños..."

También conviene averiguar la rutina diaria, así como los términos muy particulares: "trabajar" (como en el sistema Montessori), "materiales", "siesta", "almuerzo". *"Vamos a llegar a la puerta grande y*

---

2. Elkind, David; *"Development of the child"*
3. Brazelton, Berry; O. Cit.

a saludar al sol y a la luna de la pared, luego vamos a subir los escalones: uno, dos, tres, y a colgar tu suéter en un gancho. Yo te voy a dar un beso, me voy a despedir y van a hacer un círculo con tu maestra para cantar". Obviamente esto cambia según el centro escolar.

Otro recurso para ayudarle a anticipar lo que va a vivir, es mostrarle imágenes de libros; por ejemplo "La enciclopedia del preescolar[4]" maneja escenas típicas de ambientes escolares, con base en las cuales se puede platicar con el niño acerca de la escuela: los salones, el patio, la hora de la siesta, el recreo, el lunch, etc.

Se puede inventar una breve canción de aviso, en la cual se maneja la idea de que mamá se va y regresa, de que tal vez le dé un poco de tristeza al principio pero luego se le pasará y con el tiempo le va a gustar mucho ir a la escuela.

Brazelton sugiere que el primer día de clases se le demuestre mucha confianza a la maestra. Esto lo siente el niño y quizá le ayude a aceptarla como cuidadora sustituta, a diferencia de cuando nos ve temerosas, juzgando la capacidad de la cuidadora, porque también el niño va a dudar.

Al llegar al centro escolar es necesario **despedirse sin prolongar la despedida**, y desde luego decirle que regresaremos por él.

Siempre, pero sobre todo al principio, es necesario hacer un esfuerzo especial por ser muy puntuales para recogerlo.

También es importante, que si notamos que el pequeño está haciendo esfuerzos por adaptarse, lo felicitemos por ello.

Ahora bien, hay que tener presente que aun cuando se haya hecho todo esto, es posible que haya una reacción negativa al principio o al segundo día. Algunos niños entran felices el primer día pero el segundo lloran, precisamente porque ya saben a lo que van. Por fortuna, la escuela sigue una rutina y esto va a ayudar al niño a predecir lo que va ocurriendo y a ajustarse a ello.

Lo que es un hecho es que son menos los que no lloran que los

4. Herriot, Peter; *"La enciclopedia del preescolar"*; "Jugar y Aprender"

que lloran. Y ciertamente toda mamá, cuyo niño no lloró, lo platicará a todo mundo con orgullo, lo que podrá dar la impresión de que eso es lo normal. No lo es, aun cuando se le prepare.

A pesar de todo, el llanto de un niño no preparado es desolador, de abandono; el de un niño preparado es de desilusión.

Quizá se malentienda nuestra información y parezca que estamos sugiriendo que es mejor que nunca entren al kinder. Desde luego que no. Este paso, como muchos otros en la vida, duele pero es necesario para su crecimiento. A los niños les sirve el kinder, sólo que es mejor que ingresen cuando estén maduros.

Muchos niños se adaptan muy bien a la escuela pero en la casa muestran signos de regresión en áreas aparentemente no relacionadas con su ingreso, como el sueño, el alimento, los berrinches. Esto ocurre, porque toda la energía la encauzan a ajustarse a la escuela. No hay por qué preocuparse; las regresiones son temporales.

Si el niño ha acudido previamente a un centro de grupos de juego con su mamá, en cierta forma esto puede ayudarle, pues sabe seguir una secuencia de actividades y acatar órdenes de un adulto que no es su mamá. Esto, sin embargo, no es suficiente; al kinder irá sin su mamá y eso hace muchísima diferencia. Por ello, de cualquier manera hay que prepararlo.

Cuando el pequeño que entra al kinder es el segundo ó tercer hermanito, tiene mayor facilidad para entender que la escuela se trata de *quedarse un rato en un lugar*. Sin embargo hay que tener presente que este 2do ó 3er hijo puede tener distinta madurez y necesitar de más tiempo para adaptarse o de mayor preparación.

A veces el niño está realmente ilusionado por la lonchera, los juegos en el jardín, por la imagen que construye alrededor de estos signos, y se enfrenta a una dura realidad: el kinder es mucho más que la lonchera; es el primer desprendimiento de su entorno más cálido. Es su primera oportunidad de defenderse solo, de abrirse campo en un entorno social, de controlarse. Esto representa para él un gran reto. Por eso insistimos que mientras más elementos de anticipación tenga, mejor.

El periodo de ajuste a la escuela puede ser tormentoso. Brazelton sugiere propiciar en casa un oasis de seguridad y calidez; no hay que presionarlo para que haga bien todo, hay que brindarle un espacio, así como atención cálida y concentrada, junto con la posibilidad de ventilar los sentimientos negativos, ayudarle a reconocer *"a veces te sientes solito, extrañas, qué valiente que haces esfuerzo por no estar triste"*.

Cuando hay mucha presión, algunos niños presentan dolor de estómago o de cabeza, incluso vómito. Esto es común. Se aconseja hablar con la maestra, aliarse con ella y tratar de aliviar lo más posible la presión que rodea al niño. También hay que decirle que quedarse en casa no lo ayuda y que vamos a tratar de apoyarlo.

Frases como éstas pueden ayudar a tranquilizarlo:

> *"¿Sabes qué espero de ti? Que hagas un esfuerzo y sigas adelante.*
> *¿Te da miedo que algo me pase? No me va a pasar nada porque yo no voy a dejar que me pase.*
> *¿Te da miedo que me olvide de ti y me dedique a tu hermanito? Esto no va a ocurrir nunca; estoy orgullosísima de mi niño grande y no dejo de pensar en ti mientras estás en la escuela"*.

Cuando el niño vomita o le duele la cabeza puede ser que esté relacionado con su estado físico. Hay que descartar que esté enfermo o anémico y si sigue presentando esos síntomas entonces sí es posible que se deba a su ingreso a la escuela.

Hay niños que se levantan con niveles muy bajos de azúcar. Esto contribuye a los dolores de cabeza y de estómago. La ansiedad provoca una disminución aún mayor de los niveles de azúcar. El Dr. Brazelton recomienda dejar un vasito de jugo de naranja al lado de la cama para que se lo beba al despertar. Al sentirse mejor, desayunará con más apetito y podrá manejar mejor su ansiedad.

LA ELECCIÓN DE ESCUELA

Aunque este capítulo gira más alrededor de la preparación que de la elección de la escuela, de hecho ambos temas están de alguna manera relacionados, pues el estar convencidos de que hemos hecho la mejor elección nos va a dar más tranquilidad y elementos para ayudarlos a adaptarse.

¿Es la escuela correcta?

Todos los papás tenemos la fantasía de inscribir a los niños en una escuela ideal; de alguna manera tenemos recuerdos de nuestra escuela, algunos agradables, otros desagradables. Lo que sí conocemos con certeza es la trascendencia de la decisión. Esto puede angustiarnos mucho.

Por otro lado, y por desgracia, hay algunos aspectos de la escuela que no son fáciles de observar en una visita, o que ante una pregunta directa al respecto, la directora conteste diciendo maravillas sin que necesariamente correspondan a la realidad cotidiana.

Pensando en el primer centro al que ingresa el niño, se recomienda visitarlo y observar lo siguiente:

a) Que haya un balance entre aprendizaje cognoscitivo y relaciones sociales. Las escuelas que ponen demasiado énfasis en el área cognoscitiva, por lo general muestran negligencia hacia elementos tan importantes como que el niño necesita crecer como ser social en un ambiente afectuoso. Hay que desconfiar de las escuelas que ponen demasiado énfasis en el aprendizaje cognoscitivo.

Los papás de esta época, sentimos mucha presión por preparar a los niños para enfrentar la competencia. Hay muy pocos padres que resisten la tentación de enseñarles antes de tiempo a leer, escribir y a identificar números.

La mejor manera de prepararlos para la competencia, consiste en darles la oportunidad de sentirse seguros y felices, satisfechos con sus propios logros, en lugar de presionados.

Esta presión por que tengan un buen desempeño de manera precoz, parece sabotearle al niño las posibilidades de autoexploración, de juego y, sobre todo, de que el aprendizaje se derive de su propia experiencia, no de la sabiduría de un tutor. El niño debe sentir que es él quien tiene el control de su aprendizaje. Es lo único que le quedará con los años para asimilar e investigar desde sí mismo. Hay minisabios o chicos con aprendizajes precoces que después se desgastan y saturan.

Más que someterlos a un súper método de aprendizaje, es necesario que los niños estén contentos en esta edad. Si no es así, no es una buena escuela para ellos. Cuando están muy contentos, el método suele ser afortunado, porque gozan aprendiendo y descubriendo. **Así de simple es la primera y más importante de las condiciones: que estén contentos.**

b) El ambiente físico y los rangos de flexibilidad para adaptarse a los ritmos de actividad y descanso de cada niño, reflejan el estilo de cada escuela. Brazelton recomienda observar a los niños muy activos y a los muy quietecitos, y ver las respuestas de las maestras hacia ambos tipos de niños, de modo que los dos perfiles parezcan a gusto y sean respetados en sus ritmos.

Con frecuencia hay una inclinación por atender a los niños inquietos o a los niños "estrella" e ignorar a los de ritmo más pausado. Tenemos que observar la habilidad para estimular la individualidad de cada niño. En teoría, todos los kinders dicen que así lo hacen pero en la práctica no todos lo cumplen.

Hay algunos niños con un pronóstico de desarrollo normal pero un poco inmaduros para su edad. En inglés se les llama "late bloomers" (niños cuya madurez aflora más tarde y sin problemas). Estos niños necesitan ser identificados y respetados. La aceptación de un niño con ritmo lento puede determinar que en el futuro tenga una autoimagen positiva.

Estos casos de niños relativamente más lentos, son frecuentes en algunas familias. Podemos preguntarnos:

¿Hay en la familia casos de personas (papás, tíos) con este perfil?

¿El niño fue prematuro o tuvo algún problema físico en sus primeros años?

¿Hubo algún retraso en su crecimiento físico?

¿Presenta inmadurez motora? ¿Es torpe para trepar, correr, jugar con la pelota, con respecto a otros de su edad?

¿Se distrae fácilmente?

¿Está retrasado su desarrollo social?

Muchas veces lo que les falta a estos niños es tiempo para madurar. Si se les presiona, se saturan y puede lastimarse su autoestima. Empezarán a compararse con otros niños y a sentirse perdedores. Hay que darle a estos niños más tiempo para que evolucionen.

La meta debe de ser edificar en el niño el interés de aprender. Una actitud presionante afecta tanto al niño lento como al listo. A veces se presiona a los niños listos precisamente por ser tan despiertos y no se pone atención a su madurez o a sus posibilidades de adaptación social y afectiva.

La estrategia con niños que no estén maduros o preparados debe ser:

1. De ser posible, aplazar su entrada a la escuela.
2. Buscar ambientes escolares más cálidos y relajados, con grupos más pequeños.
3. Sobre todo, como afirma Brazelton, adonde observemos que hay capacidad para brindarles cariño y tratarlos con paciencia. Esto es, sin duda, lo más importante.

Cuando el niño tiene dos años, no debemos de estarnos preocupando por si la escuela lo alineará hacia Harvard o hacia San Carlos. A los dos o tres años (y con más razón al año), lo importante es que el niño vaya contento, que socialice, que establezca lazos afectivos con sus compañeros, maestras y cuidadoras, que tenga su espacio; no necesariamente que sea una maravilla en el aspecto académico.

Hay que poner más interés en el desarrollo emocional y en la personalidad del niño que en su desarrollo cognoscitivo. El proceso de edificación de una imagen positiva de sí mismo, es mucho más importante que el aprendizaje de cuestiones académicas. Un niño listo aprenderá de cualquier manera si se siente contento consigo mismo.

Si pudiéramos separar el impacto que tiene la casa del impacto que tiene la escuela en el desarrollo profesional, intelectual y de trabajo, definitivamente la casa tiene más peso. Generalmente actúan juntas, pero cuando encontramos una buena casa (ambiente estimulante, alentador de la investigación, con recursos de consulta) y una mala escuela, prevalece la casa y los alumnos salen adelante. Si esto es cierto en el terreno profesional, más lo es en el ámbito de los valores, la autoestima y la personalidad.

Saber esto nos puede ayudar a relajarnos un poco y a sentir menos presión hacia el kinder. **No estamos decidiendo si enviarlo o no a Harvard; estamos procurando un entorno que le va a ayudar a madurar como persona.**

Brazelton menciona una variable poco tangible pero muy interesante: la empatía que tengamos con el lugar, el visualizar a nuestro niño en concreto contento ahí, es un buen indicio de la eventual adaptación del niño. Preguntarnos: *¿Me sentí a gusto? ¿Percibí entre las maestras un ambiente cordial? ¿Me identifico con el grupo de mamás?*

Hay que recordar cuál es la función del primer centro o maternal: recibir cuidados afectuosos en sustitución de la mamá.

La escuela requiere de los niños (y a su vez les ayuda a desarrollar las funciones de):

- Concentrarse y poner atención.
- Autocontrol para estar sentado por periodos.
- Participar y adaptarse a ritmos de actividad y de descanso, así como entender y retener las órdenes.
- Manejar sus cosas: lonchera, suéter, etc.
- Y, principalmente, adaptarse a un ambiente que no es su casa mediante el desarrollo de destrezas sociales de interacción.

GUÍA PARA COMPARAR ALTERNATIVAS. EL PRIMER CENTRO ESCOLAR

---

1) Nombre de la escuela, dirección, teléfono.

---

2) Características generales:

- ¿Se ven contentos los niños?
- ¿Se ven contentos los niños activos?
- ¿Se ven contentos los niños pasivos?
- ¿Se le permite a cada niño ir a su ritmo?
- ¿Cómo me imagino a mi niño aquí?
- ¿Las maestras y cuidadoras se ven satisfechas con su trabajo?
- ¿Tengo la impresión de que hay relaciones armónicas entre las personas que trabajan en la escuela?
- ¿Parecen tener gusto por los niños?
- ¿El ambiente es cálido?
- ¿Me siento a gusto?
- ¿Cómo es el espacio físico?
- ¿Permiten la entrada y la participación a los papás?
- ¿Cuántos niños hay por adulto?
- ¿Qué método y material utiliza la escuela?
- ¿Qué actividades tienen?

---

3) Distancia a la casa.

---

4) Costo (inscripción, colegiatura, material, número de pagos, aportación familiar)

Alejandra Tijerina[6] sugiere visitar la escuela durante los festivales; a la salida entrevistar a las maestras, a las mamás, a los niños.

CANCIÓN PARA PREPARAR LA ENTRADA A LA ESCUELA

Te sugerimos esta canción. Adáptala a tu niño o niña.
Arriba viene la letra y abajo las notas musicales:

A la escuelita llegué
(si, do, re, re, do, si, mi, mi)

Mami ya me platicó
(la, si, do, do, si, la, re)

Ella se va a despedir
(si, do, re, sol, re, si, la, mi)

Y luego va a regresar
(do, la, sol, re, re, re, sol)

Adiós mami, voy a trabajar
(re, si, mi, mi, do, la, re)

Me trago las lagrimitas y me voy a trabajar
(re, sol, re, si, la, mi, do, la, sol, re, re, re, sol)

6. Conferencia en las instalaciones de Proyecto DEI en 1995

BIBLIOGRAFÍA

Elkind, David
y Weiner, Irving
"Development of the Child"
John Wiley & Sons, Inc., 1978, U.S.A.

Brazelton, Berry
"Cómo Conciliar Trabajo y Familia. Una Guía para los Matrimonios de Hoy"
Editorial Norma, 1era. Edición, 1989, Colombia.

Brazelton, Berry
"Touchpoints. The Essential Reference. Your Child's Emotional and Behavioral Development."
A Merloyd Lawrence Book, Addison Wesley Publishing Company, Massachusetts,
3rd. Printing, 1992, U.S.A.

Leach, Penelope
"Children First. What Our Society Must Do and is Not Doing for Our Children Today"
Alfred A. Knopf, 1994, New York, U.S.A.

Herriot, Peter; Meadows, Sara
y Dixon, Peter
"La Enciclopedia del Preescolar".
"Jugar y Aprender".
"El Trabajo y el Recreo"
Ediciones Altea, 1983, España.

Slater, Jonathan A.
y Fuerst, Mark L.
"Dime Dónde te Duele. Cómo Descifrar las Penas y Malestares de sus Hijos"
Editorial Grijalbo, Biblioteca de la Salud, 2003, México.

Índice analítico

La publicación de esta obra la realizó
Producciones Educación Aplicada
s. de R.L. de C.V.

•

para la composición de texto
se usaron los tipos *Scala*,
diseñado por Martin Majoor
y *Syntax*, diseñado por Hans Eduard Meier.

La presente obra fue impresa en Grupo Ajusco, ubicado en
José María Agreda y Sánchez Num. 223, Col. Tránsito,
C.P. 06820, México D.F.

La edicion consta de 3000 ejemplares